Jeanine Guion, orthophoniste
Jean Guion, docteur ès sciences de l'éducation

ORTH

Apprendre
l'orthographe

Illustrations : Bruno Liance

Conception graphique : Frédéric Jely

Mise en page : atelier JMH (Nathalie Poux)

Mise en place des règles : Sylvie Lavaud

Couverture : Sandra Chamaret

Édition : Évelyne Brossier

ORTH 6ᵉ-5ᵉ

Cet ouvrage correspond au nouveau programme d'orthographe du collège, pour les élèves de 6ᵉ et de 5ᵉ. Il contient plus de 650 exercices et se divise en trois parties :

LES TESTS D'ORTHOGRAPHE

Ils donnent la possibilité d'**évaluer** le niveau de chaque élève en début d'année et de **faire le bilan** des notions acquises après l'apprentissage.

LES RÈGLES D'ORTHOGRAPHE

Elles couvrent **les grands domaines de l'orthographe** :
- les notions grammaticales de base ;
- l'orthographe d'usage ;
- les homophones grammaticaux (a/à, on/ont, la/l'a...) ;
- les accords en genre et en nombre ;
- les formes verbales avec, en particulier, la conjugaison des verbes fondamentaux.

LES RÉVISIONS ET LES DICTÉES

Chaque fiche de révision comprend **un texte suivi d'exercices** de grammaire, d'orthographe, de conjugaison et de réécriture.
Des renvois aux règles étudiées facilitent les révisions. Ces fiches sont suivies de **dictées** qui peuvent être adaptées en fonction des objectifs du professeur.

ET AUSSI...

Ce livre contient par ailleurs :
- **les mots à savoir écrire** sans hésiter à la fin des deux premières années du collège. Ils ont été choisis en fonction de leur fréquence dans la langue et de leur difficulté orthographique ;
- **les corrigés** d'une partie des exercices pour permettre l'autocorrection et les contrôles ;
- **un index** pratique et facile à utiliser ;
- l'alphabet phonétique international.

La maîtrise de l'orthographe du français est possible pour tous, à condition qu'elle donne lieu à un apprentissage raisonné, régulier et qui corresponde aux besoins réels des élèves.

Conseils d'utilisation

Les règles

L'élève doit s'imprégner du tableau visuel de la règle avant de faire ses exercices. Il doit aussi apprendre à **exprimer ce qu'il comprend**. Sous le tableau, la rubrique À RETENIR lui propose une formulation de la règle. Cette formulation peut également être élaborée en classe avec le professeur et devenir l'occasion d'un travail collectif de réflexion grammaticale.

Les exercices

Le niveau de difficulté est signalé par **›**, **››** ou **›››** sous le numéro de chaque exercice. Lorsqu'il s'agit d'un exercice à trous, l'élève doit répondre **en écrivant les éléments qui, dans la phrase, permettent de comprendre la bonne réponse**. Il prend ainsi l'habitude de sélectionner les informations utiles qui expliquent les marques orthographiques.

Les mots À SAVOIR

Ils sont présentés par petits groupes à la fin de chaque règle. Ces mots sont accompagnés d'exercices spécifiques pour stimuler la réflexion et en faciliter la mémorisation. Ils doivent être appris régulièrement. Les élèves peuvent se les dicter mutuellement, et noter dans un carnet répertoire ceux qui leur sont plus difficiles à retenir.

L'évaluation

• Tous les exercices sont prévus pour pouvoir être facilement notés sur 10 ou sur 20. On peut estimer qu'un élève réussit un exercice systématique lorsqu'il a 8 ou 9 réponses justes sur 10.
• Les exercices corrigés en fin d'ouvrage rendent l'autocorrection possible, les autres permettent des contrôles, si le professeur le souhaite. Les tests ne sont pas corrigés dans le livre. Les corrigés complets figurent sur le site Internet **www.orth-hatier.com**.

La progression

ORTH est d'un emploi très souple. Le professeur reste libre de définir l'ordre d'étude des règles en fonction de sa progression pédagogique ou selon les lacunes de ses élèves.

Présentation d'une règle

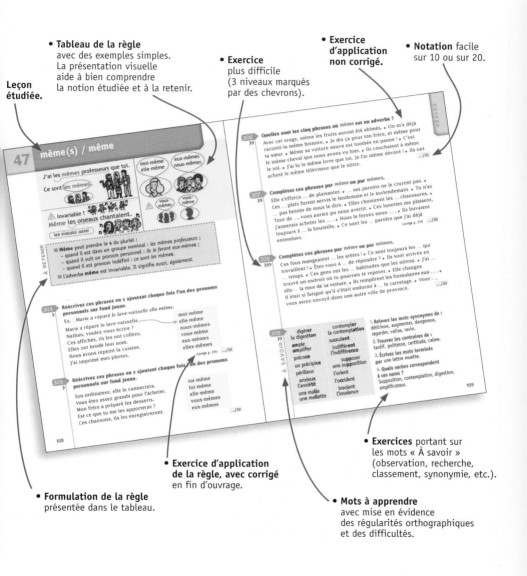

Leçon étudiée.

Tableau de la règle avec des exemples simples. La présentation visuelle aide à bien comprendre la notion étudiée et à la retenir.

Exercice plus difficile (3 niveaux marqués par des chevrons).

Exercice d'application non corrigé.

Notation facile sur 10 ou sur 20.

Formulation de la règle présentée dans le tableau.

Exercice d'application de la règle, avec corrigé en fin d'ouvrage.

Exercices portant sur les mots « À savoir » (observation, recherche, classement, synonymie, etc.).

Mots à apprendre avec mise en évidence des régularités orthographiques et des difficultés.

5

Liste des règles

Tests d'orthographe

■ Les tests reprennent **les quatre grandes rubriques**
de l'orthographe française :
– l'orthographe d'usage ;
– les homophones grammaticaux ;
– les accords en genre et en nombre ;
– les formes verbales ;
avec, chaque fois, deux niveaux de difficulté.

■ Le professeur peut utiliser ces tests en début
d'année scolaire pour **connaître le niveau de ses
élèves** et, plus particulièrement, leurs lacunes.
À partir de ce bilan, il peut **établir un programme**
général pour sa classe ou donner à chaque élève
un plan de travail en fonction de ses erreurs.

■ Ce **programme, collectif ou individuel**, peut
être ajusté au fur et à mesure des progrès ou des
besoins nouveaux apparus dans d'autres devoirs
ou lors de dictées.

1   **Remplacez les groupes nominaux par des pronoms.**
Les bonnes nouvelles avaient rassuré ses parents.

2   **Trouvez les trois mots qui correspondent à ces définitions.**
- Il a **s** ou **ss** : métier.   ■ Il a **g, ge** ou **gu** : propre aux poissons.
- Il a **c** ou **ç** : personne qui tient un magasin.

3   **Ajoutez les accents qui manquent.**
Une tartelette a la creme ? Quel excellent dessert ! Bon appetit !

4   **Ajoutez un préfixe à chaque mot pour écrire un mot de sens contraire.**
habité   honnête   patient   l'espoir

5   **Écrivez les suffixes qui sont dans ces mots.**
une terrasse   un fleuriste   un défenseur   une montée

6   **Écrivez le verbe qui correspond à chaque mot.**
la raison   une question   tendre   triste

7   **Réécrivez cette phrase sans abréviations et en ajoutant les majuscules.**
M. le Dr merle, pédiatre, annonce le mariage de sa fille lucie
avec le fils de Me michel, notaire.

8   **Trouvez un mot de la même famille que chacun de ces mots.**
un carreau   un accord   un progrès   le dos

9   **Écrivez le nombre 2 483 en lettres.**

10   **Quels homonymes de /so/ doit-on écrire pour compléter ?**
un ... en longueur   un ... en plastique   un enfant ...

Les numéros des questions renvoient aux règles correspondantes.

1 R1 R2	**4** R11	**7** R20	**10** R26
2 R5 R7	**5** R12	**8** R22 R23	
3 R8 R9	**6** R13 R15	**9** R24	

1 point par question entièrement réussie.   Réussite   ... /10

TEST : orthographe d'usage

1 **Quels pronoms personnels figurent dans cette phrase ?**
Laïla m'a demandé de te rendre les livres que tu lui as prêtés.

2 **Ajoutez les accents et les trémas qui manquent.**
Un personnage mysterieux apparut, vetu de noir. Il me dit
d'une voix metallique qu'il était le fantome de mon aieul.

3 **Quel est le radical de ces mots ?**
une barrière   un chanteur   le réchauffement   atterrir

4 **Quels préfixes y a-t-il dans ces mots ?**
accourir   irrégulier   décacheter   imperméable

5 **Coupez chaque mot pour séparer le radical du préfixe et du suffixe.**
expression   inondation   recueillir   décollage

6 **Changez les suffixes de façon à obtenir des noms.**
opposer   sincèrement   allier   nécessaire

7 **Quel adverbe correspond à chacun de ces adjectifs ?**
attentif   évident   abondant   énorme

8 **Écrivez les noms correspondant à ces participes passés.**
bâti   licencié   payé   averti

9 **Quel mot français vient d'un mot grec signifiant cheval ?**
horticulteur   galoper   hypothèse   hippodrome   psychologue

10 **Choisissez entre discerner, décerner et disserter pour compléter.**
On a pu ... sa mince silhouette dans le brouillard.

Les numéros des questions renvoient aux règles correspondantes.

1 R2	**4** R11	**7** R3 R18	**10** R27
2 R8 R9	**5** R10 R11 R12	**8** R19	
3 R10	**6** R12 R16	**9** R25	

1 point par question entièrement réussie.   Réussite   ... /10

TEST : homophones grammaticaux

1

Choisissez entre a, à, et, est, son ou sont pour compléter.
On ... sûr qu'... cette heure ils ... arrivés ... qu'ils se reposent.

2

Complétez cette phrase par ce ou par se.
Et Jérémy, ... doute-t-il de ... qui l'attend ?

3

Complétez en utilisant des mots qui se prononcent comme c'est.
...-il qu'il ... encore trompé ?

4

Complétez ces phrases par on ou par ont.
Pourquoi ne prend-... pas l'autre chemin ? ... le connaît mieux.

5

Réécrivez ces phrases en remplaçant un vieux chien par deux vieux chiens.
Mes cousins ont un vieux chien. Ils lui donnent de la pâtée parce que ses dents sont fragiles.

6

Complétez cette phrase par tout, tous, toute ou toutes.
Sur ... les étagères, elle avait disposé de ... petits animaux en porcelaine.

7

Choisissez entre la, l'a, là ou las pour compléter.
Le vétérinaire ... prise avec douceur pour ... soulever,
puis il ... posée sur la table d'auscultation.

8

Complétez en utilisant des mots qui se prononcent comme cent.
Te ...-tu capable de lui annoncer la nouvelle ... rire ?

9

Complétez cette phrase par si, s'y, ci- ou scie.
Demande-lui ... Capucine ... plaît toujours autant.

10

Complétez cette phrase par quel(s), quelle(s) ou qu'elles.
C'est normal ... soient fières : ... courage elles ont eu !

Les numéros des questions renvoient aux règles correspondantes.

1 R28 R29	**4** R33	**7** R39	**10** R44
2 R31	**5** R37	**8** R42	
3 R31 R32	**6** R38	**9** R43	

1 point par question entièrement réussie.   Réussite ... /10

1 **Faut-il écrire c'est, s'est, sais, sait, ces ou ses ?**
La musique ... tue, je crois que ... terminé.

2 **Complétez ces phrases par ont, on ou on n'.**
Faute de voiture, ... arrivera que le lendemain matin.
Pourra-t-... vous téléphoner de la gare ?

3 **Réécrivez cette phrase en utilisant peu, peux ou peut.**
Donnez-m'en *à peine* car je n'*arrive* pas à mâcher.

4 **Complétez en utilisant des homophones de /mɛ/.**
Ce ... est vraiment délicieux. ...-il possible d'en reprendre ?

5 **Réécrivez ces phrases en remplaçant le malade par les malades.**
Le malade est là. Le médecin lui prescrit des cachets pour calmer
ses maux de tête et faire baisser sa fièvre.

6 **Faut-il écrire la ou l'a(s) ?**
Il ... reçut l'an dernier.   Hier, ...-tu aperçue ?

7 **Complétez en utilisant des homophones de /ni/ et de /dã/.**
On ... va pas car les places sont chères et je refuse ... acheter.

8 **Complétez ces phrases par quand, quant ou qu'en.**
Avez-vous lu ce ... disent les journalistes ? ... aux experts,
ils ne se prononcent pas ... on les interroge.

9 **Complétez en utilisant des homophones de /tã/.**
On ... donnera deux ou trois, en ... que participant.

10 **Choisissez entre même et mêmes pour compléter.**
Mes grands-parents gardent ... des photos jaunies. Ils les avaient
prises eux-... .

Les numéros des questions renvoient aux règles correspondantes.

1 R30 R32	**4** R36	**7** R41	**10** R47
2 R33	**5** R37	**8** R45	
3 R34	**6** R39	**9** R46	

1 point par question entièrement réussie.   Réussite   ... /10

13

TEST : accords en genre et en nombre **6ᵉ**

1 **Écrivez cette phrase en accordant les mots en italique.**
Il a deux *(vieux)* *(pull)* en *(laine)*, trop *(grand)* et *(plein)* de *(trou)*.

2 **Écrivez ces expressions au pluriel.**
un ancien rival   un travail pénible   un festival de musique

3 **Écrivez ces noms au pluriel.**
un kangourou   un ruisseau   un pneu   son neveu

4 **Complétez les verbes en les accordant.**
Mon grand-père, je l'ignorai... , collectionn... les timbres, comme
le faisai... autrefois ses parents. Il les class... dans des albums.

5 **Accordez les verbes en utilisant le présent.**
Un camion qui pass... , des enfants qui cri... et les moineaux
de la place s'envol... .

6 **Écrivez les verbes en italique en les accordant.**
Voilà deux pigeons qui *(s'installer)* sur mon balcon. Je les *(écouter)*
qui *(roucouler)*. J'ai l'impression qu'ils me *(chanter)* une sérénade.

7 **Accordez les participes passés.**
Ils sont repart... rassur... , avec leur roue de secours bien gonfl... .

8 **Complétez cette phrase.**
Emma lui a prêt... son baladeur où elle avait enregistr...
des chansons qu'ils ont écout..., allong... sur le canapé.

9 **Écrivez les participes passés des verbes en italique.**
Aurélien et Lucas étaient *(arriver)* en retard et ils avaient *(manquer)*
le début de la partie.

10 **Écrivez les participes passés des verbes en italique.**
Ils sont sans doute *(rester)* au refuge où ils auront *(dormir)*.

Les numéros des questions renvoient aux règles correspondantes.

1 R49 R51	**4** R54	**7** R56 R57	**10** R58
2 R49 R50 R51	**5** R54	**8** R57 R59	
3 R50	**6** R54	**9** R58	

1 point par question entièrement réussie.   Réussite   ... /10

1   **Écrivez le pluriel de ces expressions.**
un noyau de cerise   un superbe corail   un caillou pointu

2   **Réécrivez ces phrases avec lequel ou auquel, en les accordant.**
Quelle nouvelle pièce joue-t-on ? *À quels acteurs* pensez-vous ?

3   **Complétez cette phrase par les pronoms qui conviennent.**
La télévision a filmé l'entreprise dans … ma mère travaille
et les machines avec … on vérifie la pureté de l'eau.

4   **Accordez les verbes. Utilisez le présent de l'indicatif.**
« C'est toujours toi qui gagn… ! » C'est ce que répèt… mon frère
et ma sœur, eux qui n'aim… pas perdre !

5   **Accordez les verbes de ce texte.**
Dans la salle d'attente, chacun s'occupai… comme il pouvait.
Plusieurs lisai…, d'autres écoutai… leur baladeur. Tout le monde
regardai… sa montre, mais personne ne s'impatientai… .

6   **Écrivez les participes passés des verbes en italique.**
(Arriver) les premiers, Paul et Anna avaient *(grimper)* sur un arbre.
Ils en étaient *(redescendre)* une fois la course *(terminer)*.

7   **Complétez les participes passés.**
Ils ont achet… une maison qu'ils ont restaur… eux-mêmes.

8   **Écrivez les participes passés des verbes en italique.**
Où ai-je *(laisser)* mes clés ? Est-ce que Jean les a *(ranger)* ?
Les avez-vous *(voir)* ?

9   **Écrivez cette phrase en accordant ou non les mots en italique.**
Ces écrans coûtent très *(cher)*, mais ils sont plus *(net)*.

10   **Complétez cette phrase par ant ou par ants.**
Les gens prévoy… et souhait… s'inscrire peuvent venir dès six heures.

Les numéros des questions renvoient aux règles correspondantes.

1 R49 R50	**4** R54 R55	**7** R59	**10** R61
2 R53	**5** R55	**8** R59	
3 R53	**6** R56 R57 R58	**9** R60	

1 point par question entièrement réussie.   Réussite … /10

TEST : formes verbales

1 **Complétez ces phrases par accueil(s) ou par accueille(nt).**
Merci de votre … chaleureux.   Je les … toujours ainsi.

2 **Complétez ces verbes au présent de l'indicatif.**
tu introdui…   on vérifi…   il préten…   elle jauni…

3 **Quel est l'infinitif et le temps de ces verbes ?**
il saura   vous fîtes   elles eurent   je sus   nous voyions

4 **Écrivez les verbes en italique à l'imparfait de l'indicatif.**
Chaque fois que je *(crier)* son nom, il *(bondir)* hors de sa niche,
(se mettre) à aboyer et nous *(rire)* de bon cœur.

5 **Réécrivez la phrase au passé simple, en commençant par : Soudain.**
Je la reconnais, je la salue et elle rougit.

6 **Réécrivez ces phrases en commençant par : Demain.**
Nous envoyons ces lettres à Montréal. Vous n'oubliez pas
de les affranchir pour le Canada.

7 **Réécrivez ces phrases en utilisant le passé composé de l'indicatif.**
Je reçois peu de courrier depuis que j'ai mon portable.
Avec mes copains, nous échangeons beaucoup de messages.

8 **Si j'écris j'aurai eu, il s'agit du futur antérieur de quel verbe ?**
a. voir   **b.** savoir   **c.** avoir   **d.** pouvoir

9 **Complétez en utilisant des terminaisons qui se prononcent /e/.**
N'oubli… pas de rapport… le dossier que je vous ai confi… .

10 **Je doute que tu … tout compris. Quelle forme verbale manque-t-il ?**
a. ai   **b.** aies   **c.** ait   **d.** es   **e.** est

Les numéros des questions renvoient aux règles correspondantes.

1 R64	**4** R68	**7** R74 R75	**10** R92
2 R66	**5** R70	**8** R76	
3 R67 R69 R72	**6** R73	**9** R79 R87	

1 point par question entièrement réussie.   Réussite   … /10

TEST : formes verbales

1

Complétez ces verbes au présent de l'indicatif.
je m'ennui…   tu rejoin…   tu men…   elle souri…   on surpren…

2

Écrivez chaque verbe en italique au temps du passé qui convient.
Ce jour-là, nous ne *(rouler)* pas vite. Soudain, nous *(apercevoir)* une moto.
Elle *(tourner)* au coin de la rue et *(disparaître)* aussitôt.

3

Écrivez les verbes en italique au futur simple de l'indicatif.
Je *(nettoyer)* les tables, puis tu les *(essuyer)* pendant
qu'elle *(balayer)*. Ensuite, nous *(pouvoir)* nous détendre.

4

Écrivez chaque verbe au temps composé correspondant.
nous prenions   je fus   elle viendra

5

Écrivez ces verbes à la 1re personne du pluriel de l'impératif présent.
avancer   voyager   expliquer   dialoguer

6

Écrivez les verbes en italique au présent de l'indicatif.
Mon frère *(projeter)* d'acheter une moto. J'*(appeler)* mon copain
pour lui en parler. Trois jours plus tard, il *(acheter)* un vélo !

7

Écrivez à l'impératif ces conseils d'une mère à son enfant.
Ne pas *(lire)* trop tard, *(éteindre)* ta lampe et *(s'endormir)* vite.

8

Complétez avec le verbe asseoir au temps qui convient.
…-vous ! Moi, je préfère rester debout. Quand je m'…, je m'endors.
Vous comprendrez que je préfère ne pas être … .

9

Écrivez les verbes au futur de l'indicatif ou au conditionnel présent.
Demain, je ne *(venir)* pas. Mais si je vous savais en danger,
j'*(accourir)* immédiatement.

10

Complétez par les verbes boire, avertir et être.
Il faut que vous … davantage d'eau pendant la course. Je crains
que votre entraîneur ne … pas content et … le médecin de l'équipe.

Les numéros des questions renvoient aux règles correspondantes.

1 R66 R84	**4** R76	**7** R86	**10** R92 R93
2 R70 R71	**5** R81 R86	**8** R88	
3 R73 R82	**6** R83	**9** R90 R91	

1 point par question entièrement réussie.   Réussite   … /10

Règles

RÈGLES D'ORTHOGRAPHE

■ Elles sont présentées en **cinq rubriques**
(liste pp. 6 à 8) :
– les notions de base ;
– l'orthographe d'usage ;
– les homophones grammaticaux ;
– les accords en genre et en nombre ;
– les formes verbales.

Dans chaque rubrique, les règles suivent un **ordre croissant de difficulté**. Elles sont indépendantes les unes des autres, car chacune fait travailler une particularité de l'orthographe. Le professeur peut ainsi choisir les règles en fonction du niveau de sa classe.

■ Les mots À SAVOIR sont répartis tout au long des leçons. Ils ont été **choisis d'après leur fréquence** dans la langue et leur difficulté d'apprentissage.

■ Certains exercices sont autocorrectifs, d'autres non. On peut facilement les noter, car tous sont prévus avec 5, 10 ou 20 réponses. Leur niveau de difficulté est signalé par ❯, ❯❯ ou ❯❯❯.

1   Le groupe nominal

ma *petite* cuillère *orthographique*

ADJECTIF   **NOM**   ADJECTIF

> **Le groupe nominal** est un groupe de mots formé, à la base, d'**un nom** précédé d'**un déterminant** : *le, la, un, une, des, mon, ma, cette...* .
> Le nom peut être accompagné par un ou deux **adjectifs qualificatifs** : *petite, orthographique*.

À RETENIR

---

1 > **Dessinez une « cuillère » sous chaque groupe nominal.**

Ex. : *Le vieux château profile ses ruines sombres sur le ciel.*

L'enfant courait en tenant le chaton serré sous son manteau. •
Le jeune homme se sentit soudain rougir. • La renarde se leva
brusquement et ses petits cessèrent leurs jeux. • Les choses
se présentaient plutôt bien. • Ils s'assirent sous le grand chêne,
autour d'une longue table.   Corrigé p. 226   .../10

---

2 > **Parmi ces mots, lesquels sont des déterminants ? Écrivez-les dans un groupe nominal de votre choix.**

vous	l'	ma	son	lui	à	leur	par
ces	qui	on	mais	quelles	si	mes	cet
si	eux	quel	tu	quand	vos	nom	car

.../10

---

3 > **Quels groupes nominaux figurent dans ce texte ? Écrivez-les.**

La maison était située sur le flanc de la montagne, près d'un chemin
qui montait vers les crêtes. C'était une vieille grange qu'ils avaient
transformée en un ravissant petit chalet. Sur le côté, une niche vide
rappelait qu'ils n'habitaient là que l'été.   Corrigé p. 226   .../10

4 >
Ajoutez un déterminant et un adjectif qualificatif à chacun de ces noms, sans en changer l'orthographe. Variez les déterminants.

veste, fauteuil, personnages, demandes, grand-père, athlètes, récit, pinceaux, outils, profession.   .../10

5 >>
Relevez les groupes nominaux de ce texte.

Ils prirent la barque et ramèrent jusqu'à une île sauvage. Là, ils se dirigèrent vers une grotte dont une épaisse végétation dissimulait l'entrée. Ils firent rouler quelques grosses pierres et un vieux coffre apparut. Ils l'ouvrirent et y vidèrent leurs sacs, puis contemplèrent leur trésor sans dire un mot.   Corrigé p. 226 .../10

6 >>
Reconstituez ce texte en le complétant avec les noms sur fond bleu.

> récit   copains   photos   article   télévision
> correspondant   public   exploits   cour   journal

Ses … l'attendaient déjà dans la … . Il commença aussitôt le …
de ses … de la veille. Il affirma que le … publierait un … sur
le sujet. Le … local avait même pris quelques … qui paraîtraient
le lendemain. Thomas se voyait déjà passer à la … et applaudi
par un … admiratif.   Corrigé p. 226 .../10

7 >>
Complétez ce texte avec des noms de votre choix.

Ce …-là, ce fut une véritable … de voyager dans le … ! Elle réussit
à trouver une … malgré la … qu'elle portait à la … . Son … fut obligé
de tenir au-dessus de sa … la grande … qu'il avait achetée pour
leurs … .   .../10

8 >

À SAVOIR

une cité	un **acc**roc
un citadin	**acc**rocher
un citoyen	errer
un débri**s**	une **err**eur
un croqui**s**	exiler
le fraca**s**	un exi**l**
une section	un com**p**te
une construction	com**p**ter
la conten**ance**	un com**p**teur
une croy**ance**	un com**p**table

1. Quel nom correspond à chacun de ces verbes ?
Exiler, construire, contenir, fracasser, sectionner, accrocher, croire.

2. Quels noms se terminent par une lettre muette **?**

3. Écrivez les mots qui peuvent être synonymes de : dessin, foi, ville, bâtiment, calculer, faute.

Qu'**elle** est courageuse ! **Il** **la** remercie.

PRONOM

NOM

■ **Le pronom** remplace un groupe nominal (déterminant + nom).
Il faut toujours savoir ce que représente chaque pronom.
Son orthographe et celle d'autres mots de la phrase en dépendent.

---

9 > **Remplacez chaque pronom en bleu par un groupe nominal en utilisant les noms sur fond jaune. Écrivez les phrases obtenues.**

tuile	père
chatte	toit
voiture	chatons
dents	sœur
rivière	prés

Il la conduit avec prudence. • Il faut *le* faire réparer et *la* changer car elle est cassée. • Chaque année, *elle les* inonde au printemps. • *Elle les* nettoie. • *Elle* se *les* brosse trois fois par jour.

Corrigé p. 226   .../10

---

10 > **Entourez les pronoms qui figurent dans ce texte.**

On ne les croyait pas assez grands et forts pour faire cette ascension. Quand on lui a dit qu'ils étaient partis, elle n'a pas voulu me croire. Mais quand elle les a vus revenir vainqueurs, sa colère a fait place à la fierté. Ils avaient réussi !

Corrigé p. 226   .../10

---

11 > **Pour chaque mot en bleu, dessinez soit la « cuillère » du groupe nominal, soit le « huit » du pronom.**

Ex. : *Pierre lui donne la clé.* → *Pierre lui donne la clé.*

Il lui tourna le dos. • *Je lui* raconte *mes* aventures. • *Elle* se tenait devant *lui* et *il* évitait de *la* regarder, car *il* savait qu'*elle* était trop timide pour répondre à *ses* questions. • *Le* garçon chercha Cathy, *elle* aurait dû être là pour *l'*aider à rentrer *les* chaises. • *Les* chèvres étaient parties vers *la* ferme, mais on *les* retrouva dans *le* petit bois. .../20

12 **›**
Remplacez chaque groupe de mots en bleu par un pronom. Écrivez la phrase obtenue en l'ajustant, si nécessaire.

La livraison aura lieu demain matin. • On repeindra *notre cuisine* ce week-end. • Chloé réclamait davantage *de temps* pour terminer *son devoir*. • Il avait *un permis* pour pêcher dans le lac. • *Les avocats* sont arrivés *au tribunal* en avance. • N'oubliez pas de mettre *la ponctuation*. • *Ma grand-mère* rangea tous *ses bibelots*. .../10

13 **››**
Pour chaque mot en bleu, dessinez soit la « cuillère » du groupe nominal, soit le « huit » du pronom.

As-*tu* vu *l'*incendie ? interrogea Thomas. *Moi*, *je l'*ai vu. Les pompiers *l'*ont éteint en trois minutes. • *On* aperçut alors *une* grande ferme. • *Leur* travail terminé, *tous* se retrouvaient dans *la* cour pour jouer à la pétanque. • C'était *ma* ville. *J'y* vivais quand *vous* aviez encore *votre* chien. • *Cette* fumée est bizarre ; *on* dirait qu'*elle* part de *la* colline. Corrigé p. 226 .../20

14 **››**
Réécrivez ces phrases en remplaçant les dix pronoms qu'elles contiennent par des groupes nominaux de votre choix.

Il ne voulait pas la leur donner. • Elles ne se rappellent pas l'avoir rendu. • Mon copain le lui lança. • Qu'ils sont gourmands ! • Pourquoi l'avait-elle raconté ? .../10

15 **›**

une gou**tte**	**tôt**
un égou**tt**oir	bien**tôt**
conv**ain**cre	jam**ais**
le **vain**queur	désorm**ais**
certifier	un ennui
un certifica**t**	s'ennu**y**er
perso**nn**el	un salu**t**
une perso**nn**e	un absen**t**
un perso**nn**age	s'absenter
la laideur	majeur

1. Quels mots se terminent par un **t** muet **?**

2. Quels noms correspondent à ces verbes ?
Certifier, s'ennuyer, s'absenter, égoutter, saluer, vaincre.

3. Relevez les synonymes de :
persuader, individu, prochainement, dorénavant ; puis les contraires de :
mineur, toujours, tard et beauté.

L'adverbe

Paul travaille.
Il travaille [beaucoup].

Il est content.
Il est [très] content.

Il écrit bien.
Il écrit [vraiment] bien.

VERBE
ADJECTIF
ADVERBE

ADVERBE

À RETENIR

■ **L'adverbe** est un mot invariable qui modifie ou précise le sens d'un verbe, d'un adjectif ou d'un autre adverbe.

16 > **Sur chaque ligne, soulignez les adverbes, c'est-à-dire les mots qui peuvent préciser le sens de chaque verbe en rouge.**

- manger → mal, beaucoup, vert, coureur, peu.
- dormir → longtemps, ronfler, debout, rêverie.
- chanter → bleu, juste, crier, faux, bien, vexé.
- marcher → vite, courir, lentement, difficile. Corrigé p. 226 .../10

17 > **Sur chaque ligne, soulignez les adverbes, c'est-à-dire les mots qui peuvent préciser le sens de chaque adjectif en bleu.**

- sombre → presque, petit, trop, avertir, parfois.
- facile → œil, rarement, bondir, souvent, jeu.
- drôle → enfin, rire, tellement, quinze, assez.
- content → très, triste, toujours, moment. .../10

18 > **Soulignez les verbes ou les adjectifs dont le sens est précisé par les adverbes en bleu.**

C'est un professeur *très* exigeant. • Elle travaille *beaucoup* le vendredi. • On se lève *tard* le samedi. • Il se trouvait dans une situation *peu* enviable. • Elle raconte *toujours* les mêmes histoires. • Le bus passe *généralement* vers dix heures. • Mon frère est *assez* grand pour monter dans ce manège. • Il habite *encore* dans sa caravane. • C'est une réponse *vraiment* surprenante. • Il faut aboutir *rapidement* à un résultat.   Corrigé p. 226   .../10

19 ›› **Soulignez les verbes, les adjectifs ou les adverbes dont le sens est précisé par les adverbes en bleu.**

Le soir, ils bavardaient *ensemble*. • C'est un fauteuil *assez* confortable. • Ce n'est pas *tellement* rare. • Elle expliqua *très* clairement le problème. • Les voitures roulent *vite* sur les autoroutes, *trop* vite à mon avis. • Ils sont *presque* contents. • Elle est *tout à fait* capable de tenir ce rôle. • On a cherché son manteau *partout*. • Il marchait *tranquillement* le long de la rivière.   Corrigé p. 226   .../10

20 ›› **Quel adverbe précise le sens de chaque adverbe en bleu ?**

Il en voudrait bien *davantage*. • On travaille vraiment *beaucoup* avec ce professeur. • Il rit très *bruyamment* à la plaisanterie. • Vous m'étonnez toujours *énormément*. • Ma mère va beaucoup *mieux*. • Il a presque *trop* tardé. • Ils sont allés assez *loin*. • Le nouvel entraîneur arrivera très *bientôt*. • Elle se tient tout *près* de la porte. • Je vous le porterai bien *volontiers* ce soir.   .../10

21 ››› **Trouvez cinq adverbes qui peuvent modifier ou préciser le sens du verbe écrire. Écrivez-les chacun dans une phrase.**   .../10

22 ››

À SAVOIR

prom**pt**	gai
promptement	la gai**e**té
récen**t**	gai**e**ment
récemment	une alerte
éviden**t**	alerter
évidemment	chétif
constan**t**	**ex**quis
constamment	auprès
successif	**ex**près
successivement	assez
patien**t**	trop
patiemment	amer

1. **Écrivez les adverbes qui signifient :** rapidement, en permanence, il y a peu de temps, bien sûr, à la suite.

2. **Écrivez les mots synonymes de :** joie, avertir, faible, volontairement, délicieux.

3. **Écrivez les mots qui se terminent par** un **s** muet **et ceux qui ont** trois voyelles qui se suivent.

4. **Parmi les adverbes ci-contre, quels sont ceux où le son** /a/ **s'écrit e ?**

4 La négation

Je (ne) vois (pas).

Je ⬤ vois ⬤.

Ces lunettes (ne) servent (que) pour écrire.
VERBE

⬤ **VERBE** ⬤

■ **La négation** modifie le sens d'un verbe. Elle est formée de deux mots qui encadrent le verbe : c'est une locution adverbiale de négation.
  – 1er élément : *ne* ou *n'* (avant une voyelle);
  – 2e élément : *pas, plus, rien, jamais, que, point, guère...*
■ Si le verbe est à un temps composé, la locution adverbiale de négation encadre l'auxiliaire : *Elle n'est pas arrivée.*

---

23 ❯ **Encerclez les négations en dessinant des « lunettes ».**

Ex. : *Je ne veux pas dormir.* → *Je (ne) veux (pas) dormir.*

Le gendarme n'avait pas fait un geste. • Tu n'as rien dit ? • Je ne prendrai qu'un seul gâteau. • On n'en parlera plus, c'est promis. • On n'y va que le dimanche. • Tu ne te rends pas compte, Élisa n'a que deux ans. • Nous n'en mangerons plus. • Peut-être n'avait-elle pas bien entendu la sonnerie du téléphone ? • Ma petite sœur n'a rien vu du spectacle, car elle dormait profondément.   Corrigé p. 226   .../10

24 ❯ **Relevez les négations qui figurent dans ces phrases.**

Tu ne serais pas perdu, par hasard ? • Je n'en crois pas mes yeux. • Il est minuit, il ne viendra plus. • Ne m'avais-tu pas dit que le moule était trop petit pour ce gâteau ? • N'aie pas peur, avec moi tu ne crains rien. • Mes cousins ne se déplacent qu'en train quand ils vont en Allemagne. • Je ne crois pas à votre version des faits. • Il ne met jamais de sucre dans son café. • Elle ne sait jouer que du piano.
                                        Corrigé p. 226   .../10

25 ›› **Écrivez ces phrases à la forme affirmative.**

Il n'y avait pas de clôtures. • Ce pays n'est devenu un pays d'élevage que longtemps après. • Les occupations ne nous manquent pas. • On ne peut plus les empêcher de jouer. • Je n'ai commandé qu'un seul sac. • Nous n'avons plus besoin d'eux. • On ne les met que dans les grandes occasions. • Je ne la retrouverai plus jamais. • Je n'ai jamais vu une pluie aussi violente. • L'entrée du zoo ne devait pas être très loin. …/10

26 ›› **Quelles interrogations affirmatives correspondent à ces questions négatives ?**

Pourquoi n'est-elle pas venue ? • Ne l'avez-vous pas aperçu ? • Ne l'empêcherez-vous pas d'entrer ? • Pourquoi ne caresses-tu pas ce chien ? • Ne le désavantagez-vous pas ? • N'hésite-t-il jamais ? • Pourquoi ne pas s'en aller ? • Ne peut-on pas le visser avec ce tournevis ? • N'en parlez-vous jamais ? • Ne la remboursera-t-on pas bientôt ? Corrigé p. 226 …/10

27 ››› **Réécrivez ces phrases en utilisant des locutions adverbiales de négation pour obtenir des phrases de sens contraire.**

Elle accepte parfois de m'aider. • Le taxi est arrivé à l'heure. • Tu as encore les yeux rouges ! • J'apprécie beaucoup ses cadeaux. • Il voyage toujours. • Nous avons beaucoup de temps devant nous. • Il reviendra sûrement. • Voudriez-vous poster cette lettre ? • Il faisait beaucoup pour eux. • Nous en voulons encore. …/10

28 ›› À SAVOIR

gaspiller	élire
le gaspillage	une élection
	un électeur
sitôt	
tantôt	l'identité
plutôt	
aussitôt	la générosité
	humain
une caresse	l'humanité
la paresse	
la sagesse	ranger
	arranger
la vitesse	une rangée

1. Trouvez les quatre mots terminés par les quatre mêmes lettres.

2. Écrivez les mots invariables qui sont de la famille de bientôt.

3. Écrivez les noms qui évoquent : un défaut, une qualité, une personne.

4. Écrivez les mots qui ont un sens contraire de : avarice, économiser, déranger, lenteur, coup.

5 Les mots avec s ou ss

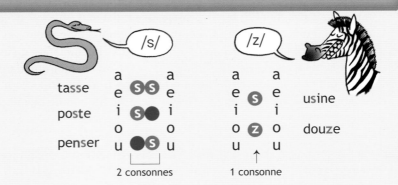

À RETENIR

- Le son /s/ s'écrit avec **deux s** quand il est **entre deux voyelles**. Quand il n'est pas entre deux voyelles, un seul **s** suffit.
- Le son /z/ s'écrit neuf fois sur dix avec la lettre **s** et une fois sur dix avec la lettre **z**. En début de mot, le son /z/ s'écrit toujours avec un **z**.

29 › **Complétez ces mots par s ou par ss.**

bon...oir	du rai...in	une blou...e	une tran...formation
s'a...oupir	e...uyer	di...cuter	néce...aire
l'exi...tence	impo...ible	une ble...ure	bru...quement
le ha...ard	une dan...e	occa...ionner	une pâti...erie
des ci...eaux	a...embler	dépa...er	une profe...ion

Corrigé p. 226   .../20

30 › **Complétez ces mots par s ou par ss.**

un défen...eur, la de...tinée, ai...ément, une terra...e, le dé...espoir, hau...er les épaules, per...évérer, se ren...eigner, la néce...ité, un re...ort, un ri...que, la guéri...on, une care...e, préci...ément, la pro...périté, offen...er, sur...auter, une pen...ion, suffi...ant, bo...elé.   .../20

31 ›› **À partir de chacun de ces mots, trouvez un mot de la même famille qui s'écrit avec ss.**

Ex. : *succéder → une succession.*

obéir	faible	un tas	souple	discuter
l'appétit	imprimer	gros	le souffle	jaune

Corrigé p. 226   .../10

32 ➤➤ **Quels mots s'écrivant avec ss correspondent à ces définitions ?**

Ex. : *Boisson fraîche.* → *rafraîchissement.*

Boisson fraîche.	Toute petite rivière.	Fatigue.
Égouttoir à légumes.	Augmentation.	Autorisation.
Manteau d'homme.	Diminuer un prix.	Tenter.
Fainéantise.	Enseignant.	

Corrigé p. 227   .../10

33 ➤➤ **Dans ces mots, le son /s/ s'écrit de deux façons différentes, mais pas avec un simple s, ni avec ss. Écrivez-les.**

une de...ente	la décora...ion	...intiller	une généra...ion
une por...ion	un a...enseur	une ...ène	un adole...ent
la di...ipline	une répara...ion		

.../10

34 ➤➤ **Aidez-vous de ces séries de mots pour compléter par s, c ou sc.**

science	ceinture	dense	scie	foncer
conscient	ceinturon	densité	scier	défoncer
conscience	ceinturer	condensation	scierie	enfoncer

servir	sans cesse	persister	pince	valse
serveur	cesser	persistant	pincer	valser
servante	incessant	persistance	pincette	valseur

Du lait conden...é • de la ...iure • une ...essation de paiement • con...iencieux • le ...iage du bois • un renfon...ement • un ...essez-le-feu • un arbre à feuilles per...istantes • une personne ...erviable • une personne pin...e-sans-rire.

.../10

35 ➤

possessif
le possesseur
la possession

une permission
sans **cess**e
un su**cess**eur
une su**cess**ion

courir
un coureur
accourir
concourir
le courrier

asso**c**ier
une asso**c**iation

mendier
un mendiant

s'installer
une installation

un dortoir
un trottoir

1. Quels noms correspondent à ces verbes ?
Succéder, trotter, mendier, permettre, posséder.

2. Écrivez les mots ayant une consonne double qui ne soit pas deux s.

3. Changez la lettre en rouge et retrouvez quatre mots « à savoir » :
mourir, coursier, messe, couleur.

Les mots avec g ou gu, c ou qu

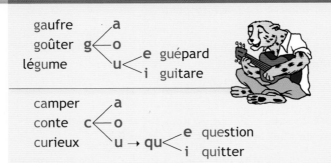

gaufre
goûter **g** → a
légume → o
→ **u** → e guépard
→ i guitare

camper
conte **c** → a
curieux → o
→ **u** → **qu** → e question
→ i quitter

seuil
faut**eu**il
⋁
or**gue**il
c**ue**illir

■ **g** avant **a, o, u** correspond au son /g/. Avant **e** et **i**, on écrit **gu**.

■ **c** avant **a, o, u** correspond au son /k/. Avant **e** et **i**, on écrit **qu**.

■ Après **g** et **c**, on inverse le **eu** de **euil** pour garder les sons /g/ et /k/. On écrit alors **ueil**.

---

36 › **Complétez ces mots par g ou par gu.**

prodi...er, l'an...oisse, ...ider, ...arantir, jouer de l'or...e, le lan...age, la lon...eur, une ...aufre, vul...aire, la ...érison, un bri...and, un ...ichet, le ...oût, l'or...eil, de la vi...eur, une ...êpe, un han...ar, distin...er, se fi...urer, ...ambader.
Corrigé p. 227 .../20

---

37 › **Complétez ces mots par c ou par qu.**

une indi...ation, fré...ent, une co...ille, une exé...ution, un ...as, compli...er, un perro...et, dis...uter, fabri...er, invo...er, le ...inzième, la fabri...ation, un é...ipage, provo...er, ...ueillir, du...el, in...iéter, une en...ête, être vain...u, un ban...ier.
Corrigé p. 227 .../20

---

38 ›› **Ces vingt mots ont la lettre u. Dans dix d'entre eux seulement, cette lettre se prononce comme dans le mot rue. Écrivez ces mots.**

virgule	quiconque	obscur	magique	envergure
collègue	lagune	guenille	guignol	périodique
piqûre	liquide	défiguré	perroquet	dégustation
irriguer	véhicule	délégué	rancune	crépuscule

.../10

39 ▸ **Complétez ces mots par g, gu, c ou qu.**

être ri...oureux, être intri...é, l'in...iétude, être ...ourmand, c'est ex...is,
a...acer, ...etter, la ...ueillette, les consé...ences, lon...ement,
la mélan...olie, con...érir, le vain...eur, appli...er, la communi...ation,
être or...eilleux, en...ager, ta...iner, être élé...ant, le mu...et.

Corrigé p. 227   .../20

40 ▸ **Complétez ces mots par g, gu, c ou qu.**

un ...omptable, faire la ...eue, être in...iet, un ...érisseur, s'appli...er,
un dé...isement, un é...outtoir, ...etter, une pré...aution, ac...érir,
un pla...ard, une en...ête, la fé...ondité, en ...ise de, musi...al,
une bour...ade, des anti...ités, iné...al, une dis...ussion, fré...enter.

.../20

41 ▸ **Quels mots s'écrivant avec qu correspondent à ces définitions ?**

Ex. : *Grand repas de fête.* → *un banquet.*

Grand repas de fête.
Pour tracer un angle droit.
Il protège la tête.
Dessin rapide.
Somme de sept plus huit.
Fausse chevelure.

Fleur rouge des prés.
Petit magasin.
Animal mou.
Il n'a plus que les os.
C'est le gagnant.

.../10

42 ▸

À SAVOIR

une te**ch**nique
un te**ch**nicien
la ph**y**sique

une conqu**ê**te
conqu**é**rir
un conqu**é**rant
conqu**is**

questio**nn**er
un questio**nn**aire

la conséquence
par conséquent

méta**ll**ique
une que**r**e**ll**e
se que**r**e**ll**er

gu**é**rir
un gu**é**risseur
la gu**é**rison
gu**é**rissable

un délégué

gue**tt**er

un liquide
une liqueur

**1. Quels noms représentent
des personnes ?**

**2. Écrivez les mots que vous pouvez
associer à :** alcool, soigner, réparateur,
guerre, eau.

3. Écrivez les mots qui ont
une consonne double.

**4. Écrivez les mots qui sont synonymes
de :** spécialiste, donc, dispute,
interroger, formulaire.

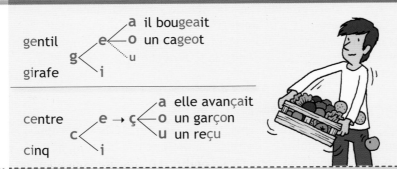

gentil
girafe

g — e — a il bougeait
        o un cageot
        u
     i

centre
cinq

c — e → ç — a elle avançait
             o un garçon
             u un reçu
     i

À RETENIR

■ Pour correspondre au même son que **j**, la lettre **g** doit toujours être suivie d'un **e** ou d'un **i**. Si ce n'est pas le cas, on ajoute un **e**.

■ Pour correspondre au son /s/, la lettre **c** doit toujours être suivie d'un **e** ou d'un **i**. Si ce n'est pas le cas, on écrit **ç**.

---

43 > **Complétez ces mots par c ou par ç.**

le fran...ais, éclair...ir, des soup...ons, une ressour...e, les fian...és, un ma...on, noir...ir, mena...ant, une ran...on, je re...ois, je dépla...ais, un aper...u, spé...ial, le rin...age, être dé...u, un gla...on, commen...er, en commen...ant, fa...onner, une fa...ade. Corrigé p. 227 .../20

44 > **Complétez ces mots par g ou par ge.**

prodi...ieux, des na...oires, une éta...ère, la rou...ole, exi...er, un na...eur, des fla...olets, un bour...ois, l'obli...ance, il na...a, être intelli...ent, un sens ...iratoire, un ...éant, la ven...ance, man...able, il voya...a, la vé...étation, un pi...on, nei...er, de l'oran...ade. Corrigé p. 227 .../20

45 >> **Ces mots s'écrivent tous avec deux c. Quels sont ceux où le deuxième c représente le son /s/ ?**

vaccin	accablant	occident	accès	accueillir
d'accord	occupation	préoccupé	occasion	accepter
accent	accélérer	coccinelle	accourir	accordéon
succès	accrocher	s'occuper	succéder	accident

.../10

46 ▶ **Complétez ces mots par g, ge, c ou ç.**

l'hy…iène, un pin…eau, fra…ile, un diri…able, une fa…on,
une balan…oire, il soula…a, arran…er, une dé…eption, un hame…on,
des déman…aisons, un commer…ant, on ju…a, les fian…ailles,
un …itoyen, …à et là, un plon…oir, un tron…on, le proven…al,
négli…able. Corrigé p. 227 …/10

47 ▶ **Complétez chaque phrase en utilisant un mot de la même famille
que le verbe sur fond jaune.**

- menacer → Le chien montra ses crocs et devint … .
- recevoir → La caissière lui a donné un … .
- exiger → Ce professeur est … sur l'orthographe.
- prononcer → Ce mot long et difficile est presque … .
- encourager → Quelques mots … l'aidèrent à réussir. …/10

48 ▶▶ **Quels mots avec ge ou avec ç correspondent à ces définitions ?**

Ex. : *Femme du village.* → *villageoise.*

Planche au-dessus de la piscine. • Siège pendu à des cordes. •
Oiseau qui roucoule. • Sorte de slip. • Boisson à l'orange. •
Petit chandelier. • Impossible à manger. • Saut dans l'eau. •
Suspecter. • Personne qui prend la place d'un absent. …/10

49 ▶

une sauce	exercer
une saucisse	un exercice
un saucisson	le bon**heur**
la nécessité	le mal**heur**
nécessaire	
succéder	e**ff**rayer
le succ**ès**	une frayeur
se venger	agir
la ven**ge**ance	réagir
un commer**ç**ant	menacer
une balan**ç**oire	mena**ç**ant
	un aper**ç**u

**1. Quels noms correspondent
à ces verbes ?**
Effrayer, venger, se balancer, apercevoir,
nécessiter, exercer.

2. Quels mots ont à la fois un c
et deux s ?

3. Écrivez les contraires de : inutile,
bonheur, pardon, précéder, échec.

4. À quels mots associer ces noms ?
Réussite, joie, vendeur, toboggan,
vinaigrette.

/e/ /ɛ/

Il a lancé une flèche.

Il a perdu.

Pour pouvoir porter un accent,
le e doit être à la fin d'une syllabe.

⚠ Cas particuliers : __êt et __ès.

À RETENIR

■ **L'accent aigu** peut seulement se trouver sur un **e**.

■ **L'accent grave** se trouve surtout sur un **e**, mais aussi sur un **a** et sur un **u** dans quelques petits mots très utilisés comme *à, où, là, voilà, déjà...*

■ On ne met **pas d'accent** sur un **e** à l'intérieur d'une syllabe écrite pour représenter le son /ɛ/, sauf pour les mots terminés par -**êt** et -**ès**.

---

50 › **Si tous les e de ces syllabes se prononcent /ɛ/, sur lesquels doit-on mettre un accent grave ?**

-dres-	-ef-	-des-	-es-	-fle-	-the-	-ne-	-cre-
-nie-	-rec-	-rie-	-fer-	-ter-	-pie-	-gue-	-pel-
-mes-	-me-	-pres-	-re-				

Corrigé p. 227   .../10

51 › **Ajoutez les accents aigus ou graves qui manquent à ces mots.**

e-chel-le	ap-pe-tit	des-sert	le-ge-re-ment
res-pec-ter	e-ta-ge-re	es-pie-gle	in-te-res-sant
de-sert	en-ter-re-ment	cer-cle	in-ter-rom-pre
s'ef-for-cer	de-me-na-ger	des-ti-ner	de-cla-rer
ex-pres-sion	ge-ne-ro-si-te	hy-gie-ne	se-ve-re.

Corrigé p. 227   .../20

52 ›› **Quels mots ont perdu un accent ? Ajoutez-les.**

des termites, un debris, un herbivore, un proces, acheminer, un succes, un athlete, une descente, une assiettte, interroger, une etincelle, un avertissement, une carriere, la descente, decider, un adversaire, intelligent, une precision, verdoyant, un mystere.

.../10

53 **Ajoutez les accents aigus ou graves qui manquent à ces mots.**

ver-ti-ge	ques-tion	pre-ce-dent	con-que-rir
e-ter-nu-er	li-ber-te	the-ie-re	de-cri-re
a-e-rer	se-cher	s'es-souf-fler	as-siet-te
sphe-re	es-pe-ce	es-ca-lier	de-fi-le
e-gal	in-ge-nieur	cer-ti-fi-cat	pro-fes-sion.

Corrigé p. 227   .../20

54 **Écrivez ce texte en ajoutant les accents qui conviennent.**

Debut mars, la temperature s'eleve. L'hiver est presque termine.
On decouvre les premieres fleurs à la lisiere du bois. Les fourmis
sortent de leur cachette dissimulee sous une enorme pierre
et reprennent leur activite.   .../10

55 **Ces mots riment deux par deux et ils ont toujours un accent grave.
Retrouvez-les et écrivez-les.**

privil...	hygi...	probl...	réverb...	past...
sortil...	indig...	syst...	cimeti...	biblioth...
arbal...	parall...	museli...	plan...	phénom...
diab...	client...	barri...	interpr...	énergum...

.../10

56

une proportion	çà et là
une condition	un défi
le conditionnel	un délai
une dimension	un décor
une discussion	la décoration
inonder	supplier
une inondation	un supplice
un associé	un cèdre
un employé	la crème
un chrysanthème	une flèche
une primevère	une brèche
un myosotis	une crèche

1. Écrivez les mots qui ont un accent grave.

2. Trouvez les noms correspondant à :
associer, écrémer, flécher, employer, discuter,
défier, inonder, décorer, conditionner,
ébrécher.

3. Relevez trois noms de fleurs.

4. Trouvez l'intrus de chaque ligne.
- supplice, complice, jaunisse, caprice.
- délai, relais, balai, remblai.
- flèche, brèche, crêpe, crèche.
- abri, ortie, souci, défi, ennui.
- proportion, condition, dimension,
décoration.

9   Les accents et le tréma

(prononciation)

crémier   crème
é • a   è • e
  o   /ə/
  u
  é

(lettre disparue)

forestier   forêt
es ⟹ ê

(Le tréma sépare deux voyelles.)

maïs   égoïste
ma-ïs   égo-ïste

⚠ Le tréma se met sur la 2ᵉ voyelle.

(différence de sens)

a / à   du riz / il a dû
un mur / mûr (mûrir)

⚠ dû seulement au masc. sing.
Ex. : une somme **due**

- Dans un mot, pour choisir entre **é** (**accent aigu**) et **è** (**accent grave**), on prononce la syllabe suivante. On met un accent grave sur le **e** si cette syllabe contient le son /ə/. Sinon, on écrit **é**.

- **Le tréma** montre que deux voyelles doivent se lire séparément : *mais ≠ maïs*. Il se met sur la seconde voyelle.*

- **L'accent circonflexe** remplace une lettre disparue, souvent un **s**. Il est aussi utilisé pour marquer une famille de mots *(sûr, sûreté, sûrement)* ou une différence de sens *(mûr ≠ mur)*.*

---

57   **Complétez ces mots par des accents aigus ou par des accents graves.**

il exagere	severite	severe	systeme
secretement	dietetique	systematique	exageration
regner	il opere	secretaire	diete
on repete	reglage	reglement	repetition
college	collegien	il regne	operation

Corrigé p. 227   .../20

58   **Écrivez ensemble les couples de mots de la même famille.**

lâche	paraître *	brûlant	pâlir *
abîmer	entraîneur	lâcheté	coût
flâner	démêler	rafraîchir	abîme
fraîche	coûteux	entraîner	disparaître
pâle	brûler	flâneur	pêle-mêle

Corrigé p. 227   .../10

---
* Cf. page 247.

59 **Dans ces expressions, ajoutez les trémas qui manquent.**

Têtu mais serviable • une voix aigue • angoissé • un enfant naif • un astéroide • un égoiste • un monument paien • la laicité • une réponse ambigue • une figue mûre • du mais grillé • un roi • une laiterie • de l'air • une héroine • des mosaiques • un essai • un être haissable • de la faience • mon aieul. Corrigé p. 227 .../20

60 **Pour justifier l'accent circonflexe, associez chaque mot sur fond rose à un mot sur fond bleu. Écrivez les couples de mots obtenus.**

mâcher	côte
vêtir	Pâques
mâle	bête
fête	ancêtre
arrêt	hôpital

masculin	bestiole
veste	mastiquer
accoster	ancestral
festin	hospitalier
arrestation	(fêtes) pascales

.../10

61 **Pour justifier l'accent circonflexe, associez chaque mot sur fond rose à un mot sur fond bleu. Écrivez les couples de mots obtenus.**

croûte	forêt
âpre	croître
huître	maître
enquête	goûter
île	château

question	maestro
dégustation	aspérité
croustillant	Islande
castel	croissance
forestier	ostréiculteur

.../10

62

un myst**è**re
myst**é**rieux
un coll**è**ge
un coll**é**gien
prosp**è**re
la prosp**é**rité
hér**oï**que
l'hér**oï**sme
ég**oï**ste
un anc**ê**tre

une requ**ê**te
le je**û**ne
d**é**j**eu**ner
une th**éiè**re
le th**éâ**tre
une po**ê**le
la haine
ha**ï**r
na**ï**f
un a**ï**eul

1. **Écrivez les couples de mots qui suivent le modèle** : cr**è**me / cr**é**mier.

2. **Trouvez les mots qui font penser à** : un spectacle, un vieillard, se priver, manger, détester, un breuvage, le suspense, l'école.

3. **Trouvez l'intrus de chaque ligne.**
• essai, naïf, laisse, faible, haine.
• peuple, déjeuner, jeûne, vieux.
• égoïste, cahier, héroïque, aïeul.
• ancêtre, poêle, requête, prospère.

37

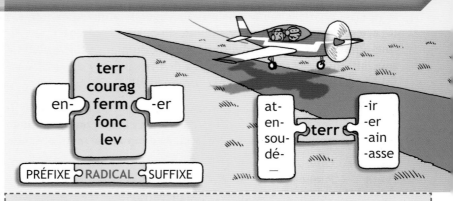

À RETENIR

■ **Le radical** est la partie du mot qui porte **l'essentiel du sens**.
En principe, il ne change pas d'orthographe dans une famille de mots.
Ainsi, les mots de la famille de **terre** ont le radical **-terr-** et s'écrivent tous avec **deux r**.

63 **Écrivez le radical de chacun de ces groupes de mots.**

chanteur	fumeur	fleurette	serrer	calculer
dé**chan**ter	fumée	fleurir	serrure	incalculable
chantage	fumant	fleuriste	desserrer	calculatrice
emporter	traîner	faible	glisser	abattre
exportation	entraîneur	faiblesse	glissant	combattant
transportable	traîneau	affaiblir	glissade	débattre

Corrigé p. 227   .../10

64 **Dix radicaux sont présents dans ces mots. Retrouvez-les.**

Ex. : *souterrain* → *-terr-*.

abattoir, aimable, affaiblir, bicyclette, abattre, glacer, faible, correction, flatterie, cycliste, glacial, aimer, flatter, carré, direction, carreau, professeur, projeter, rejeter, confesseur, projet, profession.

Corrigé p. 227   .../10

65 **Écrivez le radical de chaque verbe, puis un nom de la même famille.**

Ex. : *se promener* → *-promen-* → *une promenade.*

déranger, lancer, s'attrouper, atterrir, tirer, rougir, siffler, amincir, couronner, souffrir.

.../10

66 Classez ces mots en cinq familles, puis écrivez leur radical.

>>

barre, personne, chauffage, midi, barrage, personnifier, pierreries, chauffer, lundi, personnel, pierreux, barreau, chaufferie, mercredi, personnage, empierrer, dimanche, échauffer.   Corrigé p. 227   .../10

67 Classez ces mots en cinq familles, puis écrivez leur radical.

>>

plafond, bouillir, passager, dérouler, profond, territoire, bouilloire, passerelle, enrouleur, approfondir, Méditerranée, fonder, bouillon, passoire, terrine, roulette, bouillotte, roulement, terrier, bouillonner.

Corrigé p. 227   .../10

68 Sur chaque ligne, on a glissé un mot qui ne devrait pas s'y trouver. Aidez-vous du sens du radical pour trouver cet intrus.

>>>

• collection, colérique, collecter, collecteur, collectionner.
• éventail, ventilateur, vendanges, éventer, paravent.
• corriger, correction, courageux, incorrigible, correct.
• terrasse, enterrer, terreau, terreur, territoire.
• fraîche, frêle, fraîcheur, rafraîchir, rafraîchissement.   .../10

69 Pour chaque mot de A, trouvez les mots de B ayant le même radical.

>>>

A → habiter, clameur, mener, onde, demander.
B → amener, inondation, inhabitable, promenade, habitation, proclamer, recommander, déclamer, onduler, emmener.   .../10

70

>

corriger	un conte
incorrigible	raconter
correct	l'horaire
la correction	un fusil
correctement	un outil
horrible	l'outillage
l'horreur	la toux
panser	tousser
un pansement	une cane
une commande	un canard
commander	répandre
le commandant	en effet

1. Trouvez les mots de la famille de : outil, conteur, heure, caneton, correct.

2. Écrivez les mots dans lesquels le son /ᾶ/ s'écrit an.

3. Quels mots vous font penser à ces noms ?
Oiseau, scie, malade, militaire, histoire, arme.

4. Trouvez les synonymes de : effectivement, épouvante, atroce, soigner, ordonner.

39

11 Le préfixe

Le préfixe peut prendre plusieurs formes :
connu → **in**connu ; poli → **im**poli.

ac-
par-
re-
—
con-
dis-

courir

in-
im-
il-
ir-

com-
con-
col-
cor-

ad-
a-
ac-
ar-
ap-
at-

ex-
ef-
é-
es-

dis-
dif-

ob-
o-
of-
op-

PRÉFIXE ⟩ RADICAL ⟨ SUFFIXE

À RETENIR

■ **Le préfixe** est soudé au début du radical. Il en modifie le sens :
exporter ≠ **im**porter.

■ De nombreuses doubles consonnes sont formées de la dernière consonne
du préfixe et de la première consonne du radical : **ac-** + courir → **ac**courir.

■ Un préfixe peut prendre plusieurs formes, selon la première lettre
du radical : connu → **in**connu ; poli → **im**poli ; légal → **il**légal ;
régulier → **ir**régulier. Un mot n'a pas toujours un préfixe : courir.

---

71 > **Supprimez le préfixe de ces mots, puis écrivez le mot obtenu.**

accourir	disparaître	renouveau	proportion	désespérer
emmener	opposition	souterrain	sourire	déranger

Corrigé p. 228 …/10

72 > **Pour chacun de ces verbes, dites si l'on obtient un nouveau verbe
en supprimant son préfixe. Si oui, écrivez ce verbe.**

Ex. : attendre → **tendre** ; aplanir : non.

apaiser, attirer, apporter, apprendre, attraper, approuver, approcher,
atteindre, applaudir, appliquer. Corrigé p. 228 …/10

73 > **Trouvez un contraire en supprimant le préfixe de ces mots.**

incorrect	se déchausser	décoiffer	inégal	déboucher
inhabité	imperméable	déteindre	délier	déplacer
déplisser	désagréable	impossible	irrégulier	desserrer
découdre	insupportable	déshabiller	dégarnir	décacheter

…/20

74 »

Regroupez ces mots par familles (dans une même famille, seul le préfixe change). Faites la liste des préfixes trouvés.

prolonger, conducteur, protester, transporter, travers, exception, professeur, attarder, promener, surmener, comporter, envers, réclamer, amener, producteur, contester, déception, allonger, apporter, proclamer, retarder, importer, emmener, perception, confesseur, supporter, acclamer. Corrigé p. 228 .../20

75 »

Quel préfixe doit-on supprimer dans chacun de ces mots pour retrouver un mot de base ? Écrivez ce mot.

Ex. : *agrandir* → préfixe ***a-*** ; mot de base : ***grandir***.

convaincre	renouveau	apercevoir	combattre	assaut
connaissance	comprendre	rechercher	projeter	affaiblir
abaisser	redoubler	démêler	admettre	interrompre
amener	endurcir	desserrer	prénom	permission

.../20

76 »»

Supprimez le préfixe de chacun de ces mots, puis écrivez le verbe que vous pouvez obtenir à partir du radical.

Ex. : *combattant* → -batt- (ant) → battre.

promenade	désavantageux	entraînement	illisible
connaissance	insuffisant	renommée	débris
représentant	récitation		

.../10

77 »»

Parmi ces mots, quels sont ceux qui n'ont pas de préfixe ?

amiral, animal, anormal, comtesse, immobile, examiner, procéder, exception, sucrier, repartir. Corrigé p. 228 .../10

78 >

À SAVOIR

nourrir
nourrissant
la nourriture

balayer
un balayeur
le balayage

téléphoner
la téléphonie

un avertisseur
un dictionnaire

antique
une antiquité
un antiquaire

un militaire
un notaire

amener
emmener
promener

traiter
maltraiter

1. Quels noms représentent un métier ?

2. Quels mots ont un préfixe ?

3. Écrivez les mots qui vous font penser à : manger, partir, ancien, nettoyer, signal, livre.

4. Cherchez dans la liste ci-contre les quatre mots terminés par les quatre mêmes lettres.

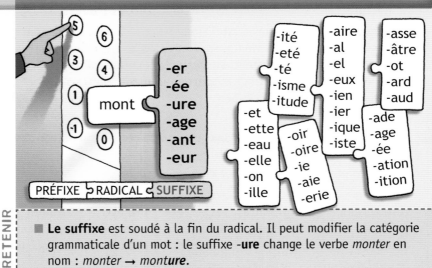

À RETENIR

■ **Le suffixe** est soudé à la fin du radical. Il peut modifier la catégorie grammaticale d'un mot : le suffixe **-ure** change le verbe *monter* en nom : *monter → mont**ure**.*

■ Un mot n'a pas obligatoirement un suffixe : *jour, long, chat.*

---

79 > **Dix suffixes sont présents dans ces mots. Écrivez-les.**

campagnard	remerciement	dévouement	coupable
comptable	montagnard	bleuâtre	destinée
traîneau	sensibilité	serrure	jambon
fragilité	bâtiment	tranquillité	guidon
matinée	bouchon	fourrure	verdâtre
drapeau	parure	sentiment	

Corrigé p. 228   .../10

80 > **Écrivez les adjectifs qui correspondent à ces noms.**

Ex. : *la douleur → douloureux.*

la brume	la honte	l'huile	un nombre	la joie
la saveur	la fièvre	la rigueur	le courage	l'ennui

Corrigé p. 228   .../10

81 > **Qui est celui qui fait l'action de... ?**

Ex. : *se baigner → un baigneur.*

graver, défendre, travailler, posséder, contrôler, déménager, pêcher, démolir, voler, parier.   .../10

82 ›› **Écrivez le nom de leur ville ou de leur pays. Dites quels suffixes vous avez enlevés et quels noms ne portent pas de suffixe.**

un Autrichien, un Français, une Suédoise, un Suisse, un Marocain, une Hongroise, une Norvégienne, un Corse, un Lillois, un Genevois, un Africain, une Finlandaise, un Égyptien, une Américaine, un Dublinois, une Nantaise, un Dijonnais, une Bruxelloise, un Toulousain, un Versaillais. .../20

83 ›› **Trouvez des adjectifs en changeant le suffixe de ces verbes.**

| étinceler | verdir | pâlir | caresser | embarrasser |
| condamner | exiger | bouillir | effrayer | épouvanter |

Corrigé p. 228   .../10

84 ›› **Retrouvez les dix familles représentées par ces mots et classez-les en deux groupes suivant le suffixe des noms.**

mirer, observer, tiroir, interrogatoire, sautoir, observatoire, terre, interroger, labeur, miroir, moucher, trottoir, sauter, raser, territoire, tirer, trotter, laboratoire, rasoir, mouchoir.   Corrigé p. 228   .../10

85 ›› **Changez les suffixes de ces verbes de façon à obtenir des noms.**

inonder	bouleverser	assurer	accélérer	trahir
rajeunir	entraîner	opposer	raisonner	obliger
comporter	accentuer	trotter	quereller	résister
interpeller	suffoquer	cueillir	prospérer	allier .../20

86 ›› **À SAVOIR**

la raison
  raisonnable
  raisonner
un raisonnement

  condamner
une condamnation

une augmentation

  bienveillant
la bienveillance

une fraction
une fracture

blanchâtre
verdâtre

  hésiter
une hésitation

un câble

un mât

un hexagone

une excursion

allier
une alliance
un alliage

1. Écrivez les mots qui ont un sens contraire de : diminution, insensé, noirâtre, malveillant.

2. Quels mots ont un h ? Ce h est-il utile à la prononciation ?

3. Quels mots font penser à ces noms ? Punition, accident, anneau, doute, portion, France, voyage, mélange, gentillesse.

4. Quels mots s'écrivent avec â ?

13 Les mots commençant par ét- et att-

PRÉFIXE RADICAL SUFFIXE

é- tendre / tirer / teindre

at- tendre / tirer / teindre

étendre, étirer, éteindre

attendre, attirer, atteindre

À RETENIR

■ Les mots commençant par le son /et/ s'écrivent avec **un seul t.**

■ De nombreux mots commençant par le son /at/ s'écrivent avec **deux t.** Ils ont souvent un verbe dans leur famille : *une attente → attendre.*

87 > Pour chacun de ces mots commençant par é-, dites si le préfixe é- est suivi d'un verbe connu.

Ex. : *éteindre : oui (é + teindre) ; éloigner : non.*

étendre, éprouver, épauler, étonner, établir, étudier, émettre, émouvoir, élever, éclater. Corrigé p. 228 .../10

88 >> Écrivez ces mots en deux colonnes : une pour les verbes, une pour les autres mots. Que remarquez-vous ?

atteindre, attrister, atelier, attarder, atmosphère, attraper, attirer, atroce, atlantique, attaquer, attendrir, atout, atome, attendre, atlas, atteler, attribuer, atoll, attacher, atterrir. .../20

89 >>> Parmi ces mots, vingt d'entre eux ont un verbe dans leur famille. Écrivez ces verbes.

une attestation, un accroc, un attelage, l'académie, un atterrissage, l'acrobate, le rattrapage, l'arrivage, un attentat, l'araignée, un accueil, l'arrosage, un artiste, un rattachement, des acclamations, un aristocrate, une affiche, un apprenti, un affront, un appel, un accordeur, un arrangement, aride, une approche, après, une affirmation, un appui. Corrigé p. 228 .../20

44

14 Les mots commençant par ex-

/ɛks/

ex- ┐ porter
im- ┤ poser
in- ┘ térieur
     citer

CONSONNES

/ɛgz/

exercice
examen
exemple
exister

VOYELLES

■ **ex-** avant une consonne correspond au son /ɛks/. Dans ce cas, **ex-** est un préfixe : ***ex**porter/**im**porter*.

■ **ex-** avant une voyelle correspond au son /ɛgz/.

■ On ne met jamais d'accent sur le **e** qui est avant un **x**.

---

90 › **Classez ces mots selon qu'ils commencent par** /ɛks/ **ou par** /ɛgz/.

excellent	exercice	examiner	excursion	exiger
exil	excepter	expérience	exagérer	exprès

Corrigé p. 228   .../10

91 ›› **Remplacez le préfixe de ces mots par le préfixe ex-. Attention, c'est impossible pour certains d'entre eux.**

accepter	inciter	incident	accuser	compliquer
conclure	parcourir	perception	déposer	inactivité

.../10

92 ›› **Quels mots commençant par ex- peut-on écrire à partir de ces mots ?**

réception	proclamation	attraction	intercepter	inclusion
implosion	complication	incursion	importation	impression
importer	proposition	succès	soupirer	propulser
interne	imprimer	import	réclamer	dépressif

Corrigé p. 228   .../20

93 ››› **Trouvez des mots commençant par ex- pour compléter ces phrases.**

Je suis allé à une ... de chiens. • Une ... a endommagé un immeuble. • Nous sommes partis en ... au Mont-Saint-Michel. • Les mots de la famille de *char* ont deux r, mais *chariot* est une ... . • Il termine sa phrase par un point d'... .

.../10

raison **n**

-er
-ement
-eur
-able

⚠ ___on + al → ___onal.
Ex. : national, régional.

■ La plupart des mots terminés par **-on** s'écrivent avec **deux n** quand on ajoute un suffixe : *raison + er → raisonner.*

■ Avec quelques suffixes, les mots en **-on** ne doublent pas le **n**. C'est en général le cas avec le suffixe **-al**.

---

94 ❯ **Retrouvez le nom en -on contenu dans chacun de ces mots.**

Ex. : *chansonnier → chanson.*

dictionnaire	chiffonnier	impressionnable	boutonnière
marronnier	citronnier	passionnément	occasionner
millionnaire	frissonner		

Corrigé p. 228 .../10

95 ❯ **Écrivez les verbes correspondant à ces noms.**

un tourbillon, une action, une rançon, un sermon, un crayon, une condition, une occasion, une façon, une démission, une prison.

.../10

96 ❯ **Quels verbes correspondent à ces noms ? Attention, il y a un intrus.**

un bouillon, un abandon, un bouton, un rayon, une fonction, le téléphone, les environs, un ronron, un bourgeon, la perfection.

Corrigé p. 228 .../10

97 ❯❯ **Écrivez les noms en -on qu'on peut former à partir de ces verbes.**

Ex. : *boucher → un bouchon.*

| guider | brouiller | bouillir | jurer | hérisser |
| guérir | lorgner | plonger | jeter | couper |

.../10

98 » **Trouvez vingt mots en combinant ces noms et ces suffixes.**

un espion, une station, le pardon, un don, une collection, une question, la raison, une région, un soupçon, un canton.

-al, -er, -aire, -able, -eur.

Corrigé p. 228 .../20

99 » **Retrouvez le nom en -on contenu dans chacun de ces mots.**

Ex. : *prisonnier → une prison.*

insoupçonnable	moissonneur	fonctionnaire
révolutionnaire	actionnaire	sensationnel
cantonnier	questionner	sonner
missionnaire		

.../10

100 » **Écrivez le féminin de chacun de ces mots.**

polisson	lion	baron	espion	glouton
fripon	patron	breton	champion	poltron

Corrigé p. 228 .../10

101 »» **Dans dix mots de ce texte, on peut trouver le son /ɔn/. Écrivez ces mots et les mots en -on correspondants.**

Fausto donne le meilleur de lui-même, mais il descend trop vite. Ce n'est pas raisonnable. Tout à coup, à la sortie d'un virage, la route mouillée, un coup de vent qui tourbillonne et c'est l'accident. Impressionnant ! Un massif buissonneux amortit sa chute. Fausto se relève. Pour lui, ce championnat régional est important, même s'il collectionne déjà les victoires. Il n'abandonnera pas ! Un peu sonné, il secoue la tête et repart.

.../10

102 » À SAVOIR

perfectionner	un bouillon
le perfectionnement	bouillonner
impardonnable	fri**ss**onner
une boutonn**ière**	soup**ç**onner
as**s**aisonner	fa**ç**onner
impre**ss**ionner	tro**tt**er
stationn**er**	tro**tt**iner
le stationn**ement**	un pensionn**at**
une oc**c**asion	un va**cc**in
oc**c**asionner	va**cc**iner

1. Quels verbes correspondent à ces noms ?
Frisson, bouillon, façon, perfection, impression, occasion.

2. Écrivez les mots de la famille de :
pardon, bouton, pension, soupçon, station, saison.

3. Quels mots se terminent par -iner ? De quels mots plus courts viennent-ils ?

16 Les noms terminés par -té

PRÉFIXE ⊃ RADICAL ⊂ SUFFIXE

la | fier bon solid-i pur-e | -té

une | mont dict jet port | -ée

À RETENIR

■ Le suffixe **-té** se rencontre dans des noms féminins. Il est soudé au radical d'un adjectif : *fier → la fierté.*

■ Il ne faut pas le confondre avec le suffixe **-ée** soudé à un radical terminé par un **t** : *monter, mont- → une montée.*

---

103 ❭ **Quels adjectifs retrouve-t-on dans ces noms féminins ?**

Ex. : *fierté → fier.*

rapidité	activité	stupidité	pauvreté	obscurité
rareté	fausseté	lâcheté	humanité	générosité
cruauté	fermeté	solidité	curiosité	tranquillité
liberté	réalité	gaieté	difficulté	honnêteté

Corrigé p. 228   .../20

104 ❭❭ **Quels noms féminins en -té peut-on obtenir avec ces adjectifs ?**

fragile	pur	méchant	humide	oisif
naïf	égal	habile	obscur	malhonnête
sévère	sonore	utile	morale	nécessaire
simple	bon	vain	clair	vrai

.../20

105 ❭❭ **Écrivez dix noms avec ces radicaux et ces suffixes. Ajoutez un déterminant.**

assiett-	décor-			
habit-	matern-	mont-	plat-	-ation -ée
propr-	timid-	sûr-	dict-	-ité -eté

Corrigé p. 228   .../10

17 Les infinitifs terminés par -ir, -ire, -dre...

s'enfuir
fuir
-uire

-ir **-ire**

répandre
-endre

boire
croire
-oir

Ce sont tous des verbes du 3e groupe.

contraindre
craindre
plaindre
-eindre

Rappel : participe présent en **-issant** → verbe du 2e groupe (toujours **-ir**).

À RETENIR

■ Les verbes terminés par le son /ɥiʀ/ s'écrivent **uire**, sauf *fuir* et *s'enfuir*.

■ Les verbes terminés par le son /waʀ/ s'écrivent **oir**, sauf *boire* et *croire*.

■ Les verbes terminés par le son /ɑ̃dʀ/ s'écrivent **endre**, sauf *répandre*.

■ Les verbes terminés par le son /ɛ̃dʀ/ s'écrivent **eindre**, sauf *craindre*, *plaindre* et *contraindre*.

■ Les verbes terminés par le son /iʀ/ s'écrivent toujours **ir** s'ils sont du 2e groupe, comme *finir*. Ceux du 3e groupe s'écrivent **ir** ou **ire**.

---

106 ›
Écrivez l'infinitif en -ir ou en -ire de ces verbes.

on dit • il écrit • il couvre • on ment • cela suffit • elle dort • il cuit • elle rit • elle part • il se repent. Corrigé p. 228 .../10

107 ›
Complétez ces verbes à l'infinitif.

trad..., val..., entrev..., percev..., souri..., ment..., redi..., détr..., prod..., maigr..., croi..., concev..., souffr..., prév..., constr..., maudi..., interdi..., asse..., transcri..., s'enf... . .../20

108 ››
Complétez ces verbes par a ou par e.

surpr...ndre, ét...indre, cr...indre, prét...ndre, att...indre, f...ndre, pl...indre, rép...ndre, f...indre, dép...indre. Corrigé p. 229 .../10

109 ››
Écrivez les verbes à l'infinitif.

Il se contredit • on reproduit • il se blottit • il fallait • on reçoit • ils applaudissent • on le contraignait • elle réduit • on s'instruit • elle déduisit. .../10

18 Les adverbes terminés par -ment

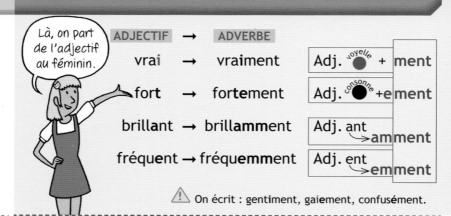

Là, on part de l'adjectif au féminin.

ADJECTIF → ADVERBE

vrai → vraiment

fort → fortement

brillant → brillamment

fréquent → fréquemment

Adj. $\overset{voyelle}{\bullet}$ + ment

Adj. $\overset{consonne}{\bullet}$ +e ment

Adj. ant ⤷ amment

Adj. ent ⤷ emment

⚠ On écrit : gentiment, gaiement, confusément.

À RETENIR

- Les adverbes terminés par -**ment** sont composés d'un adjectif suivi du suffixe -**ment**.
- L'adverbe s'écrit -**amment** si l'adjectif se termine par -**ant** ; il s'écrit -**emment** si l'adjectif se termine par -**ent**.

---

110 ❯ **Retrouvez les adjectifs masculins qui ont servi à former ces adverbes.**

Ex. : *fortement → fort.*

cruellement	puissamment	hardiment
sincèrement	innocemment	suffisamment
difficilement	récemment	spontanément
fréquemment		

Corrigé p. 229   .../10

111 ❯ **Écrivez les adverbes correspondant à ces adjectifs.**

Ex. : *énorme → énormément.*

vrai	aisé	attentif	gentil	prompt
docile	fier	sévère	passionné	honnête

Corrigé p. 229   .../10

112 ❯❯ **Écrivez les adverbes correspondant à ces adjectifs.**

Ex. : *brillant → brillamment.*

étonnant	constant	strict	évident	plaisant
violent	intelligent	précédent	savant	élégant

.../10

113 >>
Complétez ces phrases avec les adverbes correspondant aux adjectifs qualificatifs en italique.

Ex. : *Elle répondit (doux).* → *Elle répondit doucement.*

Il sentait *(confus)* qu'il se passait quelque chose. • Elle dort très *(profond)*. • On s'engage *(prudent)* dans les passages protégés. • Le chien accompagnait *(fidèle)* son maître. • Ne jouez pas au basket si *(bruyant)*. • Son partenaire lâcha prise *(immédiat)*. • Le lion rugit *(sauvage)*. • Elle jeta *(négligent)* son manteau sur le lit. • Elle s'assit *(tranquille)* et se servit *(abondant)*.   Corrigé p. 229   .../10

114 >>
Écrivez ces mots en séparant les noms des adverbes.

facilement	sentiment	ciment	franchement
nullement	compartiment	paiement	gentiment
vêtement	tranquillement	hardiment	tutoiement
certainement	dévouement	gaiement	nettoiement
entêtement	profondément	bégaiement	dignement

Corrigé p. 229   .../20

115 >>>
Complétez les adverbes de ces phrases.

Elle est venue réc... du Mexique. • Appar..., l'oiseau n'avait pas été blessé. • Avait-il fait ce geste consci... ? • Le chien aboya méch... . • À partir de ce jour, on les regarda différ... . • C'est un mot que l'on rencontre fréqu... . • Elle a réussi brill... . • Il parle cour... le russe et l'anglais. • Ils rangeaient pati... leurs timbres. • Avez-vous pris suffis... de légumes ?   .../10

116 >> À SAVOIR

imprévu	**ill**isible
incompris	un écur**euil**
l'org**ueil**	viol**ent**
org**ueil**leux	viol**emm**ent
un cerc**ueil**	abond**ant**
l'acc**ueil**	abond**amm**ent
acc**ueill**ir	not**amm**ent
rec**ueill**ir	exa**ct**
inexplicable	exa**ct**ement
inattentif	l'exa**ct**itude

1. **Écrivez les mots qui ont** le son /œj/. **Pourquoi a-t-on deux orthographes pour le même son** /œ/ ?

2. **Trouvez les adverbes. Lesquels se terminent par** le son /amã/ ?

3. **Écrivez les deux verbes de la famille de** cueillir.

4. **Écrivez les contraires de :** compris, explicable, lisible, prévu, attentif.

51

19 Les noms terminés par -ment

des sentiments  des remerciements

sent ⊂ -ir
-i
-iment

remerci ⊂ -er
-é
-**e**ment

⚠ e muet

À RETENIR

- ■ Beaucoup de noms se terminent par -**ment**.
- ■ On écrit -**iment** ou -**issement** s'ils correspondent à un participe passé terminé par -**i**. Sauf : *recueillir, recueilli → recueillement*.
- ■ On écrit toujours -**ement** s'ils correspondent à un participe passé terminé par -**é**.

---

117 > **Écrivez le participe passé qui est à l'origine de chacun de ces noms.**

un changement	l'empressement	le commencement
le nettoiement	un assortiment	un amusement
le bégaiement	un agrandissement	un enrouement
un grincement		

Corrigé p. 229   .../10

---

118 >> **Trouvez le nom terminé par -ment construit à partir de chaque participe passé. Écrivez-le avec un déterminant.**

être soulagé	être licencié	être bâti	être remercié
être apaisé	être rapatrié	être sifflé	être enseigné
être déguisé	être dénoué		

.../10

---

119 >> **Complétez les noms dans ces phrases.**

Le micro sera placé ici ; c'est son emplac... . • Il est bien vêtu ; il porte un beau vêt... . • Cet insecte est grossi cent fois ; c'est le gross... . • Tu l'as tutoyé ; c'est le tutoi... . • La cour d'appel a jugé ; c'est un jug... . • J'ai payé comptant ; c'est un pai... . • Le gouvernement a été remanié ; c'est un remani... . • Que de forces déployées ! Quel déploi... de forces ! • Il s'est rallié à eux ; c'est un ralli... . • Il est dévoué ; c'est du dévou... .

Corrigé p. 229   .../10

20 Majuscule ou minuscule
Les abréviations

la **F**rance (le pays)
les **F**rançais (les habitants)
les **D**urand (une famille)
les **P**eugeot (une marque)
NOMS PROPRES

le peuple **f**rançais
NOM **ADJECTIF**

un professeur de **f**rançais
NOM COMMUN

Mon prof de maths, c'est M. Martin.

- **Un nom propre** s'écrit toujours avec une majuscule, mais l'adjectif qualificatif qui correspond à un nom propre s'écrit avec une minuscule.
- Les noms de familles et les noms de marques s'écrivent aussi avec une majuscule. Ils sont invariables.
- **Une abréviation** est un mot long réduit à quelques lettres.

120 > **Écrivez ces expressions en ajoutant les majuscules qui manquent.**

un fromage corse • des olives de provence • un kilt écossais • une orange d'espagne • une choucroute alsacienne • une ville de chine • une danse irlandaise • l'équipe d'angleterre • les forêts du brésil • l'île d'oléron. Corrigé p. 229   .../10

121 > **Quels mots abrégés reconnaissez-vous dans ces mots longs ?**

une photographie, un kilogramme, un dictionnaire, un vélocipède, un appareil frigorifique, le cinématographe, le métropolitain, un taximètre, un microphone, un laboratoire. .../10

122 >> **Trouvez le nom des habitants de chaque ville ou pays, puis employez ce mot dans un groupe nominal où il sera adjectif qualificatif.**

Ex. : *Vienne (Autriche) → les Viennois ; une valse viennoise.*

Paris, Nice, Lyon, Marseille, Bordeaux, Rome, Canada, Italie, Allemagne, Grèce. Corrigé p. 229   .../10

123 >>> **Écrivez les mots correspondant à ces abréviations.**

Ex. : *p. → page.*

Mme • M. • MM. • Mlle • pp. • n^o • M^e • D^r • av. J.-C. • Cie. Corrigé p. 229   .../10

. Majuscule   , minuscule

? Majuscule   : minuscule

... Majuscule

! Majuscule

⚠ et cetera s'écrit **etc.**

« Le connais-tu ?
demande Pierre.
– Oui, répond Julie.
– Où habite-t-il ?
– Très loin d'ici ! »

À RETENIR

- ■ La **virgule** marque une courte pause à l'intérieur d'une phrase.
- ■ Le **point** termine la phrase. Il est suivi d'une lettre majuscule.
  Le **point d'interrogation** indique qu'une question est posée.
  Le **point d'exclamation** indique que l'on s'exclame.
  Les **deux points** annoncent une explication ou un dialogue.
- ■ Dans les dialogues, on met un **tiret** chaque fois qu'une nouvelle personne prend la parole. On peut marquer le début et la fin d'un dialogue par des guillemets : *« Bonjour ! Comment vas-tu ? »*

124 ▶ **Observez le tableau de la leçon, lisez le résumé, puis répondez.**

1. Après quels signes de ponctuation écrit-on une majuscule ?
2. Quelle est l'écriture abrégée de la locution **et cetera** ?
3. Quand met-on deux points dans une phrase ?
4. Par quel signe de ponctuation commence-t-on et termine-t-on souvent un dialogue ?
5. Dans un dialogue, comment marque-t-on que c'est une autre personne qui prend la parole ?   Corrigé p. 229   .../10

125 ▶ **Remplacez chaque rond bleu par un signe de ponctuation.**

Il descendit de l'avion ● épuisé ● Il attendait que sa valise apparaisse sur le tapis roulant ● quand un petit chien s'approcha de lui et renifla son sac ●
– Voulez-vous ouvrir votre bagage ● lui demanda une femme ●
Il obéit ● La dame au petit chien se pencha ● prit la pomme qui était dans son sac et lui dit ●
● Il est interdit d'entrer de la nourriture dans notre pays.
Corrigé p. 229   .../10

126 ›› **Remplacez chaque rond bleu par un signe de ponctuation.**

Victor avait ouvert le capot de ma nouvelle voiture ●
● Quel moteur ● s'exclama-t-il ● Propre et brillant comme un énorme bijou ●
● C'est vrai ● mais n'y touche surtout pas ●
Victor toussota en prenant un outil ●
– Ne t'inquiète pas ● Je veux juste regarder si ton moteur est aussi beau à l'intérieur qu'à l'extérieur.   .../10

127 ›› **Remplacez chaque rond bleu par un signe de ponctuation.**

Un collégien passe une visite médicale ●
● Je vous en prie ● docteur ● dites-moi de quelle maladie je souffre ●
Mais dites-le-moi avec des mots que tout le monde comprend.
● C'est toi qui l'auras voulu, répond le médecin ● Tu es un paresseux.
● Bon ● j'ai compris. Pouvez-vous me traduire ça en grec pour que je puisse l'annoncer à mes parents ●   .../10

128 ››› **Écrivez ce texte en ajoutant les signes de ponctuation, les paragraphes et les majuscules. Les ronds bleus vous aideront.**

un jour ● une dame demanda à un célèbre dompteur ● au moment où il sortait de la cage aux fauves ● ● comment pouvez-vous entrer dans cette cage ● le dompteur ● amusé par la question ● répondit ●
le problème n'est pas d'y entrer ● mais d'en sortir ●

Corrigé p. 229   .../10

129 ››

un affluent
intellectuel
l'univer**s**
universel
une univers**ité**
un chimpan**zé**
fertil**e**
la fertil**ité**
responsable
la responsab**ilité**

dédai**g**ner
le déd**ain**
démêler
se dép**ê**cher
sur-le-champ
le g**ain**
la sin**c**érité
sin**cè**rement
être s**û**r
un d**û**

1. Relevez les mots de la famille de :
gagner, confluent, intelligence, mêler, sincère.

2. Écrivez les noms désignant :
un singe, un défaut, une rivière, une qualité.

3. Trouvez des synonymes de :
immédiatement, bénéfice, faire vite, franchement, faculté, fécondité, certain, mépris, dette.

55

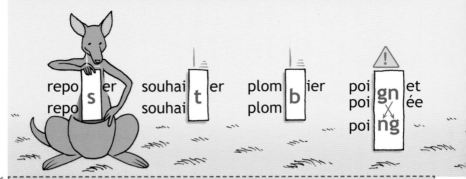

repo s er
repo s

souhai t er
souhai t

plom b ier
plom b

poi gn et
poi gn ée
poi ng

À RETENIR

■ La plupart des mots ne sont pas isolés. Ils forment des **familles** : mots ayant le même radical, mots ayant la même origine. Ils appartiennent à des **séries** : par exemple, mots ayant le même suffixe.

■ Un mot de la même famille peut aider à comprendre et à retenir l'orthographe d'un autre mot.

130 > **Associez chaque mot sur fond jaune à un mot sur fond rose. Écrivez ces deux mots, puis soulignez les lettres qui justifient les lettres muettes en gras.**

Ex. : *souhait → souhaiter.*

croc	travers	suspecter	débattre
pouls	suspect	traverser	pulsation
débat	doigt	escroquerie	pédestre
instinct	pied	crochet	efflanqué
flanc	escroc	instinctif	digital

Corrigé p. 229   .../10

131 > **Quel verbe correspond à chacun de ces noms ?**

Ex. : *bord → border.*

le galop	un nom	un bavard	un arrêt
un saut	le second	un emprunt	le goût
un progrès	un pli	un accord	le début
un outil	un accroc	un rang	un drap
le respect	un parfum	un regard	le coût

Corrigé p. 229   .../10

132 > **Complétez en utilisant chaque fois un mot de la même famille que le mot sur fond jaune.**

poing	J'ai réparé la ... de la porte.
heurt	Le cycliste a ... le trottoir.
sang	On a mangé une orange ... .
plomb	Un ... a réparé le robinet qui fuyait.
vingt	Il y avait une ... de passagers dans le bus. .../10

133 >> **Aidez-vous des mots sur fond jaune pour compléter avec des mots de la même famille.**

profond
prompt
écrit   salut
banc   rang
repos   champ
distinct
sourcil

Il réagit vite, avec ... . • Veuillez accepter mes ... distinguées. • La ... du fjord est de 300 mètres. • La table est ..., il faut la caler. • Elle remplit la fiche de sa plus belle ... . • Il a lu la facture sans ... . • Il s'assit pour se ... un peu. • J'ai acheté un kilo de ... . • Une ... d'arbustes décore le jardin. • Ils portent un signe ... .

Corrigé p. 229   .../10

134 >> **Quel nom terminé par une lettre muette correspond à chacun de ces mots ?**

une expertise	universel	statutaire	combattre
une bourgade	s'adosser	sirupeux	un tronçon
une proposition	la nidification		.../10

135 >

aller
l'allure
un récit
    réciter
un bibelot
ingrat
l'ingratitude
discret
indiscret
fervent
fréquent
transparent

un hôte
un hôtel
un hôtelier
aplatir
apercevoir
l'apostrophe
un continent
serrer
une serrure
un serrurier
un emprunt
emprunter

1. Relevez les mots de la famille de : discret, aller, hôte, strophe, percevoir.

2. Justifiez ces t muets avec un mot de la même famille : plat, fréquent, récit, emprunt, ingrat, continent, fervent, transparent.

3. Trouvez l'intrus de chaque ligne.
• allure, mûre, cassure, brûlure.
• hôtel, hausse, hôtelier, hôtellerie.
• virgule, apostrophe, guillemet, bibelot.
• serrer, cervelle, serrure, serrurier.

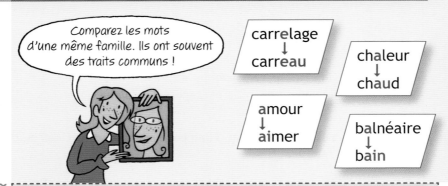

Comparez les mots d'une même famille. Ils ont souvent des traits communs !

carrelage
↓
carreau

chaleur
↓
chaud

amour
↓
aimer

balnéaire
↓
bain

À RETENIR

■ Une voyelle dans un mot peut aider à comprendre et à retenir l'orthographe d'un autre mot de la même famille. Ainsi, le **e** de *carrelage* aide à comprendre l'orthographe **eau** de *carreau* ; le **a** de *balnéaire* aide à comprendre le **a** de *bain*.

136 **Associez chaque mot sur fond jaune à un mot sur fond rose. Écrivez ces deux mots, puis soulignez les lettres qui justifient l'orthographe des lettres en gras.**

Ex. : *bain* → *balnéaire.*

morc**eau**	trait	sérénité	tracer
fr**ein**	v**ain**	rénal	morceler
s**ain**	r**ein**	vanité	humanité
hum**ain**	chair	pané	effréné
p**ain**	ser**ein**	charnel	sanitaire

Corrigé p. 230   .../10

137 **Trouvez le mot sur fond bleu qui correspond à chaque mot sur fond jaune. Aidez-vous des lettres en gras.**

l**ai**t	cl**ai**r	amour	scolarité
aimer	m**ai**son	niveler	lacté
b**ai**sser	dom**ai**ne	basse	clarté
niv**eau**	n**aî**tre	masure	vulgarité
scol**ai**re	vulg**ai**re	natif	domanial

Corrigé p. 230   .../10

138 **Associez chaque mot de B à un mot de A.**

A					B
gain	ciseaux	granulé	pinède	
peine	faim	affamé	distraction	
grain	contraire	cervelle	ciseler	
pin	distraire	gagner	manuel	
main	cerveau	pénible	contrarier	

Corrigé p. 230 .../10

139 **Complétez par ai ou par è en vous aidant des mots sur fond vert.**

célébrité mystérieux stupéfaction atmosphérique
extraction gras ébréché palace ministériel pacifique

br...che	myst...re	atmosph...re	gr...sse	p...x
pal...s	stupéf...t	minist...re	extr...re	cél...bre

.../10

140 **Associez chaque mot de A à un mot de B. Écrivez-les, puis soulignez les voyelles qui expliquent leur particularité.**

Ex. : *grammaire et grammatical.*

A					B
crin	attrait	trahison	crinière	
dessin	braise	belle	attraction	
secrétaire	beau	planifier	dessiner	
graisse	traître	gras	brasier	
il sait	plan	savoir	secrétariat	

.../10

141

À SAVOIR

un **h**ymne	le maire
la va**n**ité	la mairie
en va**in**	l'**h**ôpital
va**in**ement	l'**h**ospice
le cerv**eau**	**h**ospitalier
du cerv**e**las	un ba**h**ut
l'**hypo**crisie	tra**h**ir
a**h**uri	la tra**h**ison
a**h**urissant	un no**y**au
un tu**y**au	un jo**y**au

1. Écrivez les mots qui ont un h nécessaire à la prononciation.

2. Quels mots font penser à ces noms ? Pêche, mariage, maladie, mensonge, intelligence.

3. Dans quels mots y équivaut-il à deux i ?

4. Trouvez les synonymes de ces noms : bijou, orgueil, chant, tube.

et ou — pour relier
ce qui est plus petit que 100.

vingt et un
trois cent trente-quatre

Toujours invariables !

les **quatre** personnes
six mille habitants
quatre-vingt-treize

Sauf **vingt** et **cent** à la fin d'un nombre
s'ils sont précédés d'un nombre qui les multiplie.

quatre-vingts (4 x 20)
trois cents (3 x 100)

⚠ millier(s), million(s), milliard(s)

I	V	X	L	C	D	M
1	5	10	50	100	500	1000

XVI = 10 + 5 + 1 = 16
XIV = X.IV = 10 + (-1 + 5) = 14
MCMLXXIX = M.CM.LXX.IX = 1 000 + 900 + 70 + 9 = 1979

> J'ajoute si le chiffre
> qui suit est plus petit, je soustrais
> s'il est plus grand.

À RETENIR

■ Les nombres s'écrivent avec des mots invariables. Ceux formant
des nombres inférieurs à cent sont reliés par **et** ou par un **trait d'union.***

■ On met un **s** à la fin de *vingt* et de *cent* s'ils sont à la fin d'un nombre
et s'ils sont précédés d'un nombre qui les multiplie.

■ *Mille* est invariable, mais on accorde *millier(s)*, *million(s)* et *milliard(s)*.

142 > **Observez le tableau, lisez le résumé, puis répondez à ces questions.**

1. 61 s'écrit-il en lettres avec un trait d'union ?
2. Doit-on mettre un **s** à vingt quand on écrit 80 en lettres ?
3. Le nombre 200 s'écrit-il en lettres avec un **s** à cent ?
4. Pour écrire 985 en lettres, combien écrivez-vous de **s** ?
5. Quatre peut-il s'écrire avec un **s** ?   Corrigé p. 230   .../10

143 > **Un nombre s'écrit en lettres comme il se prononce, en le décomposant
en multiplications et en additions : 356, c'est une multiplication
(3 x 100) suivie de deux additions (+ 50, + 6).
Décomposez ces nombres en multiplications et en additions,
puis écrivez-les en lettres.**

Ex. : *527 → (5 x 100) + 20 + 7 → cinq cent vingt-sept.*

1. 47 • 231 • 82 • 146 • 658.
2. 963 • 2 320 • 1 729 • 4 080 • 992.   Corrigé p. 230   .../10

* Cf. page 247.

144 > **Dans ces phrases, écrivez tous les nombres en lettres.**

J'ai 3 000 euros. • On a compté 31 étages. • Il a 73 ans. • Emportons ces 9 pommes. • Ce microscope grossit 280 fois. • Le cheptel compte 55 moutons, 48 vaches et 27 chèvres. • Cette ville a 8 000 000 d'habitants. • Les trois mousquetaires étaient 4. .../10

145 >> **Écrivez ces nombres en lettres. Pensez aux traits d'union.**

1. 35 • 76 • 132 • 1 119 • 11 513.
2. 4 444 • 769 • 6 666 • 280 • 891. .../10

146 >> **Copiez ces phrases en écrivant les nombres en lettres.**

Ci-joint un chèque de 98 euros. • Les 11 joueurs sont prêts. • Connaissez-vous l'histoire d'Ali Baba et des 40 voleurs ? • Il faisait les 100 pas devant la gare. • On a obtenu un prêt à 6 % d'intérêt. • 70 % des gens ont voté. • Il était 4 heures moins 20. • Elle nous l'a dit 100 fois, et peut-être même 200. • Il a couru un 5 000 mètres. • On a 7 billets de 100 euros. .../10

147 >>> **Décomposez les chiffres romains pour trouver leur valeur.**

Ex. : *MCDXIV = M.CD.X.IV = M + (−C + D) + X + (−I + V) = 1 414*
1 000 + (− 100 + 500) + 10 + (− 1 + 5)

1. XXVII • LXVIII • XLII • XXXIX • CLIV.
2. le XIXe siècle • le XXIe siècle • l'an MDXV • un film de MCMLXXXIX • le numéro MMDCIL. Corrigé p. 230 .../10

148 >

treize	un pensionnaire
quatorze	un fonctionnaire
quinze	
seize	un millier
	un million
le pai**e**ment	un millionnaire
un aboi**e**ment	un milliard
quatrième	une dizaine
dixième	une douzaine
onzième	une quinzaine
quinzième	une quarantaine
soixantième	une soixantaine

1. Quels mots désignent un rang ?

2. Quels mots ont le suffixe -aire ? À quels mots de base est-il ajouté ?

3. Désignez la même quantité en ajoutant un suffixe à ces nombres : dix, douze, quinze, vingt, trente.

4. Quels mots ont le son /s/ écrit avec un x ?

5. Écrivez les noms correspondant à : payer, aboyer, milliard.

GREC → LATIN → *vieux françois* → FRANÇAIS

■ Au cours des siècles, les mots ont vieilli et se sont transformés. Certains ont gardé des traces de leur origine ou de leur histoire : ainsi, *temps* a gardé le **p** et le **s** du mot latin *tempus*.

---

149 »

Associez chaque mot français sur fond vert à son ancêtre latin sur fond rose.

sanglier orbite colonne cime colline
ôter nourrir temps colonie mystère

collina, de *collis* • *cyma* • *tempus* • *mysterium* • *nutrire* • *orbis* (rond, cercle) • *singularis (porcus)* = (porc) solitaire • *columna* • *obstare* (faire obstacle) • *colonia*

Corrigé p. 230   …/10

150 »

Voici des éléments grecs. Reconstituez les mots qu'ils ont donnés en français.

Ex. : *orthos* (droit, sens figuré : correct) + *graphein* (écrire) : *orthographe*.

biblios (livre) + *thêké* (armoire) | *kakos* (mauvais) + *phonê* (voix)
pakhus (épais) + *derma* (peau) | *têlé* (au loin) + *phonê* (voix)
rhodon (rose) + *dendron* (arbre) | Corrigé p. 230   …/10

151 »

Reconstituez les mots que ces éléments grecs ont donnés en français.

hippos (cheval) + *dromos* (course) | *thermos* (chaud) + *metron* (mesure)
deinos (terrible) + *saura* (lézard) | *khronos* (temps) + *metron* (mesure)
anthropos (homme) + *phagein* (manger) | …/10

152 Associez chaque mot français à son ancêtre latin.

six	chaux	*crux, crucis*	*falx, falcis*
noix	la faux	*perdix, perdicis*	*pix, picis*
paix	poix	*calx, calcis*	*sex*
croix	soixante	*pax, pacis*	*sexaginta*
voix	perdrix	*nux, nucis*	*vox, vocis*

…/10

153 En français, certains y correspondent à la lettre u en grec. Vérifiez cette correspondance en associant ces mots français à leur ancêtre grec.

hydravion	*onuma* (le nom)
dynamite	*phusis* (la nature)
polycopie	*hudor* (eau)
homonyme	*dunamis* (force)
physique	*polus* (nombreux)

Corrigé p. 230 …/10

154 Associez ces mots français à leur ancêtre grec.

hygiène	*etumos* (vrai)
étymologie	*daktulos* (doigt)
bicyclette	*psukhê* (âme)
psychologie	*kuklos* (cercle)
dactylographie	*hugieinon* (santé)

…/10

155 À SAVOIR

le style	correspondre
un stylo	un correspondant
l'écho	la correspondance
la chorale	un cauchemar
habile	un horticulteur
un poney	un hélicoptère
un cygne	un hippopotame
un cylindre	un hippodrome
passionné	un rhinocéros
passionnant	une combinaison
couronner	un orchestre
acquitter	une encyclopédie

1. Quels mots s'écrivent avec un y ?

2. Trouvez les mots formés à partir :
- du mot grec signifiant **cheval** ;
- du mot grec signifiant **aile** ;
- du mot latin signifiant **chœur**.

3. Écrivez les verbes correspondant à : correspondance, acquittement, couronne, passion, combinaison.

4. Relevez les mots désignant : une machine, un mammifère, un oiseau, un vêtement, un métier.

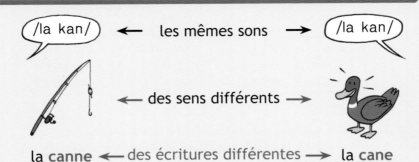

/la kan/ ← les mêmes sons → /la kan/

← des sens différents →

la **canne** ← des écritures différentes → la **cane**
à pêche   le canard

À RETENIR

■ **Les homonymes** sont des mots qui se prononcent de la même façon, mais qui ont des sens différents et des écritures différentes.

■ Un mot de la même famille peut aider à comprendre et à retenir l'orthographe d'un homonyme : *sauter → saut ; sottise → sot.*

---

156 ›
Justifiez l'orthographe de chacun de ces homonymes par un mot de la même famille.

Ex. : *bond → bondir.*

le **vi**n, en **va**in, un chan**t**, un cham**p**, un por**t**, un por**c**, le lai**t**, lai**d**, la **fi**n, la **fa**im.

Corrigé p. 230   …/10

157 ›
Pour compléter chaque phrase, choisissez un des homonymes entre parenthèses.

1. Les passagers avaient mal au *(cœur/chœur).* • On parle de la hausse du *(cou/coût/coup)* de la vie. • Ce *(chaîne/chêne)* est centenaire. • La *(voix/voie/voit)* est libre. • Prenez un *(ver/ verre/vers)* de jus de fruit.

2. Ce *(flan/flanc)* est à la pistache. • Son long discours m'a *(lacé/lassé).* • Cette région n'est pas assez *(ventée/vantée)* pour y installer des éoliennes. • Elle donne régulièrement son *(sans/ cent/sang/sent).* • Utilise plutôt des *(vis/vices)* à bois.

Corrigé p. 230   …/10

l'**air** (aérer)
une **aire** (surface)
une **ère** (une période)

l'**amande** (à manger)
une **amende** (à payer)

une **chaîne** (de vélo)
un **chêne** (l'arbre)

le **cœur** (cardiaque)
en **chœur** (chorale)

le **corps** (corpuscule)
un **cor** (au pied)
le **cor** (instrument de musique)

le **cou** (le col)
le **coût** (coûter)
le **coup** (de poing)

court (courte)
une **cour** (de récréation)
un **cours** (leçon)
le **court** (de tennis)
la chasse à **courre**

un **cygne** (oiseau)
un **signe** (signal)

l'**encre** (pour écrire)
l'**ancre** (du bateau)

le **flan** (au chocolat)
le **flanc** (le côté)

158 >> **Quels homonymes des pages 64-65 correspondent à ces définitions ?**

Tous ensemble. • Surface de jeu. • Joyeux. • Vit dans la terre. • Couleur obtenue avec du jaune et du bleu. • Instrument de musique. • Objet pour immobiliser un navire. • Contraire de vert. • Réfléchir. • Protéger une blessure. .../10

159 >> **Dans ces expressions, remplacez les mots en bleu par des homonymes des pages 64-65.**

Une *leçon* d'anglais • un *récipient* d'eau • une *contravention* sévère • nourrir au *biberon* • un *geste* de la main • un *défaut* caché • ouvrir le *chemin* • écrire un *poème* • *se flatter* devant des amis • un cheval couché sur le *côté*. Corrigé p. 230 .../10

160 >>> **Complétez ces phrases avec pois, air, pose, plainte ou un de leurs homonymes.**

Une ... en chêne protégeait le bas des murs. • Il portait une large cravate bleue à ... roses. • Une ... de stationnement a été aménagée. • Il y avait deux ..., deux mesures. • Les maçons firent une ... pour déjeuner. • Ils ont un ... de famille. • Il porta ... contre X. • La ... est un mélange mou et collant. • L'homme est apparu sur terre à l' ... quaternaire. • La ... de la première pierre aura lieu demain. .../10

161 >>> **Complétez ces phrases en vous aidant de la phonétique et du dictionnaire, si nécessaire.**

On avançait en /fil/ indienne. • Ils ont repiqué des /plã/ de salade. • C'est un joli chat /ʀu/. • Leurs /kɔ̃t/ sont exacts. • Le /tã/ est une grosse mouche. • C'est un /ʀəpɛʀ/ de brigands. • Le /to/ du prêt est de 5%. • Ce robinet /gut/. • Elle n'a jamais /tɔʀ/ ! • Votre réponse est très /sɑ̃se/. .../10

---

une **fois** (parfois)
le **foie** (d'oie)
la **foi** (croyance)

gai (gaieté)
le **guet** (guetter)

goûter (dégustation)
goutter (une goutte)

le **mur** (muraille)
mûr (mûrir)

lacer (un lacet)
lasser (las, lasse)

penser (la pensée)
panser (pansement)

une **plainte** (se plaindre)
une **plinthe** (en bois)

le **pois** (à écosser)
le **poids** (peser)
la **poix** (poisseux)

le **port** (portuaire)
le **porc** (un porcin)
le **pore** (poreux)

la **pose** (position)
une **pause** (un arrêt)

un **saint** (une sainte)
le **sein** (maternel)
cinq fois (cinquième)
sain (saine)

un **saut** (sauter)
un **seau** (d'eau)
sot (sotte, sottise)
un **sceau** (sceller)

tâcher (essayer)
tacher (salir)

vert (verte)
un **verre** (d'eau)
un **ver** (véreux)
vers (traverser)
un **vers** (versifier)

se **vanter** (se flatter)
venter (le vent)

un **vice** (vicieux)
une **vis** (visser)

vingt (vingtième)
le **vin** (vinaigre)
en **vain** (vainement)

la **voix** (des vocalises)
une **voie** (voyage)

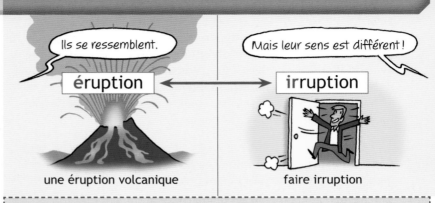

Ils se ressemblent.

Mais leur sens est différent !

éruption ←→ **irruption**

une éruption volcanique

faire irruption

À RETENIR

■ **Les paronymes** sont des mots qui se ressemblent : ils se prononcent presque de la même façon, mais ils ont des sens différents et des écritures différentes.

162 **Quels paronymes des pages 66-67 sont de la même famille que ces mots ?**

Ex. : *plat* → *aplatir*.

un cahot, cru, habile, un contrat, nu, une mutation, fuir, le venin, la mue, la matière.

Corrigé p. 230   .../10

163 **Pour compléter chaque phrase, choisissez un des paronymes en italique.**

1. Il se *(résigne/résilie)* à partir. • Peux-tu me *(contracter/contacter)* très vite ? • Il range son *(matériau/matériel)* dans une caisse à outils. • J'ai mal au *(cœur/corps)* dans les virages. • Le crapaud du jardin *(coasse/croasse)*.

2. Cette *(éruption/irruption)* volcanique a surpris la population. • Ce champignon est *(vénéneux/venimeux)*. • Les élèves ont des *(lacunes/lagunes)* en grammaire. • Voulez-vous une *(effusion/infusion)* à la menthe ? • L'*(astrologue/astronome)* a lu son avenir dans les astres.   .../10

un **accident** (accidentel)
un **incident** (pas important)
aplanir (un terrain)
aplatir (rendre plat)
l'**astrologue** (astrologie)
l'**astronaute** (spationaute)
l'**astronome** (savant)
l'**attention** (attentif)
l'**intention** (but, idée)
bimensuel (2 fois par mois)
bimestriel (tous les 2 mois)
une **bourde** (une bêtise)
une **gourde** (pour boire)
cahoteux (qui secoue)
chaotique (désordonné)
capter (recevoir)
capturer (s'emparer)
captiver (intéresser)
carnassier (aime la viande)
carnivore (≠ herbivore)
le **cœur** (cardiaque)
le **corps** (corpuscule)
colorer (teinter)
colorier (passer une couleur)
contacter (prendre contact)
contracter (faire un contrat)
croasser (cri du corbeau)
coasser (cri du crapaud)

164 **>** **Quels paronymes des pages 66-67 peuvent correspondre à ces définitions ?**

Cacher dans la terre. • Durée de dix jours. • Revue qui paraît deux fois par mois. • Légume qu'on mange sans le faire cuire. • Dire du mal de quelqu'un. Corrigé p. 230 …/10

165 **>>** **Quels paronymes des pages 66-67 peuvent être synonymes de ces mots ?**

un manque, une sottise, un fantôme, un gardien, un foulard, distinguer, entier, une tisane, la méchanceté, se sauver. …/10

166 **>>** **Dans ces expressions, remplacez les mots en bleu par des paronymes de la leçon.**

1. J'ai admiré l'*adresse* du jongleur. • Le bandit se révéla *dépourvu* de scrupules. • Cette femme est *honnête* en affaires. • Ce coin du jardin est *envahi* de fourmis. • Le *marin* annonça qu'il voyait la terre.

2. Un bulldozer a *nivelé* le terrain. • Ce bijou doit *coûter* cher. • L'école va lui *remettre* son diplôme. • Il va *être nécessaire de* le lui dire. • On va bientôt *s'installer* dans cet appartement.
Corrigé p. 230 …/10

167 **>>>** **Complétez ces phrases par des paronymes de la leçon. Pensez aux accords.**

Les arbres sont … en hiver. • Il restait un peu d'eau dans sa … . • La timidité a … ses joues en rose. • Mon cousin adore la viande, c'est un vrai … . • Il faut faire très … à moto. • La plaie risque de s'… si on ne la soigne pas. • Les retrouvailles furent l'occasion d'… bruyantes. • Il faut … le bien du mal. • Sa voix est en train de … . • Une couronne et un … ne font pas toujours un roi. …/10

la **cruauté** (méchanceté)
une **crudité** (non cuit)
une **décade** (10 jours)
une **décennie** (10 ans)
décerner (donner)
discerner (distinguer)
déménager (s'en aller)
emménager (s'installer)
aménager (arranger)
dénué (dépourvu, sans)
dénudé (mis à nu)
une **écharde** (épine)
une **écharpe** (foulard)
une **effusion** (marque d'affection)
une **infusion** (une tisane)
émerger (sortir de l'eau)
immerger (mettre dans un liquide)
enfouir (enterrer)
s'enfuir (fuir, se sauver)
une **éruption** (sortie brutale)
une **irruption** (entrée soudaine)
falloir (il faut)
valoir (la valeur)
l'**habileté** (habile)
être **habilité** (avoir le droit)
infecter (infection)
infester (envahir)
intégral (entier)
intègre (honnête)
une **lacune** (un manque)
la **lagune** (étendue d'eau de mer)
un **matériau** (la matière)
le **matériel** (les outils)
maudire (malédiction)
médire (dire du mal)
muer (changer de voix)
muter (déplacer qq'un)
se résigner (accepter)
résilier (annuler)
le **sceptre** (bâton du roi)
le **spectre** (un revenant)
le **suc** (la sève)
le **sucre** (sucré)
vénéneux (champignon)
venimeux (serpent)
la **vigie** (marin de garde)
un **vigile** (gardien)

EXERCICES SUPPLÉMENTAIRES

Orthographe d'usage

168 **›** **Dessinez la « cuillère » du groupe nominal et le « huit » du pronom chaque fois que c'est possible.** **Règles 1, 2**

Ex. : *Va la faire vacciner la semaine prochaine.*
Va la faire vacciner la semaine prochaine.

Ces champignons ne sont pas comestibles. • Vous pouvez choisir un siège. • Tes cheveux longs te gênent pour écrire. • Ce sont de petits personnages provençaux. • On excusera votre départ précipité. • Ma meilleure amie les connaît bien. .../10

169 **››** **Entourez les négations en dessinant des « lunettes » et encadrez les adverbes.** **Règles 3, 4**

On n'est pas encore des adultes. • Je l'ai déjà rencontré. • Elle viendra vous voir souvent. • Il ne la quittait guère des yeux. • Je n'en ai point. • Il n'y a aucune raison pour qu'on ne t'accorde pas cette coupe. • Je n'ai confiance qu'en toi. • Son grand frère veut toujours imposer son avis. .../10

170 **›** **Vrai ou faux ?**
Justifiez vos réponses à l'aide d'un exemple. **Règles 8, 9, 16**

1. L'accent grave peut servir à distinguer des mots courts qui se prononcent de la même façon.
2. Pour représenter le son /ɛ/ à l'intérieur d'une syllabe, on met toujours un accent grave.
3. Le tréma sert à séparer deux voyelles et se met sur la première voyelle.
4. L'accent circonflexe remplace une lettre disparue que l'on retrouve souvent dans un mot de la même famille.
5. Les noms qui ont le suffixe **-té** sont des noms masculins. .../10

171 **›››** **Classez ces mots en cinq familles. Écrivez leur radical.** **Règle 10**

arrondir, horrible, carreau, horreur, rondelle, horriblement, carré, exactement, carrure, bourre, carrelage, rembourrer, inexact, rondeur, bourrelet, exactitude. .../10

172 **Écrivez le radical de chacun de ces groupes de mots.** Règles 10, 11, 12

ballot	barrer	chauffeur	collage	enveloppe
déballer	barreau	chauffage	colleur	développer
emballer	barrette	chauffer	encoller	envelopper
cueillir	terrain	batailleur	laideur	personnel
cueillette	terrasse	bataillon	laideron	personnifier
accueillir	atterrir	bataille	enlaidir	personnage ···/10

173 **Répondez à ces questions.** Règles 10, 11, 14, 22, 23

1. Dans le mot **lexique**, **ex** est-il un préfixe ?
2. Doit-on mettre un accent sur un **e** avant un **x** ?
3. Le mot **exil** est-il de la famille du mot **île** ?
4. Le mot **expression** a-t-il le même radical que **impression** ?
5. Le mot **exagéré** est-il de la même famille que **âgé** ? ···/10

174 **Parmi ces mots, cinq n'ont pas de préfixe. Lesquels ?** Règle 11

surnom, impatient, dossier, surveiller, image, supporter, exiger, transmettre, ananas, désespoir, nourrir, soutenir. ···/10

175 **En enlevant les préfixes de ces verbes, vous pouvez retrouver dix verbes simples. Écrivez-les.** Règle 11

surprendre, redire, soutenir, admettre, succéder, concéder, permettre, accourir, promener, soumettre, parcourir, satisfaire, contredire, concourir, prédire, entreprendre, survenir, contenir, amener, comprendre, parfaire, étendre, promettre, emmener, prétendre, accéder, prévenir. ···/10

176 **Transformez ces mots en remplaçant leur préfixe par at-, ex-, é-, ap- ou ar-. Écrivez les mots obtenus.** Règles 11, 13, 14

| soutirer | imploser | déranger | accuser | disparaître |
| perception | déprécier | impression | remettre | déteindre |

···/10

177 **Reconstituez ce puzzle de cinq mots.** Règles 10, 11, 12

ex-	-cev-	-flamm-	-ir	in-
-er	-oir	dé-	-cus-	-able
-ménag-	ac-	-ement	-cueill-	re-

···/10

69

178 »» **Écrivez les dix suffixes utilisés dans ces mots.** Règle 12

mobilier, jeunesse, poulet, faiblesse, sommier, dompteur, coffret, chasseur, invisible, boulet, plaisanterie, professeur, irrésistible, gaulois, cavalière, coûteux, instructif, ouvrière, flatterie, villageois, brumeux, bourgeois, craintif, lumineux, plaintif. .../10

179 »» **Quels mots obtenez-vous en supprimant les suffixes ?** Règle 12

grossir, normalement, poterie, centième, versifier, arrêter, dossier, durcir, écartement, envoyer, épaisseur, essayer, ennuyer, blanchir, promptement, exactitude, tronçon, suspecter, criard, coûter. .../20

180 »»» **Quels suffixes utilise-t-on pour marquer le résultat de ces actions ? Écrivez les vingt noms correspondant à ces verbes.** Règles 12, 19

siffler	juger	enseigner	sculpter	blesser
enterrer	border	aller	commencer	mordre
coiffer	raisonner	graver	user	brûler
remercier	relier	fouler	couper	enfler

.../20

181 › **Écrivez le nom de la région ou du pays concerné. Ajoutez les majuscules qui manquent.** Règles 12, 20

un texan, un chat persan, un portugais, les canaux chiliens, une jurassienne, une musique indienne, un polonais, un film japonais, une crêpe bretonne, un auvergnat, la sauce hollandaise. .../10

182 »» **Retrouvez les dix familles représentées par ces mots. Observez leurs suffixes, puis classez-les en deux groupes.** Règles 12, 22, 23

inonder, harmonie, laboratoire, communication, tenter, fâcheux, orgueilleux, acclamation, recommander, acclamer, orgueil, soie, tentation, laborieux, inondation, communiquer, soyeux, fâcher, harmonieux, recommandation. .../10

183 »»» **Remplacez chaque rond bleu par un signe de ponctuation et ajoutez les majuscules qui manquent.** Règles 20, 21

● que t'est-il arrivé ● grand-père ● tu t'es fait mal ● le vieil homme fit la grimace ● il se frotta le bas du dos ● ● maudite échelle ● grogna-t-il ● je voulais cueillir des cerises. je l'ai appuyée contre l'arbre ● mais elle a bougé et j'ai raté un barreau ● je me suis retrouvé par terre ● .../10

184 >> **Quel adjectif terminé par une lettre finale muette correspond à chacun de ces mots ?** Règle 22

une friandise	une rondelle	l'exactitude	aplatir
la promptitude	une confusion	l'inquiétude	l'ingratitude
une distinction	la franchise		.../10

185 >>> **Écrivez ces nombres en lettres. Dans lesquels y a-t-il un tiret ? Dans lesquels vingt et cent s'accordent-ils ?** Règle 24

1. 4 580 • 3 404 • 781 • 5 500 • 7 777.

2. 2 110 • 3 282 • 4 380 • 99 999 • 529. .../10

186 >> **Rétablissez l'orthographe correcte de ces phrases.** Règle 26

■ Les *six reines* ont donné *la larme*.

■ Prête-moi tes six os et un mort sot de tissu.

■ Ce match fut une des fêtes de l'équipe. Ce fut un des astres.

■ Dans la région, on a eu un nid vert vraiment plus vieux.

■ Je voudrais un six rôts pour matou et un dentifrice qui donne la laine fraîche. .../10

187 >> **Associez chaque phrase de gauche à une phrase de droite.** Règle 26

1. Que fait le professeur ?   Elle l'appelle.

2. Zoé mange une pomme.   Elle la pèle.

3. Quel outil cherchez-vous ?   Elles l'appellent.

4. Manon téléphone à sa copine.   La pelle.

5. Les filles cherchent leur chien.   L'appel. .../10

188 >> **Utilisez la liste des paronymes pages 66-67 pour trouver ceux qui peuvent correspondre à ces définitions.** Règle 27

Petit éclat de bois qui entre sous la peau. • Qui se nourrit de viande. • Entrée brusque dans une pièce. • Liquide dans les plantes. • Qui voyage dans l'espace. .../10

189 >> **Reconstituez ce puzzle de cinq mots.** Règles 10, 11, 12

-céd-   rupt-   -oir   pro-

-er   -ion   pré-   -cev-   -ure

-cess-   dé-   -emment   -cept-   inter-   .../10

Il a couru.

Il a soif.

avoir ...

Je voudrais...
un chat **ou** un chien.

ou bien

Où vas-tu ?	à Paris
Quand ?	à midi
À qui penses-tu ?	à mes amis
À quoi penses-tu ?	à mes notes

Où veux-tu aller ?

⚠ **où** peut aussi marquer le temps : au moment **où**

À RETENIR

■ **a** (sans accent) est le verbe *avoir* au présent de l'indicatif ou l'auxiliaire *avoir* d'un verbe au passé composé, à la 3e personne du singulier.

■ **à** (avec accent) est une préposition : *à, de, en, dans, par, pour, sur*...

■ **ou** marque un choix et signifie *ou bien*. C'est une conjonction de coordination (comme *et*).

■ **où** exprime une idée de lieu, parfois de temps.

190 > **Complétez ces expressions par les prépositions à, en ou de.**

un fer ... repasser   une brosse ... cheveux
une tablette ... chocolat   un vêtement ... sport
la marche ... pied   un appartement ... louer
un bijou ... or   une fourchette ... poisson
des cartes ... jouer   un parquet ... chêne   Corrigé p. 231   .../10

191 > **Remplacez les mots en bleu par a ou par à.**

Il nous *avait* emprunté de l'argent. • Elle *avait* du mal *pour* y arriver. • Il n'*aura* plus de soucis. • Le cycliste *avait* mis un pied *par* terre. • Il y *avait* du poulet *pour* dîner. • Qu'*avait*-on fait de ces papiers ? • Nous avons *de quoi* manger.   Corrigé p. 231   .../10

192 > **Complétez ces phrases par a ou par à.**

Jean habite ... Lyon. • Ma mère ... mal ... la tête. • Il ... promis qu'il serait là ... six heures. • C'est un pilote qui ... du cœur. • Elle n' ... pas voulu venir. • On n' ... pas pu fermer l'œil de la nuit. • Il pensait ... sa maison natale. • ... -t-elle bien compris ?   .../10

193 > **Complétez ces phrases par ou ou bien par où.**

... veux-tu aller ? À droite ... à gauche ? • Ma feuille n'est plus dans le livre ... je l'avais mise. • ... menez-vous ces enfants ? • Qui, de lui... de toi, achètera le journal ? • Le jour ... j'ai compris, je ne suis pas retourné le voir. • Dites-moi ... il est. • Je vous retrouverai tôt ... tard. • Vendu ... non, cet objet m'appartient. • Appuie sur le bouton au moment ... il entrera.   Corrigé p. 231   .../10

194 >> **Complétez ces phrases par a, à, ou ou bien où.**

Il courait ... perdre haleine. • ... l'avez-vous rangé ? • Ils étaient cinq ... six. • C'est ... mon tour ! • N'...-t-elle pas raison ? • D'... lui vient ce courage ? • C'est le village ... je suis né. • On en ... déjà pris un. • De là ... tu es, tu peux surveiller la route. • Cet arbre, est-ce un chêne ... un platane ?   Corrigé p. 231   .../10

195 >> **Complétez ces phrases par a, as ou à.**

Que t'...-t-elle répondu ? • Ne lui ...-t-on pas expliqué ? • Je crois qu' ... cette heure, il est arrivé ... destination. • Ne l' ... -tu pas reconnu ? • On m'... assuré qu'il y aurait encore de la place ... l'hôtel. • Tu n' ... qu'... écouter tes professeurs. • Il ne pense qu' ... ses chats.   .../10

196 >

une ampoule	une cuill**è**re
une ambulance	une cuill**e**rée
un si**ph**on	un ananas
ma**n**ger	ré**g**ler
une am**an**de	le r**è**glement
un am**an**dier	**s**é**ch**er
ba**rr**er	**s**è**ch**e
un ba**rr**age	**s**è**ch**ement
un ba**rr**eau	une amende
une ba**rr**ière	apporter

1. **Écrivez les mots désignant :**
• un petit tuyau coudé ;
• quelque chose qui se mange ;
• ce qu'on paie en punition.

2. **Trouvez les mots rimant avec :**
carreau, lécher, lance, cadenas, supporter, jongler.

3. **Quels mots font penser à ces noms ?**
Argent, voiture, repas, palissade, loi.

un chat, un chien **et** un canari
1 + 1 + 1
et puis

C'est son canari.

son NOM
le sien

Il **est** gentil.

Il **est** venu me lécher.
être ...

Ils **sont** arrivés.

Ils **sont** là.
être ...

À RETENIR

- **et** réunit deux mots, deux expressions ou deux phrases. Il marque une addition. C'est une conjonction de coordination.
- **est**, c'est le verbe *être* au présent de l'indicatif ou l'auxiliaire *être* d'un verbe au passé composé, à la 3e personne du singulier.
- **son** est un déterminant possessif. Il fait partie du groupe nominal au singulier. Il exprime l'idée de possession.
- **sont**, c'est le verbe *être* au présent de l'indicatif ou l'auxiliaire *être* d'un verbe au passé composé, à la 3e personne du pluriel.

197 › **Observez le tableau de la leçon, lisez le résumé « À retenir », puis répondez à ces questions.**

1. Est-il juste de penser à **et puis** lorsqu'on écrit **et** ?
2. **Son**, **mon** ou **ton** expriment-ils l'idée de possession ?
3. Peut-on rencontrer **est** ou **sont** dans un groupe nominal ?
4. **Sont** peut-il être précédé d'un pronom personnel sujet ?
5. **Est** peut-il être suivi d'un participe passé ?　　Corrigé p. 231　.../10

198 › **Complétez ces phrases par et ou par est.**

Ma sœur joue du piano ... du violon. • La porte ... grande ouverte. • On ... venu vous apporter ce colis. • Alexandre a vingt ... un ans. • Ce livre n' ... pas à moi. • Il ... bien celui qu'on attendait. • Juliette n'... jamais allée en Angleterre. • Pourquoi ...-il parti ? • Tu peux ... tu dois répondre avant demain. • Que t'...-il arrivé ?

Corrigé p. 231　.../10

199 **Complétez ces phrases par son ou par sont.**

... départ n'était pas prévu. • Ils ... trop loin du camp. • Les livres
... dans la petite valise. • Il prit ... courage à deux mains. • Sais-tu
comment ils se ... connus ? • Ce ... des gens courageux. • ... père et ...
grand-père ... restés en France. • ...-ils toujours à la maison ?   .../10

200 **Remplacez les mots en bleu par et, est, son ou sont.**

Le lièvre *était* dans ce buisson. • *Et puis* voilà que tout à coup, un lapin
sortit du chapeau. • Tout *sera* prêt. • Pourquoi n'*étaient*-ils pas encore
partis ? • Il avait pris sa guitare et *ton* harmonica. • Il a acheté de la salade
sans oublier des tomates. • Quel *était* le numéro de sa voiture ? •
Pourquoi ne *seraient*-elles pas là ? • Il savait que *mon* ami pourrait
le retrouver. • Qui *étaient* ces hommes en noir ?   Corrigé p. 231   .../10

201 **Complétez ces phrases par et, est, son ou sont.**

Ce bleu ... trop pâle. • Ce ne ... pas ses amis qui ont raison. •
Le perroquet ne bougea pas de ... perchoir. • Deux ... deux font
quatre. • C'est ... fils. • Quelqu'un ...-il volontaire ? • ...-elles
les dernières ? • Ce ne ... que des enfants. • ... visage s'est éclairé
... il a éclaté de rire.   Corrigé p. 231   .../10

202 **Complétez ces phrases par et, est, son ou sont.**

Dis-moi quel est ... nom. • Se ...-ils absentés ? • Il n'... pas en retard. •
Thomas ... ses amis ... partis. • Il ne doit ... salut qu'à ... esprit
de décision. • Ce ne ... pas les mêmes qui ... venus hier. •
Cet appareil n'...-il pas garanti ?   .../10

203

À SAVOIR

interroger
une **inter**rogation

interrompre
une **inter**ruption

une châtaigne
un châtaignier

une terrasse
un terrier
un enterrement
un souterrain

une crêpe
une guêpe

un bananier
un abricotier

hérisser
un hérisson

l'effroi
effroyable
effrayant

un perroquet

1. Écrivez les mots qui ont :
- le préfixe inter- ;
- le radical -terr- ;
- le suffixe -ier ;
- un accent circonflexe.

2. Quels noms désignent : des animaux,
des arbres fruitiers **?**

3. Trouvez les contraires de : lisser,
rassurant, répondre.

30 ce, cet, cette, ces / ses

ce   chien
cet   oiseau
cette   chatte
ces   animaux

ce
cet   (un)
cette (une)
ces   (des)   NOM (s)

⚠ **cet** (masculin) ≠ **cette** (féminin)

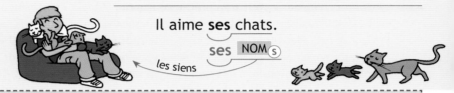

Il aime **ses** chats.

les siens   **ses** NOM (s)

À RETENIR

■ **ce, cet, cette, ces** sont des déterminants **démonstratifs**. Ils font partie du groupe nominal. Ils expriment l'idée de montrer :
– après **ce** et **cet**, le nom est masculin singulier ;
– après **cette**, le nom est féminin singulier ;
– après **ces**, le nom est au pluriel (masculin ou féminin).

■ **ses** est un déterminant **possessif**. Il fait partie d'un groupe nominal au pluriel. Il exprime l'idée de possession. C'est le pluriel de **son** ou de **sa**.

204 > Remplacez les déterminants possessifs en bleu par les déterminants démonstratifs **ce, cet, cette** ou **ces**.

Ex. : *J'ai lu son aventure.* → *J'ai lu* ***cette*** *aventure.*

Ta plaisanterie est très drôle. • Qui a retrouvé *son* livre ? • *Tes* histoires sont intéressantes. • Pourquoi mets-tu *ta* chemise rouge ? • Il m'a dit que *son* enfant serait gentil. • Je n'ai pas reconnu *son* imitation. • Il t'attend près de *son* arbre. • Tu devrais colorier *ton* image. • *Ses* ciseaux coupent mal. • Où dois-je ranger *son* album ?   Corrigé p. 231   …/10

205 > Complétez ces phrases par **ce, cet, cette** ou **ces**.

Il faut plier … bâche. • Donne-moi … baguettes. • … étrange monstre l'amusa. • Regarderez-vous la télévision … soir ? • … homme a deux enfants. • À … heure-là, le portail sera fermé. • … chaleur et … soleil sont pénibles. • … âge est sans pitié ! • Nous avons été très occupés, … temps-ci.   …/10

206 ▷ **Complétez ces phrases par ces ou par ses.**

L'avare comptait ... pièces. • Le bateau a hissé ... voiles. • Regardez ... arbres ! Ils sont centenaires. • Il avait perdu ... lunettes et ne trouvait plus ... clés. • ... derniers jours, il pleuvait. • ... nuages annoncent l'orage. • Puisque ... fruits vous tentent, achetez-les. • Il cherchait ... frères dans les tribunes. • Connaissez-vous ... intentions ?

Corrigé p. 231   .../10

207 ▷▷ **Écrivez les noms en bleu au singulier, puis ajustez les accords.**

Ex. : *Ces écrans sont neufs.* → *Cet écran est neuf.*

Ces *incendies* ont causé des dégâts importants. • Vous devez changer ces *ampoules* électriques. • Comme ces *abricots* sont bons ! • Il aurait pu éviter ces *erreurs*. • Ces *événements* étaient prévisibles. • Ses *avis* nous seront utiles. • Ces *éviers* sont en inox. • Ses *câbles* d'ordinateur sont neufs. • Ils ont vacciné ces *animaux* hier. • À qui sont ces *outils* ?

Corrigé p. 231   .../10

208 ▷▷ **Complétez ces phrases par ces ou par ses.**

Connais-tu ... gens-là ? • Cette mère sort toujours avec ... filles. • ... chaussures, en vitrine, me plaisent beaucoup. • Léo a mis ... chaussettes rayées. • La chatte s'occupe bien de ... petits. • Comment veux-tu le retrouver dans ... fourrés ! • ... routes sont sinueuses, soyez prudents. • Il trouva enfin ... valises. • À qui sont ... voitures mal garées ? • ... amis voulaient lui offrir un cadeau pour son anniversaire.

.../10

209 ▷▷ À SAVOIR

le mépri**s**	se va**n**ter
mépriser	un va**n**tard
méprisable	entra**î**ner
un é**vent**ail	l'entra**î**neur
un **vent**ilateur	grê**l**er
un para**vent**	la grê**l**e
un contr**ô**le	une cha**î**ne
contr**ô**ler	décha**î**ner
un contr**ô**leur	encha**î**ner
sang**l**oter	un dép**ô**t
un sang**l**ot	un imp**ô**t

1. Quels noms correspondent à ces verbes ?
Entraîner, éventer, contrôler, se vanter, mépriser, sangloter, grêler.

2. Écrivez les mots qui ont ces radicaux : -vent-, -vant-, -chaîn-.

3. Relevez les mots qui ont les suffixes : -ard, -eur, -able.

4. Écrivez les mots qui se terminent par une lettre muette.

Ce chat dort.

ce NOM

⚠ **ce** que, **ce** qui

Il **se** sauve.

se sauver

Il **s'est** sauvé.

se sauver

se
s'est VERBE

À RETENIR

- **ce** fait partie du groupe nominal. C'est un déterminant démonstratif masculin singulier. Il exprime l'idée de montrer. On rencontre souvent des expressions avec **ce** : *ce qui, ce que, qu'est-ce que, qui est-ce...*
- **se** fait partie du verbe pronominal.
- **s'est** fait partie du passé composé d'un verbe pronominal. En cherchant l'infinitif, on retrouve **se** (ou **s'**) suivi du verbe.

210 > **Pour chaque phrase, écrivez soit le groupe nominal contenant ce, soit le verbe pronominal avec se.**

Ex. : *Il est arrivé ... matin.* → *ce matin.*
Elle ... baigne chaque soir. → *se baigner.*

On ... régale avec tes gâteaux ! • Comme ... choix est difficile ! • ... déjeuner sera une véritable fête. • Elle ... sentait capable de réussir. • ... vieux cerisier n'a pas donné de fruits cette année. • Ils ... serviront après nous. • J'aime ... village pour son calme. • Nos invités ... perdirent dans la forêt. • ... réveille-t-il toujours si tôt ? • Qui a osé faire ... pari ?

Corrigé p. 231   .../10

211 > **Écrivez ces groupes nominaux au singulier.**

ces tissus colorés	ces gros chiens
ces pinceaux neufs	ces travaux urgents
ces tout petits chatons	ces nouveaux renforts
ces violents orages	ces contrôles systématiques
ces meubles anciens	ces vêtements trop grands

Corrigé p. 231   .../10

212 **Quelles phrases contiennent un verbe pronominal ?**

Ex. : *Ils ne se sont pas rappelé leur promesse.* → *oui, se rappeler.*
Il appelle son frère au téléphone. → *non (verbe appeler).*

Pourquoi ne s'est-elle pas montrée ? • C'est lui qui m'a montré
ce tableau. • Que ne se sont-ils pas imaginé ! • C'est l'odeur de lavande
que je sens ? • Qu'est-ce qu'on se sent bien sous cet arbre ! •
C'est ainsi qu'on installe une machine à laver. • Il s'est installé près
du vieux lavoir. • Ces enfants se sont assez amusés. • Depuis quand
ne s'est-on pas occupé d'elle ? • Elle amuse son petit frère.   .../10

213 **Complétez ces phrases par ce ou par se.**

Il faut ... mettre au travail. • ... soir, nous irons tous au cinéma. •
... camion est maniable. • Que me veut ... monsieur ? • Elle ... laissa
tomber dans le fauteuil en osier. • Racontez-moi ... long voyage. •
Il ne ... décide jamais. • À quelle heure ... lève-t-on demain ? •
Il ... mêle souvent de ... qui ne le regarde pas.   Corrigé p. 231 .../10

214 **Complétez ces phrases par ce ou par se.**

C'est à ... moment précis que la sirène ... mit à hurler. • Elle ...
sentait très fière de ... succès. • Veux-tu savoir ... qui ... passe ? •
... livre n'a pas de fin. • Il ... coucha presque aussitôt. • Avez-vous
signé ... contrat ? • Il ... souvint que c'était l'heure du match.   .../10

215 **Réécrivez au passé composé, puis au présent de l'indicatif.**

Chaque jour, on s'était levé tôt. • Où se sera-t-elle cachée ? • Il s'était
cru meilleur que les autres. • Pourquoi se serait-elle éloignée ? •
Il s'était encore fâché à cause de mon retard.   Corrigé p. 231 .../10

216 À SAVOIR

teindre	disparaître
le teint	paraître
un torrent	impossible
un récipient	nettoyer
avoir tort	le nettoyage
un souci	un représentant
parmi	un habitant
une fourmi	interdit
le squelette	interdire
un temple	une interdiction

1. Trouvez les contraires de : possible,
avoir raison, salir, permettre.

2. Complétez ces séries :
• église, mosquée, chapelle, ...
• paraître, apparaître, reparaître, ...
• présenter, présentable,
  représentation, ...

3. Écrivez les mots :
• qui se terminent par un t muet ;
• qui se terminent par un i ;
• qui ont une consonne double ;
• dont le préfixe commence par i.

C'est mon ami.

C'est lui.

C'est vrai.

Il **s'est** levé.

se lever

s'est VERBE

C'est   NOM

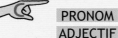

PRONOM

ADJECTIF

Je le **sais** par cœur.

je, tu **sais**

il, elle, on **sait**   *savoir*

À RETENIR

- **c'est** est suivi d'un groupe nominal, d'un pronom ou d'un adjectif qualificatif.
- **s'est** fait partie d'un verbe pronominal, au passé composé.
- **sais** et **sait** sont des formes conjuguées du verbe *savoir*, au présent de l'indicatif.

---

217 › **Vrai ou faux ? Aidez-vous du tableau de la règle et du résumé « À retenir » pour répondre.**

1. c'est peut être remplacé par *le* ou par *une*.

2. On utilise **c'est** pour annoncer, pour présenter.

3. s'est est toujours suivi du participe passé d'un verbe conjugué au passé composé.

4. sais correspond seulement à la 1re personne du singulier du verbe *savoir*.

5. s'est peut être précédé d'un pronom personnel à la 3e personne du singulier.
Corrigé p. 231   .../10

218 › **Choisissez entre c'est ou s'est pour compléter ces phrases.**

... un homme d'un certain âge. • Son fils ... mis à travailler. • Qu'est-ce que ... que ce bruit ? • Quand ...-il réveillé ? • Comme ... dommage que tu aies manqué cette émission ! • Il ... enfermé dans sa chambre pour réviser. • Je crois que ... très important d'aimer son métier. • L'automobiliste ne ... pas arrêté. • ... le chemin le plus court. • Au cours de cette réunion, il ... dit des choses importantes.
Corrigé p. 231   .../10

219 **Réécrivez ces phrases en remplaçant les mots en bleu par c'est,**
› **s'est, sais ou sait.**

Ce sera sans doute mon père qui viendra. • Il *s'était* décidé à changer. •
Je *savais* ce que *c'était* ! • Le comptable *se sera* peut-être trompé. •
Tout *s'était* passé très vite. • On ne *savait* pas encore si *c'était* lui
l'arbitre. • *Sauras*-tu utiliser cette caméra ? • On dit qu'il *se serait*
installé tout près d'ici. .../10

220 **Complétez ces phrases par c'est, s'est, sais ou sait.**
››

Je suis sûr qu'il ne ... pas attardé en ville. • Je le ..., dit le garçon. •
Vite, ... urgent. • Il ... montré très bon pour eux. • Il nous racontera
tout ce qu'il ... . • ... sans doute lui. • ...-il rendu compte des difficultés ? •
Il ... couché très tôt, ce soir. • ... exact, le chien ... bien sauvé !

Corrigé p. 231 .../10

221 **Complétez ces phrases par c'est, s'est, sais ou sait.**
››

Je le ..., ... bien elle. • ... le meilleur élève, il ... tout ! • On ne ... rien
de tout cela : ... un secret. • L'animal ... calmé. • ... ainsi qu'il ...
endormi. • Mais comment le ...-tu ? .../10

222 **Complétez ces phrases par c'est, s'est, sais ou sait.**
››

Elle ... mise à rire. • Vous pouvez partir, ... fini. • ...-elle déjà qu'elle
a réussi ? • Son score ... encore amélioré. • Il ... très bien coudre. •
Le chiot ... laissé bercer comme un bébé. • Comme ... ennuyeux ! •
...-elle renseignée ? • Si tu ne le ... pas encore, lis : ... écrit noir
sur blanc. .../10

223
››

un pa**nn**eau	fr**ê**le
un réseau	la cr**ê**te
un pi**n**ceau	une ga**l**ette
le bud**g**et	pré**c**édent
le vertige	né**g**ligent
un **g**enou	intelli**g**ent
fécon**d**	l'intelli**g**ence
la fécondité	un ca**rr**eau
la fécondation	le ca**rr**elage
un placar**d**	le caoutchou**c**

1. Écrivez les mots où la lettre **g**
se prononce /ʒ/, comme dans joue.

2. Quels noms ont un **x** au pluriel ?

3. Écrivez les mots qui peuvent être
synonymes de : sommet, fragile,
pancarte, inattentif.

4. À quels mots associer ces noms ?
Articulation, Internet, biscuit, faïence,
affichage, cerveau, vie, peinture.

On prend le train.
On arrivera à midi.

On VERBE

il
elle
nous

Ils **ont** un sac.
Ils **ont** marché.

ont ...
avoir

⚠ On est trois.
/n/

On **n'** est **pas** onze.
On **n'** est **que** trois.

À RETENIR

■ **on** est un pronom personnel indéfini. Il est placé avant le verbe, dans une phrase affirmative. Si **on** est suivi d'un verbe commençant par une voyelle, il y a une liaison prononcée /n/. Il ne faut pas la confondre avec le **n'** d'une phrase négative.

■ **ont**, c'est le verbe *avoir* au présent de l'indicatif, à la 3ᵉ personne du pluriel, ou l'auxiliaire *avoir* d'un verbe au passé composé.

224 ›

Remplacez les mots en bleu par on ou par ont.

Elle se dépêche. • Elles *avaient* déjà déjeuné. • Elles lui *auraient* demandé de nous prévenir. • Avant de partir, *elle* a pris de quoi goûter. • Ils *avaient* menacé d'abandonner. • Je crois que les lapins *avaient* eu peur. • *Quelqu'un* te cherche partout. • Mes voisins ne m'*avaient* rien dit. • Quand *auront*-ils apporté le courrier ? • Et si *notre classe* allait au stade ?   Corrigé p. 231 …/10

225 ›

Réécrivez ces phrases au passé composé de l'indicatif.

Ex. : *Elles lisent beaucoup.* → *Elles ont beaucoup lu.*

Luc et Zoé mangent peu. • Ils comptent sur elle. • Certains roulent trop vite. • Elles l'emmènent faire des courses. • Les visiteurs apprécient le spectacle. • Mes tantes leur apportent des livres. • Les techniciens transmettent le message. • Tous ces bruits le dérangent. • De gros nuages cachent le soleil. • Deux chiens surveillent le troupeau.   …/10

226 ›

Complétez ces phrases par on ou par ont.

Ils n'… encore rien décidé. • Je crois qu'… ira demain. • Pourquoi n'… elles pas voulu jouer ? • Ce n'est pas vous que l'… cherche. •

...-ils terminé ? • Elles m'... semblé être en forme. • Puisqu'... ne sait pas pourquoi ils sont absents, ... va leur écrire. • N'...-elles pas été amies, autrefois ? • Que vous ...-elles raconté ?   Corrigé p. 231   .../10

227 » **Réécrivez ces phrases avec une locution adverbiale de négation.**

Ex. : *On ira en métro.* → *On **n'**ira **pas** en métro.*

On arrivera avant six heures. • On est heureux de te revoir ! • On espère recevoir ce colis. • Le dimanche, on y va tous. • De là, on entend tout. • On écrit des sottises. • C'est promis, on y restera. • On a changé la roue arrière. • On en fabrique tous les jours. • On a le temps de déjeuner.   .../10

228 »» **Complétez ces phrases par on ou par on n'.**

... entoura le jardin d'une haie. • ... y habitera pas avant l'été. • Il faut qu'... aille chez le dentiste. • ... en trouve plus. • Tout de même, ... est plus au XXᵉ siècle ! • ... en veut encore, ... a très faim. • Pour cet emploi, ... engagera que des spécialistes. • ... attendait plus que toi. • ... ira demain.   Corrigé p. 232   .../10

229 »» **Complétez ces phrases par ont, on ou on n'.**

Vous ...-elles expliqué le problème ? • Qu'est-ce qu'... en fait ? • Qu'... ils voulu dire ? • ... arrête pas le progrès ! • Ils en ... pensé beaucoup de bien. • Je crois qu'... me l'a déjà proposé. • ... a rien trouvé. • ...-elles donné leurs raisons ? • ... entend plus parler de ses exploits. • Ne l'a-t-... pas déjà vu ?   .../10

230 » À SAVOIR

la **sci**ence	une **sci**e	**1. Écrivez les mots :**
la con**sci**ence	le hasar**d**	• où le son /s/ s'écrit sc ;
b**ei**ge	se hasar**d**er	• où le son /ɛ/ s'écrit ei.
un b**ei**gnet	une bal**ei**ne	**2. Écrivez les mots désignant :** un abri, une couleur, une attache, une qualité, une céréale, un mammifère.
le s**ei**gle	l'hal**ei**ne	
une agra**f**e	des**c**endre	**3. À quels noms associer ces verbes ?** Scier, patienter, agrafer, s'absenter.
une agra**f**euse	un a**sc**enseur	
une **abs**ence	une a**sc**ension	**4. Quels mots ont** un h aspiré, un c inutile pour la prononciation ?
la patien**ce**	un hang**ar**	
l'essen**ce**	un hect**are**	

34 peux, peut / peu

Je **peux** t'aider, mais j'ai **peu** de temps.

je **peux**   **peu**

tu **peux**   pas beaucoup

il **peut**

   pouvoir

À RETENIR

- **peux** et **peut** sont des formes conjuguées du verbe *pouvoir*, au présent de l'indicatif.

- **peu** est un adverbe. Il est invariable. Il signifie *pas beaucoup*. On le trouve dans des expressions comme *peu à peu, à peu près, un tant soit peu*.

---

231 ⟩ **Réécrivez ces phrases de façon à utiliser peux, peut ou peu.**

Il ne *sait* pas chanter. • *Vas*-tu venir tout de suite ? • Tu le connais ?
– *Pas beaucoup*. • Sa voiture n'*arrive* pas à démarrer. • Il est
légèrement sot. • Elle relève *à peine* la tête. • *Voudrais*-tu monter,
s'il te plaît ? • Il se *pourrait* que je me trompe. • Il ne mange que
rarement de la viande. • Je me trouve dans une situation *pas très*
confortable.   Corrigé p. 232   …/10

232 ⟩ **Complétez ces phrases par peux, peut ou peu.**

Est-ce que je … te montrer mes dessins ? • Il se … qu'elle vienne. •
Je ne … pas l'assurer. • C'est un … long. • Il y arrivera … à … . •
Que …-il faire ? • Ne …-tu pas m'en rapporter deux ? • Je voudrais
un … d'eau. • On n'y … pas grand-chose. • On … traverser à la nage.
      …/10

233 ⟩⟩ **Complétez ces phrases par peux, peut ou peu.**

Il n'en … plus. • La voisine … garder le bébé. • Il est à … près huit
heures. • Ça se … ! • On ne … manquer ce rendez-vous. • Est-ce que
tu m'en veux ? – Un … . • Ce film est un … plus intéressant que l'autre. •
Ça ne se … pas ! • Que …-tu pour lui ? • Où … bien être ma règle ?
      Corrigé p. 232   …/10

35 près / prêt / pré

près de toi
près de six heures

près, auprès, après, d'après

prêt⊚ à partir
prête⊚

⚠ /pRe/ le pré
les prés

un prêt
des prêts (prêter)

À RETENIR

■ **près** est un mot invariable : c'est un adverbe. Il indique une proximité de lieu ou de temps.

■ **prêt** est un adjectif qualificatif. Il s'accorde en genre et en nombre avec le nom auquel il se rapporte.

■ un **prêt**, des **prêts** sont des noms de la famille du verbe *prêter*.

---

234 ⟩ **Réécrivez ces phrases de façon à utiliser près ou prêt.**

Ne reste pas *à proximité* du four. • Il était déjà *habillé* à huit heures. • Il est *environ* midi. • Tout était *préparé* pour la cérémonie. • Cette ville est située *non loin* de la frontière. Corrigé p. 232 .../10

235 ⟩ **Complétez ces phrases par près, prêt, ou pré. Pensez aux accords.**

Elle marchait si ... du buisson qu'elle s'accrocha à une ronce. • Le ballon passa très ... du poteau. • À vos marques. ... ? Partez ! • Avant de décider, il faut y regarder de plus ... . • La banque lui a consenti un ... à 5 %. • Paul, es-tu ... à écrire ? • Il est ... de onze heures. • Il me doit à peu ... cent euros. • Il y a des champignons dans ces ... . • Ils étaient ... à recommencer. .../10

236 ⟩⟩ **Complétez ces phrases par près ou par prêt(e,s).**

C'est à peu ... terminé. • Ce ... va leur permettre d'acheter leur maison. • Marie, tiens-toi ..., on va démarrer. • Tout fut ... à temps. • Ne restez pas ... de la barrière. • Viens ... de moi. • Je suis toujours ... le premier. • Il faudrait prendre cette photo de ... . • Tout est ..., on peut commencer. • Qui est cette femme, ... de la caméra ? Corrigé p. 232 .../10

mais / m'est / met(s) / mes

petit **mais** fort

← mais →

Cela **m'est** utile.

m'est

être

AVRIL
MAI
JUIN

mai

---

je, tu **mets**
il, elle, on **met**
mettre

mes doigts
mes NOM (s)
les miens

un entre**mets**
un _____ **mets**
un plat

- **mais** est une conjonction de coordination. Elle marque une opposition, une restriction ou une objection.
- **m'est** correspond au verbe *être* précédé du pronom *m' (me)*.
- **mets** et **met** sont des formes conjuguées du verbe *mettre*.
- **mes** est un déterminant possessif qui fait partie du groupe nominal.
- **mai** est le nom du 5ᵉ mois de l'année ; un **mets** est un plat.

---

237 >

Réécrivez ces phrases en remplaçant les mots en bleu par mais, met ou mes.

Elle est douée en maths, *par contre* elle n'est pas très bonne en français. • Il *range* son vélo dans le garage. • Au théâtre, on a utilisé *ses* jumelles. • Tu as raison, *toutefois* je n'ai pas tort. • *Ses* idées sont excellentes. • Nous le ferons, *cependant* pas demain. • Elle *a mis* sa cape et ses bottes. • La serrure a été changée, *pourtant* j'ai gardé *les* anciennes clés. • Est-ce qu'on *mettra* le tapis devant le canapé ?

Corrigé p. 232   .../10

---

238 >

Écrivez au présent de l'indicatif les verbes et auxiliaires en bleu.

Ce détail *m'était* connu depuis hier. • Elle *mettait* une pincée de sel dans la pâte à tarte. • Tu *mettras* ton anorak. • Il me *fut* agréable de faire sa connaissance. • Ma grand-mère *a mis* le poulet au four. • Il ne m'*était* rien arrivé pendant le trajet. • Le billet me *sera* remboursé. • Cela m'*était* égal. • On les *mettra* dans le placard. • On *mit* le couvert dès onze heures.

Corrigé p. 232   .../10

239 Complétez ces phrases par un mot qui se prononce /mɛ/.

Qui ... la table ? • ... voisins sont absents depuis une semaine. •
Il est intelligent, ... très étourdi. • Il se ... en quatre pour rendre
service. • J'aimerais sortir, ... il pleut à verse. • Cet outil ...
indispensable pour monter le meuble. • En ..., fais ce qu'il te plaît. •
Sabrina ne se ... jamais en colère. • Il ... difficile de vous croire, ... il
se peut que vous disiez vrai. .../10

240 Réécrivez ces phrases en remplaçant chaque mot en bleu
par un mot qui se prononce /mɛ/.

Pourquoi le *mettais*-tu dans le tiroir ? • L'idée ne me *serait* pas venue à
l'esprit. • Il est jeune, *néanmoins* très courageux. • Qui a encore pris
les feutres ? • Il me *sera* impossible de vous conseiller, *en revanche*
demandez à mon frère. • On *mettra* la lampe sur la table. • Que
m'*était*-il arrivé ? • Avez-vous goûté ces *plats* régionaux, *toutefois*
attention, ils sont épicés. Corrigé p. 232 .../10

241 Complétez ces phrases par un mot qui se prononce /mɛ/.

Je ne ... jamais ce maillot. • Il ... très agréable de vous guider. •
Elle ... toujours les rieurs de son côté. • Que ...-on dans cette
enveloppe ? • Il ... interdit d'en parler. • Je vous l'apporterai, ... pas
avant trois heures. • Je ne sais plus où j'ai rangé ... lunettes. • Cette
tâche ... pénible, ... j'y arriverai. • Cette précision ... indispensable
pour comprendre le problème. .../10

242

À SAVOIR

le neveu	pré**c**is
la nièce	pré**c**iser
mâcher	la pré**c**ision
la mâchoire	tenter
courir	la tentation
la course	opérer
mourir	un opérateur
mourant	une opération
un ob**j**et	dense
un pro**j**et	la den**s**ité
l'élan	un **c**il
s'élancer	un sour**c**il

1. **Quels noms correspondent
à ces verbes ?**
Mâcher, préciser, opérer, tenter, courir,
projeter, s'élancer.

2. **Écrivez les deux mots qui ont**
une seule lettre de différence.

3. **Écrivez les mots qui font penser :**
à l'oncle et à la tante, au sport, aux
dents, aux yeux, à un chirurgien.

4. **Dans quels mots le son /s/ s'écrit-il
avec un c ? le son /ʒ/ avec un j ?**

leur livre

leurs livres

leur
leurs NOM ⓢ

⚠ c'est **la leur**, ce sont **les leurs**

Je (lui) parle.

Je **leur** parle.
(leur) VERBE

À RETENIR

■ **leur(s)**, placé dans le groupe nominal, est un déterminant **possessif**.
Il s'accorde avec le nom et prend un **s** au pluriel.

■ **leur**, placé avant un verbe, est un **pronom**. C'est le pluriel de *lui*.

---

243 ⟩ **Remplacez les déterminants par leur ou par leurs.**

des progrès, une grande terrasse, vos pinceaux, son nouveau portable,
une carte d'identité, de curieuses décisions, mes impressions
de voyage, un emprunt, des plaintes, ses soucis. .../10

244 ⟩ **Réécrivez ces phrases en mettant au pluriel les mots en bleu.**

Il porte leur *sac*. ● Je *lui* donne la main pour traverser. ● Ils ont payé
leur *taxe* de séjour. ● Elles retrouvèrent leur *vélo* dans le garage. ●
Ne *lui* coupez pas la route ! ● Son *chat* ? Elle *lui* a donné du crabe ! ●
Je devine ce que vous *lui* conseillerez. ● Leur *jardin* était en fleurs. ●
Lucile, vous *lui* enverrez ce colis. ● Ils ont marqué leur *essai* en
seconde mi-temps. Corrigé p. 232 .../10

245 ⟩ **Remplacez les groupes de mots en bleu par lui ou par leur.**

J'indique le chemin *aux touristes*. ● Je donne la main *à ma petite
sœur*. ● La chèvre a mangé dans la main *des enfants*. ● Il a succédé
à son père. ● On a rappelé son rendez-vous *à mon grand-père*. ● J'ai
téléphoné *à tes parents* hier. ● Ce garçon ressemble beaucoup *à sa
mère*. ● Il recommande la prudence *à ses enfants*. ● Elle chante un air
d'opéra *aux spectateurs*. ● On a rendu hommage *aux pompiers*.
Corrigé p. 232 .../10

246

» **Modifiez ces phrases de façon à remplacer le déterminant possessif leurs par leur, et le pronom leur par lui.**

Ce sont leurs mères qui les fabriquent. • Tu leur donneras à boire. • Les garçons avaient décidé de leur rendre visite. • Leurs outils sont de bonne qualité. • Il faut que je leur offre des fleurs. • Prenez leurs cahiers sur mon bureau. • Donnez-leur un exercice d'orthographe. • Ils n'avaient pas leurs billets d'entrée au théâtre. • Où avez-vous rangé leurs stylos ? • Vous leur remettrez les plans au début de la réunion. .../10

247

» **Complétez ces phrases par leur ou par leurs.**

... enfants sont toujours heureux. • Une grande masse de nuages blancs ... barrait la route. • Ils ont retrouvé ... chien. • Tu ... parles trop bas. • ... moteurs ronflaient dans la nuit. • Ils vont ... lancer des confettis. • Il ... fallait encore marcher une heure. • Il ... prit le pouls. • Ce sont ... cousins qui sont arrivés. • ... vêtements étaient élégants. Corrigé p. 232 .../10

248

» **Complétez ces phrases par leur ou par leurs.**

... voiture était une vieille camionnette rouge. • Ces gens parlent souvent de ... chats et de ... chien. • Il ... a fait visiter le château de Versailles. • Raconte-... la légende du mendiant poète. • ... parents ne les laisseront sans doute pas partir tout seuls. • Crois-tu qu'on ... a volé quelque chose ? • Je ... en ai parlé. • C'était ... troisième jour de voyage en Espagne. • Elles ... offrirent un superbe bouquet de roses. .../10

249

À SAVOIR **›**

assembler
une assemblée
rassembler

un carrossier
la carrosserie

un ruisseau
ruisseler

un escalier

un tapissier
une tapisserie

démarrer

un évier

baisser
abaisser

augmenter

habituer
une habitude
habituel

le parrain
la marraine

1. Écrivez les mots qui ont deux r.

2. Quels mots terminés par -er ne sont pas des verbes ?

3. Quels noms correspondent à ces verbes ?
Ruisseler, habituer, tapisser, carrosser, parrainer, assembler.

4. Écrivez les mots qui font penser :
à l'eau, aux voitures, aux prix, à la famille.

38 tout / tous / toute(s)

tous les jours

tout	le	
toute	la	**NOM**ₛ
tous	les	
toutes	les	

Ils sont (tous) ici.

Ils sont (tout) neufs.
très
tout à fait
entièrement

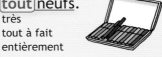

⚠ Accord au féminin | toute(s) neuve(s)
↑
consonne (ou h aspiré)

- **tout**, placé avant le groupe nominal, s'accorde avec celui-ci.
- **tous**, **toutes**, pronoms au pluriel, s'accordent avec ce qu'ils représentent.
- **l'adverbe tout** est invariable. Il a le sens de *très*, *tout à fait*. Il est placé avant un adjectif. Au féminin, l'adverbe *tout* s'accorde si le mot qui suit commence par *une consonne* ou par un *h aspiré*.
- Expressions invariables avec **tout** : *tout à coup, tout à fait, en tout cas, à tout propos, à tout prix, de tout temps...*

---

250 ❯ **Faites précéder chaque groupe nominal de tout, tous, toute ou toutes.**

Ex. : *les jeunes femmes → **toutes** les jeunes femmes.*

les samedis soirs	ses aventures	ces temps-ci
mes bandes dessinées	la journée	leur courage
ma profonde amitié	le monde	vos souhaits
nos sincères salutations		

Corrigé p. 232 .../10

251 ❯❯ **Observez le tableau, lisez le résumé « À retenir », puis répondez à ces questions. Justifiez vos réponses à l'aide d'un exemple.**

1. Le pronom **tous** peut-il représenter des choses ?
2. Lorsque **tout** signifie *très*, est-il toujours invariable ?
3. Le mot **toute** peut-il être suivi d'un groupe nominal ?
4. Le mot **toutes** peut-il être un pronom ?
5. Si **tous** est avant un groupe nominal, le nom qui suit est-il masculin ou féminin, singulier ou pluriel ?

Corrigé p. 232 .../10

252 **Choisissez entre les différents** /tu/ **ou** /tut/ **pour compléter.**

Il a plu ... la nuit. • ... le secret consiste à écouter sans rien dire. • Il roulait à ... vitesse sur la piste. • Nous irons au cinéma ... les trois. • Elle jouait de la flûte ... en marchant. • Ils sont ... partis. • Je suis ... à fait satisfaite de leur accueil. • Il voudrait ... savoir. • Il y a une borne ... les kilomètres. • Elle mange sa viande ... crue.

Corrigé p. 232   .../10

253 **Choisissez entre les différents** /tu/ **ou** /tut/ **pour compléter.**

... mes amis seront arrivés ce soir. • À qui sont ... ces trésors ? • ... le monde est prêt. • Ils sentaient confusément ... cela. • Il me montrera ... les timbres de sa collection. • Il se tint bien tranquille pendant ... le dîner. • Il avait fallu fouiller ... l'avion. • ... les animaux vivaient en liberté. • Elles travaillaient ... le temps. • ... ses compagnons étaient là.

.../10

254 **Remplacez les adverbes en bleu par l'adverbe tout. Attention aux cas où il peut s'accorder !**

Certains poissons sont *très* petits. • Il donnait de *très* petits coups de marteau. • La voiture est *complètement* réparée. • Ils habitent *vraiment* près. • La plupart des filles furent *très* étonnées. • Certains fruits sont déjà *complètement* rouges. • La nappe était *complètement* mouillée. • Ces pièces sont *vraiment* petites. • Peu de problèmes sont *entièrement* justes. • Elles étaient *vraiment* heureuses de leurs vacances.

.../10

255

un avantage
désavantager

désobéissant

désinfecter
un **dés**infectant

une ant**enne**

une m**an**sarde

imman**ge**able

obli**ge**ant
l'obli**ge**ance

le ski
un skieur

scul**pt**er
un scul**pt**eur
une scul**pt**ure

insu**ff**isant

insu**pp**ortable

un bou**ge**oir

un ourag**an**

un faubour**g**

1. Quels mots ont le son /ã/ qui s'écrit an ?

2. Écrivez les contraires de : infecter, obéissant, suffisant, mangeable, supportable, avantager.

3. Quels mots ont un g qui se prononce comme un j ?

4. Relevez les mots qui ont une double consonne.

39 la / l'a / là / las

Il **la** mange.
↑
TEMPS SIMPLE

Il a mangé.
Il **l'a** mangée.
↑   ↑
TEMPS COMPOSÉ

⚠ tu **l'as**

là   Reste **là** !
   Reste ici.

la pomme
la NOM

las, lasse

À RETENIR

■ **la**, pronom personnel, est suivi d'un verbe conjugué à un temps simple ou d'un verbe à l'infinitif.

■ **l'a** correspond au verbe ou à l'auxiliaire *avoir*, précédé du pronom personnel complément **l'**.

■ **là** est un adverbe qui désigne un lieu, parfois un moment.

■ **la**, suivi d'un nom, est un déterminant (article défini).

■ **las** est un adjectif qualificatif (masculin de *lasse*).

256 **Remplacez les mots en bleu par les pronoms la ou l'.**

> Ex. : *Je regarde l'étoile polaire.* → *Je **la** regarde.*
> *On a regardé ce film.* → *On **l'a** regardé.*

Il perdait souvent *sa clé*. • Elle a perdu *son classeur*. • Comment veux-tu trouver *la solution* ? • Comment as-tu retrouvé *ton chemin* ? • On a tous vu *le renard*. • On va voir *l'éclipse de lune*. • Il laissa *l'ombre* s'approcher de lui. • Il a laissé passer *un cycliste*. • Le chauffeur a garé *le bus* dans cette rue. • Mon père va garer *la voiture*.

Corrigé p. 232   .../10

257 **Remplacez les mots en bleu de façon à écrire le pronom la (ou l'), l'adverbe là ou l'article défini la.**

> Il était heureux de revoir *son amie*. • C'est à moi qu'elle a donné *le chaton*. • Ils étaient *ici*, dans *cette* salle bien éclairée, prêts à écouter. • Lucas me donnera *sa parole*. • Il ne pouvait pas trouver *sa valise* puisqu'elle n'était pas *à cet endroit*. • Elle a félicité *le vainqueur*. • Laisse *Yassine* tranquille ! • Le joueur a saisi *le ballon* du bout des doigts.

.../10

258 Choisissez entre les différents /la/ pour compléter ces phrases.

Elle ne ... pas encore reconnue. • Personne ne ... vit car elle n'était
pas ... . • Pose-... ici ! • Faisons comme ... proposé ta sœur. •
Les amateurs étaient ..., dans ... pièce trop chauffée, assis par
terre. • Me ... donneras-tu ? – Non, c'est à moi qu'il ... donnée. •
Tu ... très bien piloté.

Corrigé p. 232   .../10

259 Imaginez ce que représente le pronom *la* en bleu, puis écrivez
la phrase au passé composé. Attention à l'accord du participe passé !

Ex. : *On la joue tous les soirs* → *la = la pièce de théâtre.*
→ *On l'a jouée tous les soirs.*

On *la* colle avec soin. • Il *la* commença sans moi. • Mon oncle *la* pèle
avec son couteau. • On *la* bâtit sur la colline. • Le conducteur *la* pousse
sur le bas-côté de la route. • Un promeneur *la* remarqua dans le
bois. • On *la* nomma chef de service. • L'architecte *la* dessinera. •
Mon père *la* balaie. • Le menuisier *la* condamna avec deux planches.

Corrigé p. 232   .../10

260 Choisissez entre les différents /la/ pour compléter ces phrases.

On ... surprit et elle eut peur. • Il ... reprit et s'en alla. • Elle
... choisi sans hésiter et ... acheté. • Cet exploit, il ... réussi
facilement. • Ce problème, qui ... compris ? • Le sanglier resta ...,
devant nous, sans bouger. • Est-ce qu'on ... reçue, cette lettre du
Canada ? • On ne ... reçut que trois jours plus tard. • On ... lut
aussitôt.   .../10

261

là-bas
là-haut
là-dessus
là-dedans
là-dessous
là-dehors

celui-**ci**
celui-**là**

la **pau**me
la **pau**pière

Qu'importe !
l'import**ance**
n'importe qui

une sir**è**ne

la réfl**ex**ion

un architecte
l'architecture

la**s**
la**ss**er
la la**ss**itude

1. Quels noms correspondent :
• aux verbes lasser et réfléchir ?
• à l'adjectif important ?

2. Écrivez tous les mots qui ont :
• un accent grave ;
• la lettre **u** combinée à une autre lettre
pour représenter un son.

3. Quels mots viennent du grec *tektôn*
(= charpentier) ?

Elle **m'a** vu.
Elles **t'ont** vu.

m'a
t'a
m'ont
t'ont
avoir...

VERBE

⚠ tu m'as

sur **ma** route
sur **ton** chemin

ma
ta
mon
ton

NOM

À RETENIR

- **m'a**, **t'a** correspondent au verbe ou à l'auxiliaire *avoir*, à la 3ᵉ pers. du singulier, précédé d'un pronom personnel complément *(me, te)*.

- **m'ont**, **t'ont** correspondent au verbe ou à l'auxiliaire *avoir*, à la 3ᵉ pers. du pluriel, précédé d'un pronom personnel complément *(me, te)*.

- **ma**, **ta**, **mon**, **ton** sont des déterminants possessifs. Ils font partie du groupe nominal.

262 > **Réécrivez ces phrases en utilisant le passé composé.**

Ex. : *Zoé t'aura sans doute oubliée.* → *Zoé t'a sans doute **oubliée**.*

Elle ne t'avait pas entendu. • Ce que tu m'avais dit ne m'avait pas étonné. • Mes amis ne m'avaient pas répondu. • Le technicien ne t'avait pas dit que l'imprimante était en panne. • Mes amis t'avaient envoyé une carte. • Tes voisins t'auraient-ils prévenu ? • Tes sœurs m'avaient avoué que tu m'avais caché la vérité. • Pourquoi ne m'avaient-ils pas appelé ?   Corrigé p. 233   .../10

263 > **Réécrivez ces phrases en changeant les mots en bleu de façon à utiliser ta, t'a, ton ou t'ont.**

On *t'avait* proposé un nouveau travail intéressant. • Elles *t'avaient* laissé partir. • Qu'est-ce qu'on *t'avait* dit ? • C'est *ce* livre, celui que mes grands-parents *t'avaient* offert. • Qui sont les gens qui *t'avaient* salué dans la rue ? • On *t'aura* sans doute préparé une surprise. • Tes parents *t'avaient*-ils permis de rester ce soir chez tes amis ? • Elles *t'auront* certainement rapporté *cette* revue d'informatique.

.../10

264

Complétez ces phrases par ma ou m'a, mon ou m'ont.

C'est ... première grande course. • Son chat ... sauté sur les épaules. • J'ai perdu ... canif. • Ils ... présenté leur projet. • ...-ils appris quelque chose ? • Où ai-je posé ... règle ? • Pourquoi ...-t-il invité ? • ... père aime beaucoup la pêche. • Ils ne ... pas attendu. • La monitrice ... sauvé la vie. Corrigé p. 233 .../10

265

Complétez ces phrases par ta ou t'a, ton ou t'ont.

Que ...-t-elle montré ? • Elle ... conseillé de faire du sport. • Des copains ... aperçu à la foire, hier. • C'est à ... tour. • Ils ne ... rien donné pour moi ? • J'ai vu ... chien dans la rue. • Voici le moteur dont ... parlé mon frère. • Est-ce qu'ils ... laissé monter sur le bateau ? • Il veut que tu préviennes ... sœur. • Cette lettre ... été envoyée par le directeur. .../10

266

Complétez ce texte avec des mots de la leçon.

On ... parlé de la course en voilier le jour où les dirigeants du club ... invité à leur réunion. J'avais ouvert ... portable pour jouer en les attendant. Quand Martin est entré, il ... connecté au site du club et ... dit : « Tu ... demandé pourquoi ils ... fait venir. On ... préparé une surprise. Regarde la liste. ... nom est sur l'écran. Dany et Kevin ... choisi pour la prochaine traversée vers la Corse. » J'étais fou de joie. Corrigé p. 233 .../10

267

À SAVOIR

s'**app**liquer
apprécier
approuver
applaudir
apprivoiser
lâche
la **lâche**té
ét**eind**re
éternuer
étonner
l'**ét**onnement
étouffer

vivace
la viva**cité**
une quan**tité**
l'hon**nête**té
hon**nête**ment
mal**honnête**
un bifte**ck**
une assiette
une assiet**tée**
a**tt**raper
a**tt**errir
a**tt**acher

1. Écrivez les mots de la même famille que : terre, honnête, vif, prouver, précieux, application.

2. Quels noms représentent une qualité, un défaut ?

3. Trouvez les synonymes de : lier, prendre, suffoquer, platée, peureux, multitude, surprendre, acclamer, grillade.

4. Trouvez les contraires de : huer, honnête, effaroucher, détacher, allumer, décoller, courage.

J'(y) pense.

→ à cette chose
à cet endroit

J'(en) parle.

→ de cette chose
de cet endroit
de cette personne

Arrête **d'y** penser. (de penser à ...)

Je (n')y pense (pas).

Je **m'en** occupe.

s'occuper

ni l'un, **ni** l'autre

pas   pas

la maison **d'en** face

qui est en face

je **nie**, ils **nient**   **nier**

je **mens**, il **ment**   **mentir**

À RETENIR

- **y** est un pronom qui remplace un groupe de mots commençant en général par la préposition **à**.
- **en** est un pronom quand il remplace un groupe de mots commençant par la préposition **de**.
- **en** peut aussi être une préposition comme *à, de, dans, pour, chez...*

268 **Complétez ces phrases par le pronom y ou par le pronom en.**

Ex. : *Du sel ? Je viens d'... ajouter.* → *Du sel ? Je viens d'en ajouter.*

Es-tu passé à la poste ? – J'... viens, mais Victor venait juste d'... sortir. • Il n'... est jamais allé. • Tu ne peux pas t'... passer. • Est-ce que vous ... penserez ? • Je n'irai qu'à deux rendez-vous, bien que j'... aie trois. • J'... suis presque arrivé. • Ses conseils, méfiez-vous-... ! • Son examen, est-ce qu'elle ... pense vraiment ? • Que dirais-tu d'... venir avec ton frère ?   Corrigé p. 233   .../10

269 **Réécrivez ces phrases en utilisant y ou en à la place des mots en bleu.**

Ex. : *Je m'entraîne souvent au stade.* → *Je m'y entraîne souvent.*

Je suis entrée *au gymnase* puisque je savais vous trouver *à cet endroit*. • Voulez-vous manger une *de ces pêches* ? • Il cueillit une marguerite, puis ôta un à un les pétales *de cette fleur*. • Elle prit son bras et s'appuya *dessus*. • Il y a *des vestes* de toutes les tailles. • Elle ne veut pas *de dessert*. • La lecture *de ce livre* est difficile. • Elle ne s'oppose pas *à son départ*. • Ses parents l'ont inscrit *au cours de violon*.   .../10

270 Complétez ces phrases par **y** ou par **en**.

Il … a beaucoup de monde. • Ça … est, c'est fini ! • Il s'… allait sur la route de Dijon. • Je m'… connais ! • Ils … sont venus aux mains. • J'… suis, j'… reste ! • Il voit les choses … grand ! • Elle n'… voit plus un seul. • On n'… comprend plus rien ! Corrigé p. 233 …/10

271 Utilisez les mots sur fond jaune pour compléter ces phrases.

dans
d'en
dent

1. On voit sa maison … haut. • Ma clé est tombée … l'égout. • Son petit frère a perdu sa première … hier. • On l'entend rire … bas. • Que s'est-il passé … sa classe ?

n'y
ni
nid
nie

2. C'est d'accord, je … manquerai pas. • Ne … pas l'intérêt de ce qu'il a fait. • Il n'a pas dit oui, … non. • Vous … pouvez rien. • Ce château est un véritable … d'aigle. Corrigé p. 233 …/10

272 Choisissez parmi les mots sur fond jaune pour compléter.

d'en
m'en
n'en
t'en
m'y
n'y
t'y

J'ai confiance, je … remets à vous. • Il fouilla dans ses poches, … trouvant que quelques pièces. • Donnez-… au moins deux douzaines. • Je crois que je … prends mal. • Si tu veux faire ce métier, il faudra … donner les moyens. • Tu … mets, à ton travail ? • Je vous prie … donner une à vos parents. • Elle … peut vraiment rien. • Elles … veulent que deux, pas davantage. • Il suffit … parler à l'entraîneur et il nous aidera.

…/10

273

splendide
resplendir

entêté

affamé

confus
la confusion

original
l'origine

friand
une friandise

innocent
l'innocence

glacé
glacial
un glacier

paralysé
la paralysie

suspect

âpre

hagard

1. Quels adjectifs correspondent à ces noms ?
Splendeur, faim, origine, glace, friandise, innocence, âpreté, paralysie.

2. Écrivez le féminin des mots qui se terminent par une lettre muette.

3. Trouvez les synonymes de : sucrerie, froid, têtu, superbe, début, affolé.

4. Trouvez les mots qui riment avec : regard, acier, marchandise, spécial, respect, imagine.

Il **s'en** moque.

se moquer

s'en VERBE

Il sort **sans** chapeau.

(pas de)

je, tu **sens**	**sentir**	le **sang**	**cent** = 100
il, elle, on **sent**		saigner	centaine

À RETENIR

- **s'en** accompagne un verbe pronominal.
- **sans** est une préposition qui indique un manque, une privation.
- **sens** et **sent** sont des formes conjuguées du verbe *sentir*.
- **sang** est un nom de la famille de *saigner*.
- **cent** est un mot de la famille de *centaine*.

274 ›

Réécrivez ces phrases de façon à utiliser s'en ou sans.

Ex. : *Elle s'occupe de son frère.* → *Elle s'en occupe.*
Cette histoire n'a pas de fin. → *C'est une histoire sans fin.*

Cette maison n'a pas de confort. • Il faut se débarrasser de ce vieux fauteuil. • On se souviendra longtemps de ces vacances. • Elle sort et elle n'a pas pris de parapluie. • Elle se moque de ce qu'on peut lui dire. • C'est une voiture qui n'a pas de GPS. • Son chat rêve d'un monde où il n'y aurait pas de chien. • On se prépare une pizza tous les vendredis soirs. • Il est parti et n'a pas dit au revoir. • On se charge de vous livrer.   Corrigé p. 233   …/10

275 ›

Vrai ou faux ? Justifiez vos réponses.

1. Un *centenaire* est une personne qui se sent bien, quel que soit son âge.
2. Un *seigneur* est une personne qui conquiert son pouvoir par la guerre et le sang.
3. Si on *s'en doute*, c'est qu'on a des doutes sur quelque chose.
4. Avoir du *sang-froid*, c'est ne plus rien sentir.
5. *Sans arrêt* veut dire sans jamais s'arrêter.   …/10

276 》 **Écrivez ensemble les expressions de gauche qui ont le même sens que celles de droite.**

se faire du mauvais sang	marcher de long en large
être sens dessus dessous	un cheval de race
ne pas s'en faire	un simple soldat
être sans-gêne	quand tout va mal
sans cesse	être insouciant
un sans-grade	être en désordre
faire les cent pas	se mettre facilement en colère
avoir le sang chaud	être très inquiet
un jour sans	être envahissant
un pur-sang	sans arrêt

Corrigé p. 233   .../10

277 》 **Complétez ces phrases par s'en, sans ou sent.**

Il se sauva ... se retourner. • Elle ... approcha beaucoup. • L'homme traversa ... se soucier du trafic. • Zoé se ... en pleine forme. • Qui est-ce qui ... charge ? • Elle partit ... dire un mot. • Il sera trop tard quand elle ... apercevra. • Cette rose ... bon. • On ... réjouit d'avance. • Ne critiquez pas ... savoir.   .../10

278 》》》 **Choisissez entre les différents /sɑ̃/ pour compléter ces phrases.**

Il a ... doute raison. • Qui souhaite ... dispenser ? • On a une réduction de vingt pour ... . • Il ne ... préoccupe même pas. • Ils ... souvinrent longtemps. • Je te ... inquiète. • Le chat avançait ... faire de bruit et ... que l'oiseau ... doute. • Il ... fabrique de nouveaux qui sont très solides.   .../10

279 》

un ustens**ile**	le prin**temps**
un tourne**vis**	long**temps**
désespérer	une caravane
le **dés**espoir	le désert
la selle	un pique-nique
la queue	un **sens** unique
en**vers**	le bon **sens**
à l'en**vers**	**sens**é
cel**a**	une **sens**ation
ce**ci**	un touriste

1. **Écrivez les noms qui font penser à :**
cheval, désert, vacances, code de la route, bricolage, casserole.

2. **Quels mots opposer à ces mots ?**
Tête, automne, endroit, espoir, récemment, forêt.

3. **Quels mots simples voit-on dans ces mots ?**
Printemps, tournevis, envers, désespoir, longtemps, sensation.

43 s'y / si / -ci, ci-

Elle **s'y** rend.
se rendre

s'y VERBE

Ces temps-ci, il pleut.

-ci
ci-

Si tu voulais...
à condition que

Je me demande si je peux.
est-ce que...

Tu es si grand !
tellement

Non ! Si !

si

une scie   il scie
scier

À RETENIR

- **s'y** accompagne un verbe pronominal.
- **si**, conjonction, introduit une proposition : *Je me demande si je peux.*
- **si**, adverbe, a le sens de *tellement* ou de *aussi*.
- **ci** est relié par un trait d'union au mot qui le précède ou qui le suit (-**ci** ou **ci**-). Il indique un lieu ou un moment proche.
- **scie** est soit un nom, soit une forme du verbe *scier*.

---

280 › **Remplacez les expressions en bleu par s'y ou par si, puis réécrivez les phrases en les ajustant, si nécessaire.**

Mon chat se cache souvent *sous le lit*. • Elle a été *tellement* heureuse qu'elle a sauté de joie. • On se plaît beaucoup *dans notre nouvelle maison*. • Vous jouerez *à condition d*'avoir terminé vos devoirs. • Toutes les indications se trouvent *sur leur site*. • On s'entraîne *au stade* tous les samedis. • *Lorsque* nous lisons, nous améliorons notre orthographe. • Vous installerez les chaises *quand* la pluie cessera. • On se rendra *à la piscine* à pied. • Il n'est pas *aussi* sportif qu'il le prétend.   Corrigé p. 233   .../10

281 » **Choisissez entre les différents /si/ pour compléter ces phrases.**

Il ... connaît, en moteurs ! • Comment faut-il ... prendre ? • Je me demande ... tu as bien compris. • Je t'assure que je préfère celle... . • On ... habituera. • ... tu te sers de la ..., sois prudent. • Victor ... est bien préparé. • Mon père ... oppose. • Chloé ne ... attendait pas.

.../10

282 » **Écrivez séparément les phrases où si exprime une condition et les phrases où si introduit une question indirecte.**

J'ignore si elle voudra. • On se demande si elle se réveillera. • Si la pluie cesse, nous irons dans le parc. • Demande-leur si la place est libre. • Nous irons si c'est ouvert. • Si je gagnais au loto, je serais riche. • Même si tu me proposes le double, je refuserai. • On ne sait pas si ce pilier est solide. • Si elle vient par le train, j'irai la chercher. • Dites-moi si vous acceptez.　　Corrigé p. 233　.../10

283 » **Choisissez entre les différents** /si/ **pour compléter ces phrases.**

Comment ... retrouve-t-il ? • Il ... perd chaque fois qu'il y va ! • ... tu ne l'attends pas, il se fâchera. • Donnez-moi celles... . • J'aimerais savoir ... mon vœu est exaucé. • Cette fois... , je ne me suis pas trompé. • Veuillez trouver ...joint le certificat demandé. • Cet homme est ... bon qu'on l'aime tous. • Il ... montra, déguisé en clown. • Ces fleurs sentent ... bon !　　Corrigé p. 233　.../10

284 »» **Écrivez ces phrases en remplaçant si par un mot ou une expression qui ne changera pas le sens de la phrase.**

Ex. : *Ne roule pas si vite !* → *Ne roule pas aussi vite !*

Il est si fort que rien ne lui résiste. • Si je sors, suivez-moi. • Ne sois pas si timide ! • Ils ont si mal joué qu'ils ont perdu. • Si est une note de musique. • J'avais si peur ! • Complétez si nécessaire. • Rien n'est si dangereux que la vitesse au volant. • Si je dis oui, elle dit non. • Si ce n'est pas lui, c'est donc toi.　　.../10

À SAVOIR

285 »

la **gym**nastique
une en**cycl**opédie
l'**hypo**crisie
un **hypo**crite
la **dyn**amite
une **hy**ène
l'**écor**ce

un **cycl**e
un **cycl**iste
une bi**cycl**ette

vieil
la **vi**eillesse
un **vi**eillard
vieillir

l'**hy**giène

la **veill**e
é**veill**er
ré**veill**er
sur**veill**er

cons**eill**er

1. **Écrivez les mots de la famille de :** vieux, cycle.

2. **À quels verbes correspondent ces noms ?**
Éveil, réveil, vieillesse, surveillant, conseil.

3. **Quels mots font penser à ces noms ?**
Explosion, défaut, arbre, animal, santé.

4. **Écrivez les mots qui ont un** y.

une belle chanson
Quelle belle chanson !

quel
quelle
quels
quelles
NOM (s)

⚠ Quel est ce bruit ?
= Quel bruit est-ce ?

Elle chante bien.
Qu'elle chante bien !

qu'elle(s) VERBE

⚠ Il chante mieux qu'elle.
_____ mieux que lui

■ À l'intérieur du groupe nominal, **quel** s'accorde en genre et en nombre avec le nom. Il s'écrit **quelle** au féminin singulier, **quels** au masculin pluriel et **quelles** au féminin pluriel.

■ **qu'elle(s)** est formé de la conjonction **que** et du pronom personnel **elle** ou **elles**.

286 ›
Écrivez une phrase exclamative en remplaçant les déterminants par quel(s) ou par quelle(s).

Ex. : *une jolie guitare → Quelle jolie guitare !*

des bruits violents
un fouillis
vos vieilles lunettes
une boisson parfumée
un ciel étoilé

des visages sérieux
un grand dévouement
des progrès immenses
des aventures étonnantes
des cours passionnants

Corrigé p. 233 …/10

287 ›
Réécrivez ces phrases avec des pronoms sujets féminins.

Ex. : *On m'a dit qu'ils seraient là. → On m'a dit qu'elles seraient là.*

C'est avec cette personne qu'*on* a rendez-vous. • Je sais qu'*ils* ont déjà déjeuné. • On devine qu'*il* va s'envoler. • Lui avez-vous dit qu'*on* avait gagné ? • Tu crois qu'*ils* sont arrivés ? • Qu'*il* se trompe, ça m'étonnerait ! • Leurs professeurs pensent qu'*ils* réussiront. • Voulez-vous qu'*on* corrige l'exercice maintenant ? • Il faut qu'*ils* attrapent le ballon. • Je suis sûr qu'*il* joue du violon mieux que moi.

…/10

288 **Complétez ces phrases par quelle(s) ou par qu'elle(s).**

… était jolie la petite chèvre de M. Seguin ! • Il faut … viennent tout de suite. • Penses-tu … seront de retour à temps ? • Pouvez-vous me dire dans … entreprise il travaille ? • … journée splendide ! • Je voudrais … mange davantage. • … villes traverserons-nous ? • Je vois bien … n'y croient pas. • … matière préférez-vous ? • Tout le monde est content … ait été élue. Corrigé p. 233 …/10

289 **Choisissez entre les différents /kɛl/ pour compléter.**

… sont les mystères qu'il a évoqués ? • Crois-tu … sont déjà reparties pour l'Afrique ? • … magnifique paysage ! • … est ton nom de famille ? • … règle ! Je croyais … était plus facile. • … sont ces livres dont vous vouliez parler ? • … étaient les intentions de l'avocat ? • N'importe … élève peut faire une erreur. • … ont été les causes de cet accident ? …/10

290 **Choisissez entre les différents /kɛl/ pour compléter.**

J'ignore … est votre point de vue. • … belle route ! … est large ! • J'aimerais … aient davantage de responsabilités. • Il récite ce poème beaucoup mieux … . • Il paraît … a perdu son portefeuille et ses papiers. • … est cette nouvelle chanson ? • … tristesse de quitter mes nouveaux amis ! • On savait … serait absente tout le mois de septembre. • … superbes cavaliers ! Corrigé p. 233 …/10

291

À SAVOIR

embarrassé	un **dé**barras
embar**rass**ant	**dé**bar**rass**er
un concu**rr**ent	l'ambition
la concu**rr**ence	ambitieux
une **entre**prise	caressant
un **entre**preneur	caresser
un **rh**ume	l'épou**x**
s'en**rh**umer	l'épouse
un **rh**umatisme	**app**arent
un **th**ermomètre	l'**app**arence
une catastro**phe**	un triomphe
un at**hl**ète	triomph**ant**

1. **Écrivez les noms désignant :** des personnes, une maladie.

2. **Écrivez les mots synonymes de :** cave, mari, femme, sportif.

3. **Quels sont les adjectifs de cette liste de mots ?**

4. **Écrivez les mots :**
- où h ne sert pas à marquer la prononciation ;
- où t marque le son /s/ ;
- qui ont ss pour marquer le son /s/.

Je ne **voyage** qu' **en train.**
que   en train

Qu' en **pensez-vous ?**
Que   pensez-vous de cela ?

Quand viendrez-vous ?
à quel moment

Quand il fera beau.
lorsque

Quant à moi, je préfère...
en ce qui me concerne
quant à
quant au(x)

le **camp** du campeur
des joueurs
militaire

- **qu'en** est formé de deux mots : **que** et **en** (préposition ou pronom).
- **quand** introduit une proposition qui exprime le temps.
- **quant** est toujours suivi de **à** ou de **au(x)**. Il signifie *en ce qui concerne, pour ce qui est de.*
- **camp** est un nom de la famille de *camper, campeur, campagne.*

---

292   **Réécrivez ces phrases en remplaçant les expressions en bleu de façon à écrire qu'en ou quand.**

Nous te ferons signe *lorsque* tu pourras commencer. • On ne peut que rire *de ces histoires.* • *Lorsque* nous partirons, les raisins seront mûrs. • Qu'attends-tu *de cette décision* ? • Elle arrêta son portable *dès qu'*il sonna. • Elle ne fait que manger *des bonbons* ! • Que reste-t-il *de tout cela* ? • Avertis-moi *dès que* tu arriveras en ville. • Que dites-vous *de sa version des faits* ? • *À quel moment* le maire prononcera-t-il son discours ?

Corrigé p. 233   .../10

293   **Complétez ces phrases par qu'en, quand ou camp.**

Il était à peine sept heures ... Léa sortit de la maison. • Je me demande ... ils vont rentrer. • Ces oiseaux ne reviendront ... avril. • Si nous plantions la tente dans ce ... ? • ... on parle du loup, on en voit la queue. • Il ne parlera ... présence de son avocat. • Il y avait deux ... de réfugiés au nord de la ville. • ... nous montreras-tu tes photos ? • Tout sera livré ... vous le souhaitez. • Donnez-moi votre avis : ... pensez-vous ?

.../10

294 ›› **Choisissez entre les différents** /kɑ̃/ **pour compléter ces phrases.**

... viendrez-vous ? • ... fait-il ? • Je ne peux ... réparer deux, aujourd'hui. • ... à ses projets, elle ne m'en a pas parlé. • ... dis-tu ? • Les joueurs ont changé de ... à la mi-temps. • ... parleras-tu de tes derniers voyages ? • ... à lui, il viendra avec nous. • Je ne sais ... passer te voir. • Elle ne fait ... rire.   Corrigé p. 233   .../10

295 ››› **Choisissez entre les différents** /kɑ̃/ **pour compléter ces phrases.**

Ce ... donnera la vente ne couvrira pas les frais. • ... à son frère, il vit à Montréal. • Pour ... voulez-vous ce travail ? • Je doute ... te voyant, elle te reçoive à bras ouverts. • ... sais-tu ? • On ne peut ... dire du bien. • ... connaîtra-t-on le nouvel emploi du temps ? • ... a-t-elle donc fait ? • ... restera-t-il avec nous ? • ... restera-t-il, de ce projet ?

.../10

296 ››› **Choisissez entre les différents** /kɑ̃/ **pour compléter ces phrases.**

Avez-vous lu ce ... écrivent les journalistes ? • Dans quel ... êtes-vous ? • ... aux demandes faites par certains d'entre vous, elles seront examinées. • ... dit l'ambassadeur ? • ... à moi, j'ai envie de visiter l'Australie. • ... je pense qu'on était disposés à leur faire confiance ! • Nous allions souvent au bord du lac ... nous habitions Annecy. • De cette histoire ? Je ne sais ... penser ! • Je ne me trompe pas ... je lui donne raison. • Il ne m'a rien confié ... à ses projets de voyage.   Corrigé p. 234   .../10

297 ›› À SAVOIR

indépend**ant**	un di**sc**iple
l'indépend**ance**	la di**sc**ipline
ignor**ant**	l'in**st**in**ct**
l'ignor**ance**	in**st**inctif
le progr**ès**	jalou**x**
un congr**ès**	la jalousie
un ac**cès**	la capacité
une **c**édille	l'in**c**apacité
inconnu	con**sc**ient
incorrect	une **sc**ierie
inconsolable	une **sc**ène

1. Quels mots ont le préfixe in-pour marquer l'idée de contraire ?

2. Écrivez les mots :
• où le son /s/ s'écrit **sc** ;
• où le son /ɛ/ s'écrit **ès**.

3. À quels noms correspondent ces adjectifs ?
Jaloux, instinctif, ignorant, indépendant, accessible.

4. Dans ces mots, la lettre c a trois valeurs différentes. Lesquelles ?

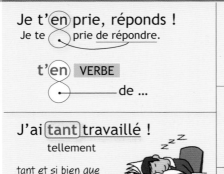

Je t'(en) prie, réponds !
Je te ( ) prie de répondre.

t'(en) **VERBE**
de ...

J'ai (tant) travaillé !
tellement

tant et si bien que
en tant que, tant pis...

le **temps** qu'il fait
le **temps** qui passe

de temps en temps, à temps

Je **tends** le bras.
Il **tend** ...
tendre

le **taon**, le paon, le faon

À RETENIR

- **t'en** est formé de deux mots : le pronom complément **t'** (**te**) et **en** qui remplace une expression commençant par la préposition *de*.
- **tant** est un adverbe exprimant la quantité.
- **tends** et **tend** sont des formes conjuguées du verbe *tendre* au présent de l'indicatif.
- **temps** est un nom invariable ; le **taon** est un insecte.

298 > **Réécrivez ces phrases en remplaçant les expressions en bleu de façon à écrire t'en ou tant.**

Ex. : *Je te cueillerai des cerises.* → *Je t'en cueillerai.*
On a tellement travaillé ! → *On a **tant** travaillé !*

Elle te prête volontiers *des livres*. • On l'a *tellement* aimée ! • Ne te fais pas *de souci*, tout ira bien. • Il dormit *tellement* qu'il oublia son rendez-vous. • Viens, on te préparera *des crêpes*. • Elle souffre *à tel point* qu'elle ne peut plus marcher. • Est-ce qu'elle t'a parlé *de ses vacances* ? • Ne faites pas *autant* d'histoires ! • Nous t'offrirons *des fleurs* pour ton anniversaire. • J'aimerais *tellement* vous rencontrer !

Corrigé p. 234   .../10

299 > **Complétez ces phrases par temps, t'en ou tant.**

Il partira à ..., c'est certain. • On souhaiterait ... pouvoir t'aider ! • Est-ce que tu ... souviens ? • Tu lui ressembles ... ! • Il était ... que la pluie s'arrête. • Reste calme, je ... prie. • ... qu'il y a de la vie, il y a de l'espoir. • On ... a parlé hier. • Sa voiture roule ... bien que mal. • Tu exagères, on ... a déjà donné.

Corrigé p. 234   .../10

300 **Complétez par temps, t'en, tant ou par le verbe tendre.**

Le … leur durait, loin de chez eux. • Il me … la main avec confiance. •
Il rampait … bien que mal dans les broussailles. • … pis, j'y renonce. •
Il n'y aura pas de difficultés … qu'elle sera là. • … a-t-elle proposé ? •
Ce sont des jeunes comme il y en a … . • Crois-moi, en … qu'élu,
je connais le problème. • J'ai retrouvé mon portefeuille, … mieux ! •
Il faut prendre le … comme il vient. …/10

301 **Choisissez entre les différents /tã/ pour compléter ces phrases.**

Ne … fais donc pas. • Elle travaille à plein … . • La secrétaire lui
… le courrier. • Nous resterons … qu'il fait beau. • Est-ce que tu …
souviens ? • Il faut rattraper le … perdu. • Combien … manque-
t-il ? • Je te parle en … que responsable de l'association. • Je …
supplie, aide-moi. • … va la cruche à l'eau qu'à la fin elle se casse.

Corrigé p. 234 …/10

302 **Réécrivez ces phrases en remplaçant les expressions en bleu
de façon à utiliser /tã/ ou une expression contenant /tã/.**

Je crains de ne pas arriver *à l'heure*. • Est-ce que tu *pars* bientôt ? •
Je m'adresse à vous *car je suis* déléguée syndicale. • Je regrette
que tu ne puisses pas te passer *de tout raconter*. • Elle cria *si fort*
que l'alerte fut donnée. • *Cet insecte* m'a piqué. • Tu as réussi,
c'est parfait ! • Le chien *dresse* l'oreille à cause d'un bruissement
de feuilles. • *Comme* professeur, il connaît bien le sujet. • *Parfois*,
on déjeunait au restaurant. …/10

303

À SAVOIR

exclure	un fou**rré**
exclusif	la fou**rr**ure
exercer	une bou**rr**asque
ap**ai**ser	les **oreill**ons
aplanir	un **poul**ailler
une sé**ance**	un caillou
exposer	la fe**rr**aille
un **ex**posé	la voie fe**rr**ée
fl**â**ner	ex**auc**er un v**œu**
un fl**â**neur	une abbaye

1. **À quels verbes correspondent
ces noms ?**
Exposé, paix, exercice, flâneur,
exclusion, plan.

2. **Trouvez un nom de la famille de :**
abbé, poule, oreille, fer.

3. **Écrivez les mots :**
• où x représente le son /ks/ ;
• où x représente le son /gz/ ;
• où c représente le son /s/ ;
• qui ont **deux** r.

J'ai les mêmes professeurs que toi.

Ce sont les mêmes.

moi-même
elle-même

eux-mêmes
nous-mêmes

⚠ Invariable !
Même les oiseaux chantaient.

les oiseaux aussi

⚠ vous-
mêmes

vous-
même

À RETENIR

■ **Même** peut prendre le **s** du pluriel :
– quand il est dans un groupe nominal : *les mêmes professeurs* ;
– quand il suit un pronom personnel : *ils le feront eux-mêmes* ;
– quand il est pronom indéfini : *ce sont les mêmes*.

■ L'adverbe **même** est invariable. Il signifie *aussi, également*.

304 ❯ **Réécrivez ces phrases en y ajoutant chaque fois l'un des pronoms personnels sur fond jaune.**

Ex. : *Marie a réparé le lave-vaisselle elle-même.*

Marie a réparé le lave-vaisselle.	moi-même
Nathan, voulez-vous écrire ?	elle-même
Ces affiches, ils les ont collées.	nous-mêmes
Elles ont brodé leur nom.	vous-même
Nous avons repeint la cuisine.	eux-mêmes
J'ai imprimé mes photos.	elles-mêmes

Corrigé p. 234   .../10

305 ❯ **Réécrivez ces phrases en y ajoutant chaque fois l'un des pronoms personnels sur fond jaune.**

Son ordinateur, elle le connectera.	toi-même
Vous êtes assez grands pour l'acheter.	lui-même
Mon frère a préparé les desserts.	elle-même
Est-ce que tu me les apporteras ?	vous-mêmes
Ces chansons, ils les enregistreront.	eux-mêmes

.../10

306 Quelles sont les cinq phrases où **même** est un adverbe ?

»

Avec cet orage, même les fruits auront été abîmés. • On m'a déjà raconté la même histoire. • Je dis ça pour ton frère, et même pour ta sœur. • Même sa voiture neuve est tombée en panne ! • C'est le même cheval que nous avons vu hier. • Ils couchaient à même le sol. • J'ai lu le même livre que toi. Je l'ai même dévoré ! • Ils ont acheté le même téléviseur que le nôtre. .../10

307 Complétez ces phrases par **même** ou par **mêmes**.

»

Elle s'efforça ... de plaisanter. • ... ses parents ne le crurent pas. • Les ... plats furent servis le lendemain et le surlendemain. • Tu n'as ... pas besoin de nous le dire. • Elles choisirent les ... chaussures. • Tout de ..., vous auriez pu nous avertir. • Ces lunettes me plaisent, j'aimerais acheter les ... . • Nous le ferons nous-... . • Ils buvaient toujours à ... la bouteille. • Ce sont les ... paroles que j'ai déjà entendues. Corrigé p. 234 .../10

308 Complétez ces phrases par **même** ou par **mêmes**.

»»»

Ces fous mangeaient ... les arêtes ! • Ce sont toujours les ... qui travaillent ! • Êtes-vous à ... de répondre ? • Ils sont arrivés en ... temps. • Ces gens ont les ... habitudes que les nôtres. • J'ai ... trouvé un endroit où tu pourrais te reposer. • Elle changea elle-... la roue de sa voiture. • Ils remplirent les formulaires eux-... . • Il était si fatigué qu'il s'était endormi à ... le carrelage. • Vous-..., vous serez envoyé dans une autre ville de province. .../10

309

» À SAVOIR

digér**er**	contempl**er**
la diges**tion**	la contempl**ation**
ample	succul**ent**
amplifier	indiffér**ent**
préco**ce**	l'indiffér**ence**
un précipi**ce**	supp**oser**
périlleux	une supp**osition**
anxieu**x**	l'orient
l'anxié**té**	l'occident
une ma**ll**e	insolent
une ma**ll**ette	l'insolence

1. Relevez les mots synonymes de :
délicieux, augmenter, dangereux, regarder, valise, ravin.

2. Trouvez les contraires de :
tardif, politesse, certitude, calme.

3. Écrivez les mots terminés
par une lettre muette.

4. Quels verbes correspondent
à ces noms ?
Supposition, contemplation, digestion, amplificateur.

quelquefois — *parfois*
affaire(s) — *avoir affaire à une, à des affaires*

quelques fois — *deux ou trois fois*
à faire — *quelque chose à faire*

bientôt — *dans peu de temps*
davantage — *encore plus*

bien tôt — *très tôt*
d'avantage — *un avantage*

À RETENIR

- **quelquefois**, écrit en un seul mot, est un adverbe synonyme de *parfois*. On écrit **quelques fois** (en deux mots) pour exprimer un nombre de fois limité, deux ou trois.
- Le nom **affaire** s'écrit en un seul mot et s'accorde. Dans **à faire**, le verbe *faire* désigne l'action de *faire quelque chose*.
- **bientôt** et **davantage** sont des adverbes. On écrit **bien tôt** (en deux mots) pour signifier *très tôt*. Dans **d'avantage(s)**, *avantage* est un nom, contraire de *inconvénient*.

310 **Remplacez les mots en bleu par les mots sur fond jaune.**

bientôt bien tôt	**1.** J'irai te rendre visite *ce soir*. • Tu es arrivé *de bonne heure* ce matin ! • Au revoir, à *demain* ! • C'est *trop tôt* pour partir, tu ne trouves pas ? • Tu pourras *un jour prochain* m'aider.
davantage d'avantage d'avantages	**2.** Voulez-vous en savoir *plus* ? • Que *de bénéfices* à gagner dans ce projet ! • On a récolté *beaucoup plus* de fruits que l'an dernier. • Elle n'a pas *d'intérêt* à rester dans cette entreprise. • En veux-tu *encore* ?

Corrigé p. 234   .../10

311 **Remplacez les mots en bleu par les mots sur fond jaune.**

affaire affaires à faire	**1.** Cette *histoire* est intéressante. • Qu'as-tu encore *prévu à ton programme* ? • Après tout, ce sont ses *problèmes* ! • Penses-tu faire *un marché* avec elle ? • Que reste-t-il *à terminer* ?

quelquefois quelques fois	**2.** On a *de temps en temps* envie de rester au lit. • *Parfois*, nous allions à la pêche. • Je ne l'ai vue que *deux ou trois fois*. • Il se rappelle les *rares jours* où il me téléphonait. • C'est un sport difficile, *à l'occasion* dangereux.

…/10

312 **Choisissez parmi les mots sur fond jaune pour compléter.**

bientôt bien tôt davantage d'avantage(s)	**1.** Il va … faire nuit noire. • Il y a beaucoup … dans ce métier. • C'est … pour lui annoncer la nouvelle ! • Il aura … terminé son livre. • Je le ferais volontiers si j'avais … de temps libre.
affaire(s) à faire quelquefois quelques fois	**2.** C'est un homme d'… . • Il a tout de suite pris l'… en main. • Il pense … à son voyage. • Elle n'aime pas qu'on fouille dans ses … . • L'oiseau avait son nid … . Corrigé p. 234 …/10

313 **Réécrivez ces phrases en utilisant les mots sur fond jaune.**

peut-être peut être entrain en train de	**1.** Il aurait *certainement* mieux valu ne pas le dire. • Elle travaille avec *plaisir*. • Il a *sans doute* trouvé la solution. • Clara est *occupée à* jouer. • S'il se dépêche, il *sera* là avant midi.
plutôt plus tôt surtout sur tout	**2.** Venez *de préférence* demain. • Tu peux l'interroger *sur n'importe quoi*. • On mange *essentiellement* du poisson. • Je pensais qu'il partirait *moins tard*. • Il a des connaissances *dans tous les domaines*.

…/10

314 **À SAVOIR**

d'après d'abord d'accord c'est-à-dire n'est-ce pas peiner à peine eh bien ! peut-être ci-joint	dehors au-dehors hors de un hors-d'œuvre à propos de après-midi échec et mat un synonyme un homonyme un paronyme

1. Relevez les mots de la famille de : joindre, échouer, proposer, aborder, accorder, homonyme.

2. Écrivez les expressions qui ont un trait d'union.

3. Écrivez les mots signifiant : ajouté, volontiers, probablement, un peu, au sujet de.

4. À quels mots font penser ces noms ? Menu, jeu, explication, exclamation, mot.

EXERCICES SUPPLÉMENTAIRES

Homophones grammaticaux

315 › **Remplacez les mots en bleu par a ou par à.** **Règle 28**

On *aurait* voulu l'acquérir *pour* cent euros. • Il est arrivé *de* la gare
vers dix heures. • Ils ont loué une chambre *près de* Lille. • Elles
ont acheté un livre *pour* ton frère. • Le chien *avait* bu l'eau
de la fontaine. • *Pour* dire vrai, on *avait* raison. .../10

316 › **Complétez ces phrases par ou ou bien par où.** **Règle 28**

Sais-tu ... est garée la voiture ? • Est-ce la maison ... habite le gardien ? •
Nous pouvons camper dans le pré ... derrière la grange. • ... partiras-tu
sans argent ? • Il faut qu'une porte soit ouverte ... fermée. • Il monta
jusqu'à l'abri ... il se sentit en sécurité. • Voulez-vous aller au zoo ...
au cinéma ? • Vous m'en avez parlé un soir ... vous étiez plus bavard
que d'habitude. • Nous irons ... tu voudras. • Il y avait trois ... quatre
personnes qui attendaient. .../10

317 »› **Complétez ces phrases par ou, où, et ou bien est.** **Règles 28, 29**

Montrez-moi l'endroit ... vous l'avez trouvé. • Il ... l'heure de rentrer. •
Elle m'a dit : « Ce sera lui ... moi ! » • On sera là vers dix heures ...
demie. • Il se trouvait sous un arbre au moment ... l'orage éclata. •
Vous dites qu'il n'... pas venu ... qu'il n'a pas téléphoné ? • D' ... vous
êtes, vous avez une très belle vue. • Je ne sais pas si je planterai
un chêne ... un érable. • Pourquoi n'...-elle pas encore arrivée ? .../10

318 »› **Complétez ces phrases par ces ou par ses.** **Règle 30**

Comme ... appels restaient sans réponse, elle s'arrêta de téléphoner. •
... chatons ouvrent-ils déjà les yeux ? • ... jambes étaient subitement
devenues lourdes. • Il mit ... chaussures, enfila son manteau et
sortit. • À qui sont ... livres qui traînent sur la table ? • Il fixa
les éperons à ... bottes et sella le cheval. • ... paquets contiennent
du thé, ceux-là du café. • La limite du pré est marquée par ... bornes. •
Nous lui avons parlé, mais il ne nous a pas révélé ... projets. •
Ils habitent ... montagnes depuis toujours. .../10

319 »

Quels sont les verbes pronominaux contenus dans ces phrases ? Écrivez leur infinitif. Règle 31

Elle ne se plaint jamais. • Cette nuit-là, un étrange phénomène se produisit. • Il ne s'en mêlera pas. • S'y est-il arrêté ? • Il s'est encore fâché. • Où s'assoit-on ? • Il s'est cru plus fort qu'il n'était. • On ne s'en est pas aperçu. • Tout le monde se tut. • Elles s'étaient éloignées d'un pas pressé. .../10

320 >

Complétez ces phrases par ce ou par se. Règle 31

Bravo, ... sentiment t'honore. • Parle-moi de ... nouvel appareil. • Il ne ... fait pas de souci. • Mes parents ... décidèrent vite. • Il ... doute de ... qui l'attend. • Dis-lui ... que tu veux. • Tout ... sait, dans le quartier. • Mes perruches ... nourrissent de graines. • Il n'osa plus sortir, ... jour-là. .../10

321 »»

Complétez ces phrases par c'est, s'est, sais ou sait. Règles 31, 32

... l'un des plus grands lacs du monde. • Ne ...-il pas trouvé au Maroc avec vous ? • Le temps est très beau : ... l'été. • Leur équipe ... déchaînée en seconde mi-temps. • Elle ... bien débrouillée seule. • N'en parlons plus, ... fini. • ...-tu qu'il existe des chats bleus ? • ... toi qui l'as dit. • Pourquoi ne ...-il pas rappelé cet événement ? • Personne n'y croit, le ...-il ? .../10

322 >

Complétez ces phrases par on ou par ont. Règle 33

Et l'... vit s'avancer le roi du carnaval sur un char bariolé. • N'...-ils pas raison ? • Où ira-t-... au mois d'août ? • ... ne se trompe jamais. • Les services techniques ne lui ... pas encore répondu. • Ces régions n'... pas besoin d'être irriguées. • ... en prépare encore deux et ... a terminé. • Elles n'... pas tort de refuser l'invitation. • Malgré la panne de chauffage, ...-ils envie de rester ? .../10

323 »»

Complétez ces phrases par on ou par on n'. Règle 33

De la cour intérieure, ... entendait plus le bruit. • ... espère vous revoir bientôt. • Dans ce restaurant, ... y sert une délicieuse omelette. • ... a souvent besoin d'un plus petit que soi. • Il est des jours où l'... y comprend plus rien. • Je crains qu'... atteigne pas la rive. • ... était déjà à la maison. • Ce matin, ... est parti qu'à huit heures. • ... en rencontre plus très souvent. • Hier, ... a prouvé que l'équipe de rugby était bien entraînée. .../10

324 » **Complétez avec les différents** /se/ **et** /sɛ/.　　　　**Règles 30, 31, 32**

L'unanimité ... faite autour du projet. • Elle ... qu'elle est timide. •
...-tu si elle ... adaptée à sa nouvelle situation ? • Un coureur ...
échappé au pied du col. • Il cherchait vainement ... lunettes : il les
avait sur le nez ! • Mais oui, ... un film plein d'esprit. • Son rythme
cardiaque ... rapidement amélioré. • Peux-tu m'aider à accrocher ...
guirlandes ? • Croyez-vous que ... vraiment le hasard ?　　　　.../10

325 »» **Réécrivez ces phrases de façon à utiliser** pré(s), près, prêt, peux,
peut **ou** peu **à la place des mots en bleu.**　　　　**Règles 34, 35**

Elle a attendu l'avion *approximativement* deux heures. • Elle *pourrait*
mieux faire, c'est certain. • C'est exact, à *plus ou moins* un centime. •
Son cousin était *décidé* à tout pour réussir. • Ce mur penche
légèrement. • J'ai cueilli des fleurs dans ces *bois*. • Qu'y *pouvait*-
on ? • Un renard traversait le *champ*. • Sarah n'a *pas beaucoup*
de chance. • *Acceptes*-tu de venir dimanche ?　　　　.../10

326 » **Utilisez les mots de gauche pour compléter.**　　　　**Règles 36, 37, 38**

tout	Emmy, ... ton imperméable, il pleut. • N'a-t-elle
tous	pas ... dit ? • ... enfin, qu'avez-vous fait de mes
leur	clés ? • Pourquoi se ...-il à rire ? • Les gendarmes
leur(s)	... indiquèrent la route à prendre. • Ils allaient ... à
mais	la gare. • Elle ... vraiment sympathique. • Il en fit ...
met(s)	le tour. • Quand les garçons ont préparé ... bagages,
m'est	ils ont oublié ... trousse de toilette.　　　　.../10

327 » **Choisissez entre les différents** /tu/ **ou** /tut/ **pour compléter.**　　**Règle 38**

... homme peut se tromper. • Il portait un pantalon pour ...
vêtement. • Elle a dépensé ... sa fortune. • Il écrivait ... les trois
jours. • En ... cas, vous y êtes ... arrivés ! • Il regardait de ... côtés. •
Nous sommes ... venus au rendez-vous. • Il parle à ... propos. •
Deux de ses pneus étaient ... usés.　　　　.../10

328 » **Choisissez entre les différents** /la/ **pour compléter.**　　　　**Règle 39**

Elle est ... depuis trois jours. • Il ... vue, il ... prend, il ... prise. •
...-tu apporté ? • ... conduis-tu, cette voiture ? • Le chamois sera
encore ... ce soir. • Ils ... portèrent jusqu'à son lit. • Elle ... promis
hier. • Après cette longue marche, il était très ... .　　　　.../10

329 Réécrivez chaque phrase de façon à utiliser **la** ou **l'a(s)**.   Règle 39

》》》

Ex. : *Le public a ovationné le ténor.* → *Le public **l'a** ovationné.*

On a reconnu son voilier. • Le coureur va passer la ligne d'arrivée. • Ma mère a commandé un fauteuil par Internet. • Il saisit la rampe d'une main ferme. • Je vis ma copine de loin. • Où as-tu acheté ce vêtement ? • Il faut te procurer cette attestation d'urgence. • Pourquoi le professeur a-t-il puni cet élève ? • On servit la salade dans de petites assiettes. • Mon oncle a visité ce pays l'an dernier.

…/10

330 Choisissez entre les différents /sã/ pour compléter.   Règle 42

》》

Elle … donne à cœur joie. • Depuis trois jours, nous sommes … courrier. • Tu te … capable de fournir cet effort ? • On ne … plaindra pas ! • Elle a beaucoup de …-froid. • Ils … moquèrent. • Il faut … débarrasser. • Il dort … même … rendre compte ! • Son professeur de gymnastique a … fois raison.

…/10

331 Complétez avec les différents /sã/ et /si/.   Règles 42, 43

》》

Il ne faut pas … étonner : cette histoire est vraie. • On pourrait aller … promener ce soir, … le temps le permet. • Je ne peux terminer mon travail … cet outil. • Le cavalier montait un pur-… . • Et … on … installait ? • Ils avaient laissé l'appartement … dessus dessous. • Il pleut beaucoup ces temps … . • Grand-mère suit un régime … sel.

…/10

332 Complétez avec les différents /tã/ et /kã/.   Règles 45, 46

》》》

Il … l'oreille pour mieux comprendre. • Les pêches sont mûres ; … aux abricots, il faut encore attendre. • Ce côté du lac est infesté de mouches et de … . • Il a été engagé en … que technicien. • Imaginez mon étonnement … je l'ai vue ainsi déguisée ! • Je ne sais pas ce … penseront ses parents. • Est-ce qu'il … a déjà offert ? • Pour … devons-nous faire cette rédaction ? • Pas … de paroles, bavards ! Agissez ! • On ne pourra s'inscrire à la chorale … allant à la mairie.

…/10

Le pluriel des noms (1)

un outil

un marteau   un   NOM

des outils

des marteaux   des   NOM $\binom{s}{x}$

⚠ un repas   une voix
   des repas   des voix

une assiette de porcelaine

en porcelaine
de la porcelaine

une assiette de frites

qui contient **des** frites

À RETENIR

- En général, l'idée de pluriel se marque avec la lettre **s** (ou la lettre **x**) à la fin des noms. Si le nom se termine par **s**, **x** ou **z** au singulier, il ne change pas au pluriel.
- Après une préposition comme **à** ou **de**, le nom peut être singulier ou pluriel, suivant le sens.

---

333 ▸ **Vrai ou faux ? Justifiez vos réponses par des exemples.**

1. La lettre **s** est la seule lettre qui marque le pluriel des noms.
2. Un nom précédé de la préposition **de** est toujours au pluriel.
3. Il existe des noms qui s'écrivent de la même façon au singulier et au pluriel.
4. Un nom au singulier ne se termine jamais par la lettre **s**.
5. Pour bien écrire un nom au pluriel, il faut connaître son orthographe au singulier et réfléchir au sens de ce que l'on écrit.

Corrigé p. 234   .../10

334 ▸ **Écrivez ces noms au pluriel.**

le choix	du vernis	un anneau	une souris
un ennemi	une voie	un canot	un écran
un essai	un civil		

Corrigé p. 234   .../10

335 ▸ **Écrivez ces noms au pluriel.**

un permis	une croix	un album	un inconnu
une fourmi	un roseau	un athlète	un poing
une puce	le matelas		

.../10

336 >> Écrivez chaque expression avec brosse en mettant le nom en italique au singulier ou au pluriel, suivant le sens.

une brosse à *(dent)*   une brosse en *(nylon)*   une brosse à *(habit)*
une brosse à *(ongle)*   une brosse à *(cheveu)*   un tapis-*(brosse)*

une brosse en *(plastique)*   une brosse à *(chaussure)*
une brosse sans *(manche)*   une brosse à *(vêtement)*

Corrigé p. 234   .../10

337 >> Écrivez chaque expression avec boîte en mettant le nom en italique au singulier ou au pluriel, suivant le sens.

une boîte de *(sardine)* | une boîte en *(carton)* | une boîte en *(fer)*
une boîte à *(musique)* | une boîte à *(ordure)* | une boîte à *(outil)*
une boîte de *(haricot)* | une boîte de *(bonbon)* | une boîte à *(idée)*
une boîte d'*(allumette)* | | .../10

338 >> Écrivez chaque expression en mettant le nom en italique au singulier ou au pluriel.

Une paire de *(gant)* • une veste de *(sport)* • un cageot de *(fruit)* •
des tranches de *(pain)* • un jeu de *(carte)* • un sac de *(ciment)* •
une touffe de *(poil)* • un défilé de *(sportif)* • un permis de *(chasse)* •
un envol de *(canard)*.   Corrigé p. 234   .../10

339 >>> Écrivez ces noms au singulier.

des discours, les délais, des débarras, des impôts, des appuis,
des puits, des myosotis, les syndicats, des avis, des patients,
des châssis, des imprévus, les secours, des suspects, des poids,
des erreurs, des poneys, les experts, les accès, des piliers.   .../20

340 >

un **enn**emi
un album
un **ci**vil
   civilisé
 la **ci**vilisation
  se baigner
une baignoire
une pa**ss**oire
une boui**ll**oire
le mérid**ien**

un ess**ai**
  ess**ay**er
un a**nn**iversaire
un domaine
un perm**is**
le vern**is**
un avantage
  avantageux
un examen
  examiner

**1. Quels noms correspondent
à ces verbes ?**
Permettre, passer, baigner, avantager,
essayer, bouillir.

2. Trouvez les mots de la famille de :
année, civilisé, domanial, vernir.

**3. Dans quels mots pouvez-vous
entendre** homme et main ?

**4. Quels mots se terminent
par** une lettre muette ?

SINGULIER	PLURIEL EN -X	PLURIEL EN -S

un → des

pour la plupart des mots

__eau	→	__eaux	
__au	→	__aux	des landaus
__eu	→	__eux	des pneus, des bleus
__al	→	__aux	des bals, carnavals, chacals, festivals...
__ail	→	__aux	des détails, portails, rails...
__ou	→	__oux pour	

sauf

7 mots seulement :
des bijoux, cailloux, choux,
genoux, hiboux, joujoux, poux.

**Tous les autres mots en ou → ous :
des trous, fous, clous, etc.**

À RETENIR

- Les noms terminés par -**eau**, -**au** et -**eu** s'écrivent avec un **x** au pluriel. Sauf : _landau(s), pneu(s), bleu(s)_.
- Les noms terminés par -**al** et -**ail** ont leur pluriel en -**aux**. Sauf : _bal(s), carnaval(s), chacal(s), festival(s), détail(s), portail(s), rail(s)_...
- Les noms terminés par -**ou** s'écrivent -**ous** au pluriel. Sauf : _bijou(x), caillou(x), chou(x), genou(x), hibou(x), joujou(x), pou(x)_.

341 **Vrai ou faux ? Justifiez vos réponses par des exemples.**

1. Après un **u**, on met toujours un **s** pour marquer le pluriel.
2. Les noms terminés par **eau** s'écrivent tous avec un **x** au pluriel.
3. Les noms terminés par **al** s'écrivent tous avec un **x** au pluriel.
4. Sept noms terminés par **ou** s'écrivent avec un **s** au pluriel.
5. Les noms terminés par **eu** s'écrivent avec un **x** au pluriel, sauf _pneu_ et _bleu_.

Corrigé p. 234   .../10

342 **Écrivez ces noms en deux groupes, suivant que leur pluriel se marque par un s ou par un x.**

un marteau	un écrou	un bal	un portail
un caillou	un tribunal	un vœu	un oiseau
un maillot	un abricot	un canal	un matou
un signal	un local	un genou	un récital
un jumeau	un landau	un carnaval	un bleu

.../20

343 ▶ **Écrivez ces expressions au pluriel.**

un morceau de pain | la voie ferrée | un procès-verbal
un cheval de course | un petit pois | une eau pure
un chou de Bruxelles | un pneu lisse | un rideau épais
un corail magnifique |

Corrigé p. 234 .../10

344 ▶ **Écrivez les noms en italique au singulier ou au pluriel, suivant le sens.**

Elle lui a fait une coupe de *(cheveu)*. • J'ai besoin d'une paire de *(ciseau)*. • La cerise est un fruit à *(noyau)* alors que la pomme est un fruit à *(pépin)*. • Ces jets d'*(eau)* sont du plus bel effet. • Une série de *(panneau)* vous indiquera le chemin. • Il a installé un épouvantail à *(moineau)* dans son jardin. • L'été est la saison des *(festival)*. • Il ne s'embarrasse pas des *(détail)*. • Le suspect a fait des *(aveu)* complets.

Corrigé p. 234 .../10

345 ▶ **Réfléchissez au sens de ces expressions avant de compléter les noms par s ou x, si nécessaire.**

Avoir la tête pleine de pou... • un groupe de kangourou... • un tas de caillou... • un bec d'oiseau... • se mettre à genou... • un pull plein de trou... • être couvert de bleu... • une bande de voyou... • un vol de corbeau... • une feuille de chou... .

.../10

346 ▶

À SAVOIR

le hou**x**
un mar**ais**
un châss**is**
un ros**eau**
un lamb**eau**
un matér**iau**
recourir
un recou**rs**
un concou**rs**
un secou**rs**
un parcou**rs**
un discou**rs**

un av**eu**
un tiss**u**
ini**ti**er
une ini**ti**ative
les ini**ti**ales
le ten**ni**s
les m**œu**rs
le velou**rs**
un coquelic**ot**
un pui**ts**
un portemant**eau**
des cis**eaux**

1. **Écrivez les noms se terminant :**
• par s muet au singulier ;
• par x au pluriel.

2. Quel nom n'a pas de singulier ?

3. Quels noms désignent ces mots ?
Un trajet, un morceau déchiré, ce qui est au début, une fleur, un arbuste, une plante aquatique, un sport.

4. À quels noms correspondent ces verbes ?
Avouer, concourir, ciseler, puiser, tisser, initier, discourir.

51 L'accord des adjectifs qualificatifs

une petite chatte noire

Ces chats sont gentils.

une chatte
qui est petite
qui est noire

être

Ce sont ces chats
qui sont gentils.

⚠ féminin + féminin → féminin pluriel
masculin + féminin → masculin pluriel

À RETENIR

■ L'adjectif qualificatif **s'accorde** en genre et en nombre **avec le nom** auquel il se rapporte.

---

347 ❯ **Accordez les adjectifs qualificatifs en italique.**

Une réponse *(sensé)* • des idées *(précis)* • des candidats *(anxieux)* • une démarche *(aisé)* • des dépenses *(coûteux)* • des histoires *(mystérieux)* • une forêt *(touffu)* • des fruits *(amer)* • une phrase *(incorrect)* • des pièces *(obscur)*.   Corrigé p. 234   .../10

348 ❯ **Associez chaque début de phrase aux adjectifs qualificatifs qui conviennent, puis écrivez toutes les phrases possibles.**

Son manteau et ses chaussures sont ...   assortis.
Sa veste, sa chemise et sa cravate sont ...   neuves.
Ses chaussettes et sa jupe sont ...   modernes.
Son chapeau, son sac et ses gants sont ...   unies.   .../10

349 ❯❯ **Complétez ces phrases en accordant les adjectifs qualificatifs.**

Ils sont intelligent..., mais étourdi... . • Zoé est ravi... car elle a vu de beau... paysages.• Ces timbres sont vraiment rare... . • Il écouta la voix artificiel... du robot. • Les vitres du salon étaient plutôt sale... . • Ces infirmières sont patient... et très dévoué... . • Ils sont tous honnête... .   Corrigé p. 234   .../10

350 ❯❯ **Réécrivez cette phrase en remplaçant le melon par les poires.**

Ce petit melon n'est pas vert, juste un peu ferme, mais lundi, il sera excellent, mûr à point et vous le trouverez succulent.   .../10

52 L'accord des adjectifs de couleur

ADJECTIF SIMPLE

une voiture bleue

ADJECTIF COMPOSÉ

une voiture bleu clair = une voiture d'un bleu clair

⚠ une voiture marron = couleur du marron
des sièges crème = couleur de la crème

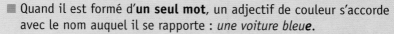

À RETENIR

- Quand il est formé d'**un seul mot**, un adjectif de couleur s'accorde avec le nom auquel il se rapporte : *une voiture bleue.*

- Quand il est composé de **deux mots**, un adjectif de couleur est toujours **invariable** : *une voiture bleu clair.*

- Certains adjectifs de couleur sont toujours invariables, même s'ils sont formés d'un seul mot, car ce sont **des noms utilisés comme des adjectifs** : *des sièges crème (couleur de la crème).*

---

351 **Justifiez l'orthographe de ces adjectifs de couleur invariables.**

Ma sœur a des yeux *noisette.* • Les murs de la cuisine sont *ivoire.* • Ma chienne est de couleur *abricot.* • Il aime porter des chemises *prune.* • Toute la famille a les yeux *marron.*   Corrigé p. 235 .../10

352 **Vrai ou faux ? Justifiez votre réponse à l'aide d'un exemple.**

1. Un adjectif de couleur d'un seul mot s'accorde toujours.
2. Le second mot d'un adjectif de couleur de deux mots s'accorde.
3. *Orange* prend un **s** s'il se rapporte à un nom au pluriel.
4. Un nom peut être utilisé comme adjectif de couleur.
5. Un adjectif de couleur peut porter le **e** du féminin.   .../10

353 **Accordez les adjectifs en italique, si nécessaire.**

Posez les crayons *(rouge)* sur la feuille *(bleu).* • J'ai acheté un sac et une jupe *(beige)* en solde. • Des plumes étaient *(jaune)*, d'autres *(vert).* • Ils mirent des polos *(kaki).* • Présentez les billets *(marron).* • Les acteurs portent des tuniques *(rouge sang).* • Leurs visages *(brique)* luisaient au soleil. • Il a mis des chaussettes *(jaune canari)* !

Corrigé p. 235 .../10

Ce sont **les amis** avec **lesquels** je pars.

MASCULIN		FÉMININ	
lequel	**lesquels**	**laquelle**	**lesquelles**
auquel	auxquels	à laquelle	auxquelles
duquel	desquels	de laquelle	desquelles

À RETENIR

- **Lequel**, **laquelle**, **lesquels** et **lesquelles** sont des pronoms relatifs ou interrogatifs. Il s'accordent avec le groupe du nom qu'ils remplacent.
- Avec les prépositions **à** et **de**, **lequel**, **lesquels** et **lesquelles** se contractent en **auquel**, **auxquels**, **auxquelles**, **duquel**, **desquels**, **desquelles**.

---

354 **Par quel pronom de la leçon remplacer ces groupes nominaux ?**

Ex. : *ces travaux* → ***lesquels***.

les arbustes	une vaccination	ces taxis	un carrefour
ces pantoufles	un adversaire	une route	les histoires
un formulaire	des vêtements		

Corrigé p. 235 .../10

355 **Réécrivez ces phrases en remplaçant chaque pronom en bleu par une expression qui en respectera le sens et l'orthographe.**

Ex. : *Lesquelles préfères-tu ?* → ***Quelles chaussures** préfères-tu ?*

Laquelle choisissez-vous pour votre mère ? • *Lesquels* a-t-elle achetés pour son salon ? • On ne m'a pas dit *auxquelles* je dois m'adresser. • *Desquels* tenez-vous cette information ? • *Lesquels* protègent le mieux du froid ?

Corrigé p. 235 .../10

356 **Réécrivez ces phrases en suivant la consigne de l'exercice précédent.**

Dites-moi *lesquelles* vous préférez. • À *laquelle* a-t-il répondu ? • Savez-vous *lequel* a gagné ? • Nous ignorons toujours *lesquels* pourront être utilisés lundi. • Il a décidé *lesquelles* seront distribuées.

.../10

357 » **Complétez chaque phrase par l'un des pronoms de la leçon.**

La table sur … vous mangez est en chêne. • Vous aviez versé mille euros, … ont été retirés les frais de dossier. • Les plantes … vous pensiez peuvent être cultivées. • Nous avons entendu deux témoins, … ont déclaré avoir vu la scène. • … parlez-vous, des plates ou des rondes ?

Corrigé p. 235   …/10

358 » **Complétez chaque phrase par l'un des pronoms de la leçon.**

Ce sont des travaux sur … nous fondons beaucoup d'espoirs. • Je ne me souviens plus des faits … vous faites allusion. • La conscience avec … il exerce son métier est exemplaire. • Le sentier par … vous allez passer est étroit. • Les bois dans … nous sommes sont à l'est du village.

…/10

359 »» **Complétez chaque phrase par l'un des pronoms de la leçon.**

Parmi ces fleurs, … veux-tu ? • La personne à … je pense est là. • Ce sont des choses … vous n'avez pas songé. • … sont arrivés les premiers ? • … de ces deux chemises préfères-tu ? • Voici le problème au sujet … je devais vous voir. • Il connut des personnes sympathiques, parmi … votre fils. • … avez-vous envie, des bleus ou des verts ? • Cet idéal pour … il se sacrifie est contesté. • Choisissez bien les délégués … vous confierez ce mandat.

…/10

360 » À SAVOIR

valoir	assurer
vexé	rassurer
le total	une assurance
totalement	
	un bourg
fixer	un bourgeois
fixement	
	aujourd'hui
consentir	
ressentir	un kilomètre
	un kilogramme
hausser	
la hausse	empêcher
	un empêchement
assidu	
l'assiduité	effectivement
	volontairement

1. Quels verbes sont de la famille de ces noms ?
Hausse, consentement, valeur, assurance, fixation, vexation, empêchement.

2. Quels mots simples trouve-t-on dans ces mots ? Totalement, fixement, bourgeois, kilogramme, kilomètre, aujourd'hui, ressentir.

3. Écrivez les mots qui ont deux s et ceux qui ont un x.

4. Écrivez les adverbes qui ont le suffixe -ment.

La fille de mes voisins aime les animaux.

qui est-ce qui aime ?

Elle les soigne bien.

Qui est-ce qui soigne ?

C'est Cathy, pardi !

Ce sont les mots que répète **son perroquet**.

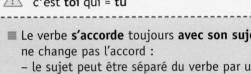

⚠ c'est **moi** qui = **je**
c'est **toi** qui = **tu**

qui est-ce qui répète ?

■ Le verbe **s'accorde** toujours **avec son sujet**. La place du sujet ne change pas l'accord :
– le sujet peut être séparé du verbe par un pronom, par une négation ou par un groupe de mots ;
– le sujet peut être inversé et situé après le verbe.

361 > **Accordez les verbes. Écrivez seulement le groupe sujet + verbe.**

Ex. : *Ce sont les mêmes chansons qu'écout... sans cesse ma sœur.*
→ *ma sœur* écoute.

Les fillettes jouai... à la balle, la lançai... et la rattrapai... avec adresse. • Je ne savais pas ce que contenai... les colis. • Les trois garçons, leur sac sur l'épaule, cheminai... le long de la route. • Ma sœur les emmèn... en promenade. • Les loups vont là où les pouss... la faim. • Les gens qu'il croisai... répondai... à son salut. • Les agents de la sécurité termin... leur ronde à six heures.

Corrigé p. 235 .../10

362 > **Accordez les verbes de ces phrases.**

Ses inventions ne march... pas toujours ! • De leurs promesses, naîtrai... une alliance durable. • Ils l'envoi... à l'école de mon quartier. • À qui appartenai... ces bicyclettes ? • Pourquoi ton père ne les attach...-t-il pas ? • Les guides les ferai... redescendre en cas de tempête. • Le feuillage sec des arbres craquai... sous les rafales du vent. • Adrien, qui a deux sœurs, habit... chez des paysans du Cantal. • L'enfant rejoignai... volontiers les joueurs qui faisai... d'interminables parties sur la place du village. .../10

363 Écrivez dix phrases en associant les sujets et les verbes.

Ex. : *Les amis de mon frère me le confient.*
L'ami de mes cousins te les prête.

Les amis de mon frère	te les prête.
L'ami de mes cousins	me le confient.
Le copain de mes sœurs	nous les donne.
Les cousines de mon copain	me le confie.
Mes collègues de bureau	me le donnent.

Corrigé p. 235   .../10

364 Accordez chaque verbe avec son sujet.

Il me les refus... toujours. • C'est encore toi qui a... gagné. • Il les gratifi... d'un « bonsoir » et mont... se coucher. • Les élèves de sa classe éclat... de rire. • Capucine les regardai... d'un air curieux. • Un homme aux yeux inquiets marchai... à leur rencontre. • On les connaissai... depuis des années. • C'est toi qui donn... les cartes. • Le camion des livreurs bloqu... la rue.

Corrigé p. 235   .../10

365 Écrivez chaque verbe en italique à l'imparfait de l'indicatif.

Les murs de sa chambre *(être)* recouverts d'un papier où *(se mêler)* des fleurs et des oiseaux. • Que *(renfermer)* les autres paquets ? • Il *(trier)* ses timbres, les *(classer)* par pays et les *(ranger)* dans un album. • Combien de litres *(contenir)* ce réservoir ? • Elle me les *(prêter)* toujours. • Le photographe, caché derrière des rochers, *(observer)* les chamois. • Ses copains de l'immeuble *(devoir)* l'attendre.

.../10

366

À SAVOIR

une boussole	une défaite
un banquet	un désastre
une châtaigne	la tempête
une baraque	une enquête
un sanglier	imaginer
un bélier	imaginable
un mâle	un arrêt
	arrêter
un abus	un arrêté
abuser	une arrestation
une noix	une perdrix

1. Quels mots ont une voyelle portant un accent circonflexe ?

2. Quels mots font penser à ces noms ? Repas, cabane, ouragan, porc, malheur, oiseau.

3. Écrivez les noms désignant : un instrument d'orientation, le mâle de la brebis, une sorte de loi, une recherche d'information, un excès, un fruit.

55 L'accord sujet-verbe (2)

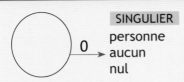

SINGULIER

0 → personne
aucun
nul

PLURIEL

plusieurs
certains
quelques-uns
beaucoup
tous...

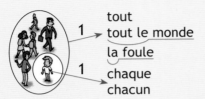

1 → tout
tout le monde
la foule
1 → chaque
chacun

⚠ singulier + singulier = **pluriel**

■ Pour accorder le verbe avec son sujet, il faut réfléchir à ce que
représente le sujet :
– si le sujet est un collectif au singulier, le verbe est au singulier ;
– si le sujet indique un pluriel, le verbe est au pluriel ;
– s'il y a deux sujets au singulier (ou davantage), le verbe est au pluriel.

---

367 **Quel verbe pouvez-vous associer à chaque sujet sur fond jaune ?**

Camille et Olivia	Le chien des voisins	
Tout le monde	La plupart des gens	se repose.
Le chien et le chat	Certains d'entre eux	
Quelques-uns	Chaque individu	se reposent.
Chacun	Paloma et sa mère	

Corrigé p. 235   .../10

368 **Complétez les verbes de ces phrases en les accordant.**

La foule acclam... le vainqueur. • Tout le monde riai... autour
de la table. • Beaucoup de ses clients avai... peur de lui. •
Aucun des joueurs n'étai... revenu s'asseoir. • Les autres l'aimai...
bien.   Corrigé p. 235   .../10

369 **Complétez les verbes de ces phrases en les accordant.**

Nul intrus n'osai... approcher du domaine. • C'est un miracle
qu'aucun des policiers ne s'en aperçoiv... . • L'une et l'autre
se val... . • Certains ne peu... garder un secret. • Chaque livre
de la bibliothèque port... un numéro.   .../10

370 〉〉 **Accordez les verbes en italique au présent de l'indicatif.**

Tout le monde *(sembler)* d'accord. • La végétation est si dense que nul être humain ne *(pouvoir)* s'y frayer un passage. • M. et Mme Dubois *(demander)* à vous voir. • Certains d'entre nous *(croire)* avoir bien compris. • L'autre me *(surveiller)*. • Que tous ceux qui *(vouloir)* participer au voyage *(lever)* la main ! • Aucun de vous n'*(espérer)* gagner ? • Beaucoup d'entre eux *(paraître)* cultivés. • Tout ce qui *(arriver)* est de votre faute. Corrigé p. 235 …/10

371 〉〉 **Accordez chaque verbe ou auxiliaire en italique à l'imparfait de l'indicatif.**

Quelques-uns *(avoir)* aimé cet opéra. • Chaque chien qu'ils dressaient *(devenir)* le compagnon d'un aveugle. • Tout le monde *(vouloir)* goûter le gâteau. • Les autres *(jouer)* au football. • Beaucoup n'*(être)* pas assez nourris. • Aucun des voyageurs ne *(s'apercevoir)* du changement. • Certains *(devenir)* nerveux. • Chaque maison *(être)* entourée d'une pelouse. • Personne n'*(approcher)*. • Aucun n'*(avoir)* obtenu de dispense. …/10

372 〉〉〉 **Accordez chaque verbe en italique à l'imparfait de l'indicatif. Attention à la forme passive !**

La plupart des jeunes *(arriver)* à la fête vers vingt heures. • Chacun des invités *(saluer)* la maîtresse de maison. • La plupart du temps *(consacrer)* à l'étude des planètes. • La plupart d'entre nous *(se rendre)* au travail à vélo. • La foule des spectateurs *(acclamer)* longuement la chanteuse à la fin du concert. …/10

373 〉〉 À SAVOIR

spatial
la sérénité
serein
une illusion
se hâter
fâcheux
se fâcher
prétentieux
un soutien
un entretien

une offense
offenser
offensant
le sein
au sein de
précieux
précieusement
une appréciation
une attraction
suggérer

1. Quels mots ont le son /s/ écrit avec d'autres lettres que s ?
2. Trouvez les synonymes de : se dépêcher, appui, déplaisant, calme, vexer, mirage, discussion.
3. Écrivez les mots qui sont des adjectifs, ainsi que leur féminin.
4. Écrivez les mots qui ont une double consonne.

L'accord du participe passé employé avec l'auxiliaire être

La voiture a été réparée.

être

C'est la voiture
qui est réparée.

Les touristes sont repartis.

être

Ce sont **les touristes**
qui sont repartis.

À RETENIR

■ Le participe passé employé avec l'auxiliaire **être** s'accorde toujours en genre et en nombre avec le sujet du verbe. Plus simplement, on l'accorde avec *ce qui est*..., comme un adjectif qualificatif.

---

374 **Accordez les participes passés de ces phrases.**

Ex. : *La présidente du club fut applaudi...* .
→ *La présidente du club fut applaudie.*

Les randonneurs se sont égaré... au milieu de la nuit. • La porte n'est pas fermé... à clé. • Nous étions fatigué... d'entendre ces gens parler et nous sommes sorti... avant la fin. • Le flanc de la colline n'était plus entouré... de flammes. Corrigé p. 235 .../10

375 **Accordez les participes passés de ces phrases.**

Les factures de son oncle furent réglé... dès leur retour. • La viande vous sera servi... dans un instant. • Les gisements ont-ils été épuisé... ? • J'espère que la mémoire t'est revenu... . • Les jeunes peintres étaient aussi représenté... . .../10

376 **Complétez ces débuts de phrases par l'auxiliaire être au présent suivi du participe passé réparé, en l'accordant.**

Ex. : *Ta moto et ta roue ...* → *Ta moto et ta roue **sont** réparées.*

Ta moto et ta roue ...	Mes patins à glace ...
La voiture et le vélo ...	Les portes du placard ...
La machine à laver ...	Les ordinateurs ...

Corrigé p. 235 .../10

377 **Complétez avec le participe passé des verbes sur fond vert.**

partir imprimer parvenir piquer percer

Ces journaux sont ... en petits caractères. • Cette coquille est ...
de trous. • Quand ils furent tous ..., on fouilla la salle. • Ils ont
été ... par des fourmis. • Quelques-uns étaient ... à se réfugier sur
un canot pneumatique.   Corrigé p. 235   .../10

378 **Accordez les participes passés de ces phrases.**

Quand les sauterelles sont pass..., il ne reste plus rien. • Il est
très préoccup... par cette question. • Plusieurs cols des Alpes sont
ferm... . • Peut-être sont-ils rest... au refuge ? • Elle en fut très
déçu... . • Les spéléologues étaient sauv...! • Les premières neiges
sont tomb... hier soir. • Les canots étaient toujours amarr...
au ponton. • À peine était-elle levé... que déjà elle téléphonait. •
Pars avant que la nuit ne soit ven... .   .../10

379 **Réécrivez ces phrases en mettant les sujets en bleu au pluriel.**

Il n'est pas passé par ici. • *Le jouet* d'Élisa n'est pas rangé. • *Un
TGV* est prévu ce soir. • *La serrure* a-t-elle été réparée ? • *L'autre
conducteur* fut également obligé de ralentir. • *L'homme* était vaincu
par la fatigue. • *Elle* est encore couchée. • *Le sac* fut vite ouvert. •
La porte était surmontée d'une tête de sanglier. • *Cette aventure*
n'était pas faite pour lui.   Corrigé p. 235   .../10

380

co**rr**iger	habiller
essu**y**er	l'habillement
en**v**o**y**er	ra**fra**îchir
ren**v**o**y**er	un ra**fra**îchissement
a**tt**eindre	en**com**brer
na**î**tre	un en**com**brement
re**naî**tre	
co**nn**aître	**ap**paraître
	une **ap**parition
a**cq**uérir	re**ss**embler
re**ss**entir	re**ss**emblant

1. **Écrivez l'infinitif de ces participes
passés :** acquis, ressenti, né, corrigé,
apparu, connu, habillé, atteint.

2. **Relevez parmi les mots ci-contre :**
• trois noms ayant le même suffixe ;
• les mots ayant une consonne double ;
• les mots ayant un **y**.

3. **Écrivez les mots de la famille de :**
naître, sentir, paraître, sembler, frais,
envoi, habit.

57

L'accord du participe passé employé sans auxiliaire

Amusée, Marie regarde les singes.

C'est **elle**
qui est **amusée** !

■ Le participe passé employé **sans auxiliaire** s'accorde comme un adjectif qualificatif, avec le nom ou le pronom auquel il se rapporte.

■ On ajoute un **e** au féminin et un **s** au pluriel.

---

381 ›

Accordez les participes passés. Écrivez seulement le participe passé et le nom (ou le pronom) auquel il se rapporte.

Ex. : *Elle sortit, entour... de ses admirateurs* → *elle, entourée.*

Elle est arrivée au sommet, épuisé..., mais ravi... de son exploit. •
Maria, étourdi... par sa chute, se releva, encouragé... par ses parents. •
Ils restaient sur le vieux banc, réuni... par leurs pensées. •
Mes souvenirs se précisent, un peu décousu... . • Grimpé... sur
un escabeau, elle atteignit l'étagère du haut. • Elle aperçut le jeune
homme, cramponné... à un rocher. • La maisonnette, inhabité...,
n'était pas en bon état. • Va, mon fils, dit-elle, ému... par ce départ
imprévu.

Corrigé p. 235   .../10

---

382 ›

Accordez les participes passés de ces phrases.

Apeuré... par l'orage, les enfants coururent s'abriter. • Les deux skieuses
dévalaient la pente, grisé... par la vitesse. • Manon remercia, très
touché... . • Sa pêche terminé..., il leva l'ancre. • De plus en plus
étonné..., ses parents lui demandèrent des explications. • Une jeune
fille venait de descendre, drapé... dans une cape bleue. • Giflé... par
les branches flexibles, ils durent avancer tout courbé... . • Il revint
de ses voyages, très déçu... . • Parti... très tôt, les campeurs arrivèrent
à neuf heures.

.../10

383 ›› **Complétez avec le participe passé des verbes sur fond vert.**

tirer   établir   prévoir   affoler   rassurer

… par le bruit, les chèvres couraient dans tous les sens. • Il dormait, la couverture … sur lui jusqu'au menton. • Les enfants, … par ces paroles, se remirent à jouer. • Les records … hier sont exceptionnels. • La séance de travail … ce soir portera sur l'utilisation du nouveau logiciel. Corrigé p. 235 …/10

384 ›› **Complétez avec le participe passé des verbes sur fond vert.**

effrayer   décider   attirer   encombrer   coller

C'étaient des ruelles étroites et sombres, … de cageots et d'ordures. • … à réussir coûte que coûte, elles suivent un entraînement qui est très pénible. • Les poules, … par les cris, s'éparpillèrent en gloussant. • Avez-vous vu sa photo, … sur un morceau de carton ? • Des jeunes accouraient, … par la musique. …/10

385 ››› **Écrivez les participes passés de ces verbes, puis accordez-les.**

Le lièvre, *(surprendre)*, détala. • *(Déranger)* dans leur sommeil, ils se levèrent en grognant. • De tels travaux, *(faire)* par des ouvriers habiles, seront parfaits. • La plaisanterie *(imaginer)* par Arthur nous a beaucoup amusés. • La partie *(engager)* se termina sur la place. • Les preuves *(rassembler)* par les filles paraissaient solides. • Ces pilules, *(prescrire)* par ton médecin, devraient te soulager. • On apercevait les ruines, *(percher)* sur un piton rocheux. • *(Perdre)* dans les buissons, les chatons se mirent à miauler. • Les touristes prenaient des photos, *(éblouir)* par la beauté du paysage. …/10

386 ›› **À SAVOIR**

obscur
obscur**cir**

une sal**ière**

une carr**ière**

une pl**ai**nte
pl**ai**ntif
se pl**ai**ndre

in**scrire**
dé**crire**
trans**crire**

la confec**tion**
confec**tionn**er

l'équateur

une impre**ssion**

épouv**ant**er
épouv**ant**able
un épouv**ant**ail

une mor**sure**

la dist**ance**

une circonst**ance**

1. Écrivez les mots de la famille de : mordre, écrire, plainte, imprimer, obscurité, sel, épouvanter.

2. Trouvez les mots ayant le même suffixe que : gouvernail, doublure, stationner, acceptable, noircir, craintif, volière.

3. Trouvez l'intrus de chaque ligne.
• pôle, banquise, équateur, iceberg.
• barrière, barreau, carrière, barre.
• inscrire, offrir, décrire, prescrire.

58

L'accord du participe passé employé avec un auxiliaire

Les invités sont arrivés.

être

*Ce sont **les invités** qui sont arrivé**s**.*

Ils ont apporté ...

avoir

?

*Qu'est-ce qui **est** apporté ?*

Ce n'est pas encore écrit, alors pas d'accord !

À RETENIR

■ Le participe passé employé avec l'auxiliaire **être** s'accorde toujours en genre et en nombre avec le sujet du verbe.

■ Le participe passé employé avec l'auxiliaire **avoir** ne s'accorde jamais avec le sujet du verbe.

■ Plus simplement, on cherche **ce qui est**... . Si on n'a pas écrit *ce qui est* avant le participe passé, celui-ci reste invariable.

387 **Accordez les participes passés, si nécessaire.**

La nouvelle *a été* annoncé... au journal de 20 heures.
La radio *a* annoncé... la nouvelle avant la télévision.
Elle *avait* habitué... ses enfants à aimer l'eau.
Elle *était* habitué... à nager la tête dans l'eau.
Ces places *sont* réservé... aux personnes âgées.
Ils *ont* réservé... des places pour les handicapés.
Les jardiniers *ont* arrosé... les pelouses.
Les massifs de fleurs ont *été* arrosé... tout l'été.
Ils *ont* pressé... toutes les oranges.
Ils *sont* pressé... de repartir.

Corrigé p. 235   .../10

388 **Soulignez l'auxiliaire, puis accordez le participe passé, si nécessaire.**

Ma sœur est déjà levé... et elle a voulu... nous voir partir. • Jamais elle n'avait rien vu... de semblable. • Par centaines, ils étaient descendu... dans la vallée. • Grand-père a-t-il sorti... la voiture ? • Ils avaient tous passé... une excellente soirée. • La chute de neige fut suivi... d'un froid vif. • Comment sont-ils venu... depuis la gare ? • Elle a accompli... des progrès étonnants. • Crois-tu qu'elle ait vu... les chats ?

.../10

389 Soulignez l'auxiliaire, puis accordez le participe passé, si nécessaire.

Elle est monté... sur la pirogue, puis ils sont parti... . • Personne n'avait entendu... la sirène. • Une de tes sœurs a été récompensé... . • Les deux fillettes avaient emmené... l'âne en promenade. • Des boissons gazeuses furent servi... à la demande. • Les véhicules du chantier ont emprunté... l'autoroute. • Il faut qu'ils aient terminé... leur travail ce soir. • Le hérisson fut ébloui... par les phares. • Quand ils eurent fini..., ils allèrent au cinéma.   Corrigé p. 236   .../10

390 Écrivez les participes passés des verbes en italique.

Les fiches auraient dû être *(compléter)* au stylo noir. • Elle m'a *(envoyer)* une revue en espagnol. • Mamie a *(envelopper)* la pâte dans un linge. • Ils n'ont pas été *(intéresser)* par son offre. • Les mécaniciens ont *(resserrer)* les boulons. • Ils ont déjà tout *(nettoyer)*. • Quand elles sont *(rentrer)*, leurs vêtements étaient *(tremper)*. • Les bidons ont *(disparaître)* du hangar. • Cette veste n'a pas *(coûter)* très cher.
.../10

391 Écrivez les participes passés des verbes en italique.

Thomas avait *(deviner)* ce qu'elle voulait dire. • En jouant, les chiens ont *(détruire)* les fleurs du balcon. • N'auraient-ils pas *(retrouver)* mon atlas ? • Rachida est *(aller)* chez sa tante. • La convocation a été *(afficher)* et nous avons *(décider)* d'y répondre. • Ils ont *(apprendre)* qu'elle était déjà *(partir)*. • Des arbres ont été *(abattre)* par l'orage. • Tania, qui n'avait que trois ans, fut tout de même *(inscrire)*.   Corrigé p. 236   .../10

392

À SAVOIR

l'auto**mn**e	un po**è**te
conda**mn**er	une esp**è**ce
résider	une **z**one
une décision	l'a**z**ur
conclure	le bron**z**e
une conclusion	un défi**lé**
un fou**rré**	
un carrefour	aérer
pourrir	une aér**ation**
la pou**rr**iture	é**gal**
	inégal

1. Trouvez les noms correspondant à ces verbes : aérer, conclure, pourrir, défiler, décider.

2. Écrivez les mots dans lesquels vous trouvez :
• le son /n/ écrit mn ;
• le son /z/ écrit z ;
• un accent grave.

3. Quels verbes ont leur participe passé terminé par i ; par u ; par é ?

L'accord du participe passé employé avec l'auxiliaire avoir

Ils ont vu ...

avoir

Qu'est-ce qui est vu ?

La maison qu'ils ont vue,

qui est

ils l'ont visitée.

qui est

la maison

C'est la maison
qui est vue,
qui est visitée.

À RETENIR

■ Le participe passé employé avec l'auxiliaire **avoir** s'accorde avec **ce qui est...** si la réponse est avant le participe passé.

■ On dit aussi qu'il s'accorde avec le complément d'objet direct quand celui-ci est placé avant le verbe.

---

393 >

Accordez, si nécessaire, ces participes passés employés avec avoir. Cherchez bien ce qui est et aidez-vous du tableau de la règle.

J'aime beaucoup les chansons que tu as chanté... hier.
Tu as chanté... des chansons que j'aime beaucoup.
Te souviens-tu de la belette que nous avons aperçu... ?
Te souviens-tu que nous avons aperçu... une belette ?
Toutes les branches cassées, il les a ramassé... .
Il a ramassé... toutes les branches cassées.
Ils nous ont donné... leur adresse.
Voici l'adresse qu'ils nous ont donné... .
Ce sont les chevaux de course que mon frère a soigné... .
Mon frère a soigné... ces trois chevaux de course.   Corrigé p. 236   .../10

394 >>

Cherchez bien ce qui est, puis accordez les participes passés en fonction de leur place dans chaque phrase.

J'ai moissonné... les blés que j'avais semé... . • L'analyse des momies que les archéologues ont trouvé... a fourni... des renseignements précieux. • Elle a acheté... les chaussures qu'elle avait vu... en vitrine. • Il a oublié... toutes les belles phrases qu'il avait préparé... . • Avez-vous assuré... la voiture que vous avez acheté... ?   .../10

395 ›› **Complétez avec le participe passé des verbes sur fond vert. Accordez-le, si c'est nécessaire.**

provoquer   retentir   voir   entourer   abandonner

Très ..., les garçons racontent leur match. • Il pensait à la barque qu'il avait ... sur la plage. • Les travaux ont ... des embouteillages. • La sonnerie de son portable avait ... tard dans la nuit. • Je les ai ... sortir en courant.   Corrigé p. 236   .../10

396 ››› **Accordez les participes passés, si nécessaire.**

Ce sont les piles qu'il m'a donné... pour me dépanner. • Elle les a embrassé... tous les deux. • Ces histoires, elle les lui avait raconté... cent fois. • Ils avaient fabriqu... une niche pour le chien de leur fille. • Les as-tu déjà vu..., ses photos ? • Ils ont enfin démonté... la machine. • Je les avais conduit... jusqu'à la source. • Ma balle, il l'a ramassé... et me l'a relancé... . • C'est la caméra que mon père m'a donné... .   Corrigé p. 236   .../10

397 ››› **Écrivez les participes passés des verbes en italique.**

Il regarde les livres qu'elle a *(emprunter)*. • La chatte n'a pas *(quitter)* la maison. • Elles parlaient de l'argent qu'elles avaient *(gagner)*, des bons moments qu'elles avaient *(passer)* ensemble. • On a *(entendre)* un rossignol. • Après qu'ils les eurent *(comparer)*, ils achetèrent les plus petites. • Où les as-tu *(ranger)*, ces dossiers ? • L'écho avait *(amplifier)* le bruit. • Ils ont *(enlever)* la corde et l'ont *(enrouler)* autour d'un pieu.   .../10

398 ›› À SAVOIR

un contra**t**	une **h**arpe
un écar**t**	**h**ériter
un j**et**	un **h**éritier
un **é**migré	fla**tt**eur
un **im**migré	la fla**tt**erie
un join**t**	une r**ê**verie
une jointure	une **h**uître
un bazar	bizarre
l'horizon	un accor**d**
horizontal	un accordéon

1. Relevez les noms de la famille de : rêver, flatter, hériter, jeter, accorder, joindre, écarter.

2. Écrivez les mots :
- qui ont une consonne muette ;
- qui commencent par un **h** ;
- qui ont un accent sur **e**.

3. Trouvez les mots qui désignent :
- une personne ;
- un instrument de musique ;
- un magasin.

Voici **des hommes forts**.

Ces hommes sont forts.

ADJECTIF
e
s
e s

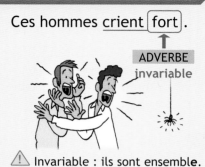

Ces hommes crient fort.

ADVERBE
invariable

⚠ Invariable : ils sont ensemble.

■ Selon les phrases, certains mots peuvent être adjectifs ou adverbes :
– **l'adjectif qualificatif s'accorde** en genre et en nombre avec le nom auquel il se rapporte ;
– **l'adverbe** modifie le sens d'un verbe, d'un adjectif qualificatif ou d'un autre adverbe. Il est toujours **invariable**.

---

399 **Complétez avec les mots sur fond bleu. Accordez, si nécessaire.**

bas
beau
gros
clair

Ils ont ... chercher, ils ne trouvent pas. • J'étais trop las pour avoir les idées ... . • Elle descendit plus ... dans la grotte. • Ils ne voyaient pas ... . • J'ai trouvé une truffe ... comme le poing.

Corrigé p. 236   .../10

400 **Complétez avec les mots sur fond bleu. Accordez, si nécessaire.**

lourd
bon
cher
plein

Elle a reçu ... de lettres. • Tes sacs pèsent ... . • Cette moto est-elle ... ? Oui, elle coûte ... . • Sa valise est ... à craquer. • Ces tartes sentent ... . • Il a les yeux ... de sommeil. • Ils ont payé ... leur liberté. • Tenez ..., nous arrivons ! • Nous passons de ... moments ensemble.

.../10

401 **Écrivez ces phrases en accordant ou non les mots en italique.**

Les maçons travaillaient *(dur)*. • Ces tours sont vraiment *(haut)*. • Les freins ont cassé *(net)*. • Les boules passent *(juste)* entre les quilles. • Ces couleurs vont bien *(ensemble)*. • Ce sont des travaux très *(dur)*. • Les différences pourraient être plus *(net)*. • Ils la regardèrent de *(haut)*. • Ils sont *(fort)* en maths. • Les arbres ne poussent pas *(droit)* à cause du mistral.

.../10

61 Adjectif ou participe présent

des histoires **passionnantes**
qui sont passionnantes
ADJECTIF

ADJECTIF -ant (e)
(s)
(e)(s)

des histoires **passionnant** les lecteurs
qui passionnent les lecteurs
VERBE

VERBE -ant (invariable)

adjectifs :
—**gant** ou —**quant**

⚠ (—**cant** si nom en —tion :
vacant → vacation)

infinitif → participe présent
—**guer** → —**guant**
—**quer** → —**quant**

À RETENIR

■ Selon les phrases, certains mots peuvent être **adjectifs** ou **participes présents**. L'adjectif s'accorde. Le participe présent est invariable.

■ Un participe présent en /kã/ ou /gã/ se termine toujours par **quant** ou **guant**, car le verbe garde son radical entier dans la conjugaison.

---

402 **Complétez par ant. Accordez les adjectifs.**

≫

L'infirmière lui dit des paroles rassur... . • Voici deux chats se disput... une souris. • Ils revinrent en chant... . • Ce sont des bruits gên... ! • Les gens prévoy... évitent les soucis. • Les portes grinç... dans la nuit, il se réveilla. • C'est en voyage... qu'il s'instruisit. • Les conducteurs respect... le code ont peu d'accidents. • Il a eu des résultats encourage... . • Les élèves désir... une attestation doivent la réclamer. Corrigé p. 236 .../10

---

403 **Complétez par quant ou par cant. Accordez, si nécessaire.**

≫≫≫

Il aime les biscuits cra... . • Elle préfère les gâteaux cra... sous la dent. • On a visité les ateliers fabri... les moteurs. • Vous tenez des propos provo... . • C'est en le provo... qu'ils firent l'erreur. Corrigé p. 236 .../10

---

404 **Complétez par guant ou par gant(s). Accordez, si nécessaire.**

≫≫≫

Il a découvert un nid en éla... l'arbre. • Elle portait des vêtements extrava... . • On a l'habitude des travaux fati... . • En se conju... au futur, le verbe *aller* change de radical. • Les bavards s'affairaient, divul... leurs secrets aux badauds. .../10

EXERCICES SUPPLÉMENTAIRES

Accords en genre et en nombre

405 ❯ **Écrivez ces expressions au singulier.** Règles 49, 50

Des concours de chant • des tuyaux d'arrosage • des pinceaux très fins • des perdrix cendrées • des engrais biologiques • des boîtes de clous • deux grands rivaux • des hameaux isolés • des agneaux de Sisteron • des numéros acrobatiques. .../10

406 ❯ **Écrivez ces expressions au pluriel.** Règles 49, 50

un placard de *(cuisine)*	un paquet de *(café)*	une canne à *(pêche)*
un paquet de *(biscuit)*	la voiture de *(tête)*	une tasse de *(thé)*
un camion de *(pompier)*	une veste de *(cuir)*	un tas de *(caillou)*.
un troupeau de *(zèbre)*		.../10

407 ❯ **Écrivez ce texte en accordant les adjectifs qualificatifs.** Règle 51

La *(petit)* Mélissa avait de *(long)* cheveux *(brun)* que sa mère attachait avec une pince *(doré)*. Sa frange *(court)* et *(régulier)* mettait en valeur ses *(grand)* yeux *(vert)*. Elle était de ces enfants *(timide)* dont les joues deviennent *(rouge)* au moindre compliment. .../10

408 ❯❯ **Réécrivez ces phrases de façon à utiliser lequel, auquel, duquel, et pensez aux accords.** Règle 53

À quels projets pensez-vous ? • Dites-nous pour *quelle solution* vous pencheriez. • *De quelles organisations* a-t-il reçu ces documents ? • *Quelles initiales* voulez-vous faire broder ? • On ignore *quelle décision* vous prendrez. .../10

409 ❯❯❯ **Complétez par lequel, auquel, duquel. Pensez aux accords.** Règle 53

On a bâti des villas, ... seront décorées. • Il veut une montre, mais ... ? • C'est la place au milieu de ... se dresse une statue. • Il ouvrit un coffre ... il sortit un dossier. • De toutes ces étoffes, ...

préférez-vous ? • Voici les gens sous les ordres ... il a travaillé. •
C'est une chose à ... je ne crois pas. • Il s'occupait de chevaux ... il
consacrait beaucoup de temps, et pour ... il avait de l'affection. •
Elle avait deux chiens, ... étaient aussi maigres qu'elle. .../10

410 **Réécrivez ce texte en remplaçant le chat par les chats.** Règle 54

Le chat de ma voisine du rez-de-chaussée saute sur le rebord de sa
fenêtre vers six heures du matin et miaule. Mais quand sa maîtresse
l'appelle, il se sauve et revient miauler dix minutes plus tard. J'ai
un réveille-matin à fourrure ! .../10

411 **Accordez les verbes avec leurs sujets.** Règles 54, 55

Cette crème les protégeai... du soleil. • Nathanaël cueillait tout
ce qu'offrai... les buissons. • Les chasseurs, à l'affût, la guettai...
depuis une heure. • La maquette que construisai... Martin et ses
amis étai... celle d'un hélicoptère. • La plupart des voitures utilis...
cette déviation. • Tant de victoires successives enhardi... le loup. •
Chaque élément de ces ensembles représent... un entier positif. •
Il tombai... des trombes d'eau. • On ne les oubli... pas. .../10

412 **Accordez les verbes avec leurs sujets.** Règles 54, 55

Aucun d'entre vous ne changer... de camp. • C'est moi qui
traversai... l'atelier d'un pas pressé. • Toutes ces chenilles, qu'il faut
détruire, empêch... l'arbre de se développer. • Nul ne deviner...
jamais ce qu'il advint de lui. • Tous, assis autour de la table,
l'écoutai... avec respect. • Qui m'appell... ? • Tout m'étonn... . •
Beaucoup de personnes, souvent de bonne foi, croi... que l'alcool
n'est pas dangereux pour la santé. • Peu d'individus os... accomplir
un pareil exploit. • Est-ce toi qui jouai... avec eux ? .../10

413 **Accordez les verbes avec leurs sujets.** Règles 54, 55

Nul n'avai... jamais rien eu à leur reprocher. • Louis, qui les
attendai..., les avai... conduits jusqu'au menhir. • Un des hommes
le repouss... brusquement. • Elle se souvenait des braconniers
qui, disait-elle, étai... venus piller le poulailler ! • Les hommes
chantaient des mélopées qu'accompagnai... à la guitare un jeune
garçon. • Il y avait trois ans que Paula et lui ne correspondai...
plus. • Elles aussi la rejetai... . • C'est toi qui essaier... d'escalader
la falaise ? • On n'a jamais retrouvé la mine d'où pouvai... provenir
de telles pierres. .../10

414 › Complétez ces phrases avec le participe passé des verbes sur fond vert. Accordez, si nécessaire. **Règle 56**

> arriver refuser offrir accueillir éclairer

Il emballa les objets qui lui avaient été ... autrefois. • La ville n'était ... que par un pâle rayon de soleil. • Ses parents avaient été ... chaleureusement. • Paloma sera sans doute ... par le train. • Je crains que les autorisations soient ... ./10

415 › Complétez les participes passés de ces phrases. **Règles 56, 58**

Mes grands-parents ont achet... ces bicyclettes avant leur mariage. • La nuit était tomb... depuis longtemps. • La mer était soudain deven... houleuse. • Les premiers applaudissements furent tout à coup suiv... de cris. • Où est-elle pass... ? • Nos chats avaient bien support... notre absence. • Les auditeurs ont patiemment suiv... sa démonstration. • Certains pays ont conn... de grands mouvements d'immigration. • Les voyageurs sont descend... . • Les appareils sont déclench... à six heures. .../10

416 »> Complétez les participes passés de ces phrases. **Règles 56, 57, 58, 59**

Le jeune matelot avait mal amarr... la barque. • C'était la promenade la plus agréable qu'il avait jamais fai... . • Ce sont les robes qu'elle avait vu... en vitrine. • Elle a étonn... ses parents. • Karim avait renonc... à ses projets. • Il nous a abandonné..., murmuraient-ils. • Je te rends les clés que tu m'avais prêt... . • Ils ne purent retrouver les albums que leur sœur avait cach... . • Elles avaient tent... de les rassurer. • On nous a découv..., dirent-ils. .../10

417 »> Accordez ces participes passés sans auxiliaire. **Règle 57**

Intrigu..., la journaliste se leva. • Ils finirent par s'endormir, bris... de fatigue. • La jeune fille, intimid..., se tenait en retrait. • Libér... de leurs chaînes, ils couraient à perdre haleine. • Entraîn... par les courants, la chaloupe s'éloignait. • Les rêves deviennent parfois cruels, confront... à la réalité. • Les voitures en panne sont là, rang... dans la cour du garage. • Même ferm..., la fenêtre laissait passer le froid. • Énerv... par le bruit, les chevaux piétinaient leur litière. • Ses chances de succès envol..., il dut revenir. .../10

418 ›› **Complétez les participes passés de ces phrases.** Règles 56, 57, 58, 59

Ont-ils ag... en leur âme et conscience ? • Ses photos, elle te les a montr... ? • Faut-il quitter ces lieux que j'ai tant aim... ? • Ils ne lui ont pas ment... . • C'est elle qui a chois... les posters. • C'est une pièce qu'elle a aménag... elle-même. • On l'a écout... dix fois, cette chanson ! • Où as-tu rang... les CD que j'ai achet... ce matin ? C'est Tom qui les a emport... . .../10

419 ››› **Écrivez les participes passés, puis accordez-les.** Règles 56, 57, 58, 59

Les barrières, que nous avons *(établir)* à grands frais, n'ont *(servir)* à rien. • Nous avons *(refuser)* et il nous a *(laisser)* tranquilles. • La mienne est bien *(cacher)* et il ne l'a pas *(trouver)*. • Ils nous l'ont *(prêter)*, leur barque, et nous avons *(pêcher)* tous ces poissons ! • Nous t'avons *(chercher)* longtemps et cela nous a beaucoup *(retarder)*, dirent les garçons à Caroline. .../10

420 ››› **Écrivez les participes passés, puis accordez-les.** Règles 56, 57, 58, 59

(Fatiguer), elle s'est déjà *(retirer)* dans sa chambre. • Dès qu'elle eut *(obtenir)* une pâte onctueuse, elle la versa dans le moule. • Tous les fruits que j'ai *(cueillir)*, je les leur ai *(donner)*. • Vous a-t-elle *(soumettre)* les projets qu'elle avait *(concevoir)* ? • Ces fenêtres sont aujourd'hui toujours *(préfabriquer)*. • Le petit sentier qui les a *(mener)* là se perd dans la forêt. • Je connais la question pour l'avoir *(entendre)* cent fois. .../10

421 ›› **Accordez les adjectifs qualificatifs, mais pas les adverbes.** Règle 60

Ces tableaux me paraissent très *(beau)*. • Ils avançaient *(droit)* devant eux. • Elles portaient des robes *(clair)*. • Il y avait là plusieurs magasins *(fort)* bien achalandés. • Ces enfants chantent *(juste)*. • Nous pourrions jouer aux cartes *(ensemble)*. • Ils ne voyaient pas *(clair)* dans son jeu. • Les voitures s'arrêtèrent *(net)*. • La rivière longeait une haie d'arbres très *(droit)*. • Notre équipe risquait *(gros)* dans ce match. .../10

La personne, le temps, l'infinitif

Trois questions pour chaque verbe :

 QUI ?   → C'est la personne.

 QUAND ?   → C'est le temps
(avec son mode).

 QUOI FAIRE ? → C'est l'infinitif.

À RETENIR

L'orthographe d'un verbe dépend à la fois :

■ de la **personne** à laquelle il est conjugué : je, tu, il (elle *ou* on), nous, vous, ils (*ou* elles) ;

■ du **temps** (passé, présent, futur) et du **mode** (réel ou imaginé) auxquels il est employé ;

■ de son **infinitif** qui classe les verbes en trois groupes :
  – 1er groupe (verbes terminés par -**er**, sauf *aller*) ;
  – 2e groupe (verbes terminés par -**ir** qui font -**issais** à l'imparfait) ;
  – 3e groupe avec les autres verbes.

422 > **Indiquez la personne et l'infinitif des verbes en bleu.**

Ex. : *Il court très vite.* → *il, 3e personne du singulier, verbe courir.*

Que me *conseilles*-tu ? • Elle *secouait* la tête. • On *activa* l'allure. • Il *fut* le premier installé. • Mais *crois*-tu que tes parents m'*accueilleront* bien ? • Nous *saurons* le retrouver. • Comment *firent*-ils pour gagner ? • Vous ne *craignez* rien, leur dis-je à voix basse. • *Sait*-elle bien qui je suis ?   Corrigé p. 236   .../10

423 > **Quel est le temps (passé, présent, futur) et l'infinitif de ces verbes ?**

Elle *fut* en retard. • Je le *fis* moi-même. • Il *prit* son manteau. • Je vous en *prie*. • On *sera* là dans la soirée. • Nous *saurons* sans doute la réponse. • *Ont*-ils *eu* de la chance ? • Elle *écrit* à ses amis. • Bravo ! *s'écria*-t-il. • Vous *savez* la leçon.   .../10

424 > **Classez ces verbes selon le groupe auquel ils appartiennent.**

noircir, résider, prédire, entrouvrir, admettre, s'essouffler, conclure, rincer, durcir, rajeunir.   Corrigé p. 236   .../10

425 **Complétez au présent de l'indicatif avec les verbes sur fond vert. Réfléchissez bien au sens de chaque phrase.**

>>

serrer *ou* servir – partir *ou* parer – dorer *ou* dormir
croire *ou* croître – lire *ou* lier

Il dor... dans son berceau. • Si tu ser... davantage le boulon, il tiendra mieux. • Elle li... un roman par semaine. • Est-ce qu'on ser... le café sur la terrasse ? • Le soleil me dor... . • Cr...-tu à ses promesses ? • Il par... pour Rome. • Le bruit cr... jusqu'à devenir vacarme. • Elle le par... de toutes les qualités. • On li... les fleurs avec des rubans.

Corrigé p. 236   .../10

426 **Indiquez la personne, le temps et l'infinitif des verbes en bleu.**

>>

Ex. : *ils jouaient* → ils, *temps du passé, jouer.*

Je ne *crois* pas que tu le *reliras*. • Elle *fut* la première à tenter la traversée. • Jim me *dit* qu'il me *rendra* le DVD demain. • Il ne *sera* jamais là à dix heures. • On n'*a* pas *eu* de chance. • Ils *firent* si vite qu'ils *surprirent* tout le monde. • Vous *tiendrez* la rampe pour monter.

.../10

427 **Réécrivez ces phrases sans en changer le sens, en remplaçant les verbes du 3ᵉ groupe en bleu par des verbes du 1ᵉʳ groupe.**

>>>

Ex. : *Elle sert du thé à ses amies.* → *Elle **offre** du thé à ses amies.*

Ma cousine *vient* par le train. • Le général *écrit* ses souvenirs. • Ma mère lui *a dit* une histoire. • Elle *revient* à la maison. • Il *s'étend* sur son lit tout habillé. • Je *vis* ici depuis trois ans. • Quelqu'un *a ouvert* la porte. • Le présentateur *a prévenu* qu'il y *aurait* des orages. • On *verra* d'abord la situation.

.../10

428

À SAVOIR

du**rc**ir	**com**battre
noi**rc**ir	un **com**battant
adou**c**ir	battre
éclai**rc**ir	a**b**attre
aboyer	un a**b**attoir
employer	**dé**battre
	s'**é**battre
croître	
la croissance	une enve**lo**ppe
	enve**lo**pper
	déve**lo**pper

1. Écrivez les verbes correspondant à ces adjectifs : noir, dur, doux, clair. Que remarquez-vous ?

2. Quels verbes correspondent à ces noms ?
Débat, combattant, enveloppe, abattoir, emploi, croissance, aboiement.

3. Écrivez le radical de :
débattre, développer, éclaircir.

143

À RETENIR

■ Il ne faut pas confondre :
– **ai** : verbe *avoir*, 1re personne du singulier, présent de l'indicatif ;
– **es**, **est** : verbe *être* aux 2e et 3e personnes du singulier du présent de l'indicatif.

---

429 › **Écrivez l'expression construite avec être ou avoir.**

Ex. : *Je n'ai plus faim.* → *avoir faim.*

Il n'est pas encore là. • Cet enfant est tout juste poli. • Je n'ai pas le temps d'écrire. • Tu n'es plus très jeune. • N'ai-je pas de l'esprit ? • La terre n'est pas tout à fait ronde. • Je n'ai pas envie de dormir. • Ai-je un bon métier ? • N'es-tu pas satisfait des résultats ? • Sa voiture n'est-elle pas au garage ? Corrigé p. 236 .../10

---

430 › **Complétez avec être ou avoir au présent de l'indicatif.**

Comment ...-tu entré ? • Je n'... plus sommeil. • Pourquoi n'...-il pas venu ? • Il n'... pas trop tard pour aller au cinéma. • Comment ne l'...-je pas deviné plus tôt ? • On n'... plus en hiver, voyons ! • C'est moi qui ... posté la lettre. • Pourquoi n'...-on pas averti par le professeur ? • C'est lui qui ... le gagnant. • Qu'...-tu venu faire ici ? .../10

---

431 › **Complétez avec être ou avoir au présent de l'indicatif.**

Il ... devenu marin. • Je n'... pas beaucoup de courage. • Tu n'... pas frileux. • ...-il tout seul ? • Je n'... pas mes papiers sur moi. • ...-elle encore en colère ? • ...-je le temps d'y aller ? • Tu n'... pas très jolie avec ce chapeau. • Elle n'... toujours pas de retour. • N'...-je pas l'air d'être heureux ? .../10

432 Réécrivez ces phrases à la 2ᵉ personne du singulier.

Pour une fois, elles n'ont pas manqué le train ! • Sont-ils pour les verts ou pour les jaunes ? • Il n'a toujours pas reçu ma lettre. • Avez-vous l'intention de traverser le désert ? • Elle n'y est pas du tout ! • On n'a pas fait ça. • Où sommes-nous ? • Ils ne sont pas essoufflés. • Je le lui ai caché pour ne pas le tourmenter. • Vous n'êtes pas le premier à perdre un match. Corrigé p. 236 .../10

433 Écrivez ces expressions en deux groupes, suivant qu'elles se conjuguent avec l'auxiliaire être ou avec l'auxiliaire avoir.

Manger un fruit • arriver par le train • regarder la télévision • aller à la piscine • acheter des légumes • marcher vite • rester au lit • ouvrir la fenêtre • répondre juste • rentrer chez soi • arrêter un voleur • repartir à pied • devenir fou • renverser la sauce • naître en été • soigner un cheval • habiter en banlieue • parvenir à un accord • traverser le carrefour • mourir de rire. .../10

434 Complétez ces phrases par ai, es ou est.

C'est moi qui ... pris les outils et qui l'... réparé. • N'est-ce pas lui qui ... déjà venu ? • Toi qui ... si gentil d'habitude ! • C'est elle qui ... ma nièce. • C'est moi qui ... emprunté la boussole. • Est-ce encore moi qui en ... la responsabilité ? • C'est moi qui lui ... envoyé ce cadeau. • Est-ce encore toi qui t'... baigné à minuit ? • Je ne sais pas qui ... entré pendant mon absence. Corrigé p. 236 .../10

435

un effort
s'efforcer
forcer
splendide
la splendeur
un taxi
le prestige
un prétexte
un ressort
resserrer
desserrer

une taxe
une profession
un professeur
professionnel
difficile
difficilement
la difficulté
chauffer
surchauffer
souffler
s'essouffler

1. Écrivez les mots qui ont deux f ; deux s ; un t muet.

2. Quels mots ont ces radicaux ? -chauff-, -souffl-, -fess-, -serr-, -forc-, -sort-.

3. Quels mots font penser à ces noms ? Chaleur, véhicule, beauté, air, enseignement.

4. Trouvez les synonymes de : ardu, excuse, spécialiste, impôt, métier.

64 Les noms et les verbes homophones

le travail   Il travaille.

un cri   On ne crie pas.

un
des   NOM (s)(x)

il
ils   VERBE (e)(nt)

À RETENIR

- **Le nom s'accorde.** Il a un genre : masculin ou féminin. Il varie en nombre : singulier ou pluriel.
- **Le verbe se conjugue.** Il a une terminaison qui dépend de son infinitif, du temps et du mode de la conjugaison ainsi que de la personne à laquelle il est conjugué.

436 ▸ **Complétez ce tableau.**

NOMS	VERBES	→	Présent de l'indicatif
un …	crier	→	il …
un …	…	→	je me réveille
un …	travailler	→	je …
un pli	…	→	on …
un …	…	→	il balaie

Corrigé p. 236   …/10

437 ▸ **Complétez ce tableau, comme dans l'exercice précédent.**

un …	employer	→	j' …
un conseil	…	→	elle …
un …	oublier	→	il …
un trou	…	→	on …
un …	appuyer	→	il …

…/10

438 ▸ **Écrivez ces verbes au présent de l'indicatif, à la 3e personne du singulier, puis à la 3e personne du pluriel.**

Ex. : *se soucier → il se soucie ; elles se soucient.*

sommeiller, accueillir, parier, essayer, appareiller, recueillir, s'ennuyer, détailler, s'éveiller, envoyer.

Corrigé p. 236   …/10

439 Écrivez au singulier et au pluriel les noms qui correspondent aux verbes de l'exercice précédent.

Ex. : *se soucier → un souci, des soucis.* Corrigé p. 237 …/10

440 Complétez les verbes et les noms, si nécessaire.

On a fixé la planche avec quelques clou… . • Il renvoi… la balle. • Les gens se mari… plus tard qu'autrefois. • Il ne clou… pas si bien qu'elle. • Le tri… du courrier est terminé. • Je vous défi… de faire mieux. • Le renvoi… devant un autre tribunal a été décidé par le juge. • Son mari… travaille de nuit. • Elle tri… les archives. • C'est un défi… . …/10

441 Complétez les verbes et les noms, si nécessaire.

Le professeur désir… vous parler. • Ils ont profité du dégel… pour sortir. • Elle était en pleur… . • Quel flair…, ce chien ! Il flair… le gibier de très loin. • Un grand sapin décor… l'entrée du magasin. • On ne s'en souci… pas. • Le résultat de son calcul… est faux. • C'est une vaccination de rappel… . • Le voilier appareil… ce soir. Corrigé p. 237 …/10

442 Complétez les verbes et les noms, si nécessaire.

Je recueil… leurs témoignages. • Ce panneau signal… les retards du train. • Quels détail… sans importance ! • Avez-vous goûté aux petits farci… niçois ? • Un violent éclair… a traversé le ciel. • Il a publié deux recueil… de poésie. • On le rail… souvent à cause de ses chaussettes rouges. • Deux lampadaires éclair… l'impasse. • Les deux rail… défectueux ont été remplacés. • Elle farci… la dinde avec des marrons. …/10

443

tâcher	un étui
ôter	un abri
rôder	un pli
un rôdeur	le flair
tacher	flairer
tacheter	une vis
un convoi	visser
un oubli	un vice
un appui	vicieux

1. Écrivez les verbes synonymes de : fixer, sentir, essayer, enlever.

2. Écrivez par deux les quatre mots qui sont homonymes. Lequel indique un défaut ? Lequel signifie salir ?

3. Quels noms correspondent à ces verbes ?
Plier, abriter, visser, oublier, appuyer, convoyer, rôder, flairer.

	avoir		pouvoir		vouloir
j'	ai	je	peu**x**	je	veu**x**
tu	as	tu	peu**x**	tu	veu**x**
il	a	il	peut	il	veut
nous	avons	nous	pouvons	nous	voulons
vous	avez	vous	pouvez	vous	voulez
ils	ont	ils	peuvent	ils	veulent

	être		faire		dire
je	suis	je	fais	je	dis
tu	es	tu	fais	tu	dis
il	est	il	fait	il	dit
nous	sommes	nous	faisons	nous	disons
vous	**êtes**	vous	**faites**	vous	**dites**
ils	sont	ils	font	ils	disent

	voir		prendre		venir
je	vois	je	prends	je	viens
tu	vois	tu	prends	tu	viens
il	voit	il	prend	il	vient
nous	voyons	nous	prenons	nous	venons
vous	voyez	vous	prenez	vous	venez
ils	voient	ils	prennent	ils	viennent

	savoir		mettre		aller
je	sais	je	mets	je	vais
tu	sais	tu	mets	tu	vas
il	sait	il	met	il	va
nous	savons	nous	mettons	nous	allons
vous	savez	vous	mettez	vous	allez
ils	savent	ils	mettent	ils	vont

À RETENIR

- Les verbes au **présent de l'indicatif** expriment des actions qui ont lieu au moment où l'on parle et des actions habituelles ou générales.

444 Écrivez à l'infinitif :

1. Un verbe formé à partir de *faire*.
2. Deux verbes formés à partir de *voir*.
3. Trois verbes formés à partir de *venir*.
4. Quatre verbes formés à partir de *prendre*.

.../10

445 Observez le tableau de conjugaison p.148, puis répondez.

1. Quelle est la terminaison de la 2ᵉ personne du singulier ?
2. Les verbes *venir* et *prendre* s'écrivent-ils avec deux **n** aux trois personnes du pluriel ?
3. Quelle est la terminaison de la 3ᵉ personne du pluriel ?
4. En quoi se change le **i** du verbe *voir* à la 1ʳᵉ et à la 2ᵉ personne du pluriel ?
5. Les verbes *dire, être* et *faire* ont-ils une terminaison spéciale à la 2ᵉ personne du pluriel ? Si oui, laquelle ?   Corrigé p. 237   .../10

446 Écrivez les verbes au présent de l'indicatif, à la première personne du singulier et à la première personne du pluriel.

Aujourd'hui...

se satisfaire de peu	tout comprendre	revenir à pied
pardonner volontiers	être précis	y aller seul
entrevoir une solution	vouloir la lune	tout savoir
	admettre la vérité	Corrigé p. 237 .../10

447 Écrivez les verbes en italique au présent de l'indicatif.

Ils *(entreprendre)* de ranger les placards. • *(Savoir)*-elle ce que coûte cet écran ? • Est-ce que tu les *(revoir)* de temps en temps ? •
Je *(tenir)* ces informations de bonne source. • Nous *(être)* prêts. •
Ces engins ne *(pouvoir)* pas rouler vite. • Tu n'*(avoir)* jamais le temps ! •
Les voyageurs *(se soumettre)* aux formalités de douane. • *(Aller)*-vous leur en parler ? • Ma sœur *(remettre)* toujours son travail à plus tard.   .../10

448

À SAVOIR

an**nu**ler	**in**tense
accélérer	l'in**ten**sité
du **lie**rre	un géran**ium**
une **sect**ion	une **déc**eption
un exper**t**	la **per**ception
un renfor**t**	la **réc**eption
un lingo**t**	une proce**ss**ion
ra**ss**asié	ex**trê**me
un **œ**illet	une ex**tré**mité
en ch**œu**r	un cep de vigne

1. Écrivez les mots ayant une double consonne. Dans quel mot n'est-elle pas utile à la prononciation ?

2. Écrivez les noms qui évoquent : une fleur, une plante, le raisin, l'or, le chant.

3. Quels noms correspondent à ces verbes ? Décevoir, renforcer, recevoir, percevoir, expertiser, sectionner.

4. Quels adjectifs correspondent à ces mots ? Intensité, extrémité, rassasier.

> En ce moment, j'écoute une chanson.

	1er groupe -er	2e et 3e groupes -ir, -oir, -re -indre, -soudre	autres ⚠ verbes en -dre	valoir vouloir pouvoir
je	__e	__s	__ds	__x
tu	__es	__s	__ds	__x
il	__e	__t	__d	__t
nous		__ons		
vous		__ez		
ils		__ent		

À RETENIR

■ **Au singulier**, les terminaisons du présent de l'indicatif dépendent de l'infinitif du verbe :
– les verbes terminés par **-er** ont les terminaisons : **-e, -es, -e.**
– les verbes terminés par **-ir, -oir, -re, -indre** et **-soudre** ont les terminaisons : **-s, -s, -t.**
– les verbes terminés par **-dre** (sauf -indre et -soudre) ont les terminaisons : **-ds, -ds, -d.**
– les verbes **pouvoir, vouloir, valoir** ont les terminaisons : **-x, -x, -t.**

■ **Au pluriel**, les terminaisons sont pour tous les verbes : **-ons, -ez, -ent.**

449 › **Complétez ces verbes en ajoutant une terminaison du présent de l'indicatif**

Ex. : *je réussi... + s → je réussis.*

je réussi...	**e**	tu croi...	**es**	il aboi...	**e**
j'éternu...	**s**	tu répon...	**s**	elle condui...	**t**
je vérifi...	**ds**	tu veu...	**ds**	on pein...	**d**
j'enten...	**d**	tu oubli...	**x**		

Corrigé p. 237   .../10

450 › **Complétez les verbes au présent de l'indicatif.**

Il distribu... le courrier. • Que signifi... cette histoire ? • On fini... de dîner. • Pourquoi cri...-ils ? • Il se mari... demain. • La chatte nourri... ses petits. • La musique adouci... les mœurs. • Ce chien n'obéi... pas. • Est-ce que tu l'atten... ? • On se réfugi... dans une grotte.

Corrigé p. 237   .../10

451 Écrivez ces verbes en trois groupes suivant leur terminaison à la 3e personne du singulier du présent de l'indicatif.

préciser	apercevoir	déteindre	sourire	succéder
démolir	répandre	essuyer	fendre	ressentir
suspendre	commander	entendre	examiner	rendre
interdire	entreprendre	se plaindre	descendre	guérir

.../20

452 Complétez les verbes au présent de l'indicatif.

Ma sœur condui... bien. • Elle écri... à des amis. • Le vent secou... l'avion. • On s'habitu... à tout. • Il colori... ses dessins. • Une entreprise spécialisée démoli... ces taudis. • Qui vérifi... le niveau d'huile ? • Tu ne sci... pas très droit. • Je te défen... de le répéter. • Ce papier jauni... vite.

.../10

453 Complétez les verbes au présent de l'indicatif.

Le nouveau joueur se défen... bien. • Je repein... la cuisine en vert. • Je t'expédi... le colis aujourd'hui même. • Tu ne crain... rien ! • Elle me rejoin... après le cours. • La rivière attein... la cote d'alerte. • Elle correspon... avec une Russe. • De quoi te plain...-tu ? • On se méfi... du chien. • On descen... au prochain arrêt. Corrigé p. 237 .../10

454 Écrivez les verbes en italique au présent de l'indicatif.

Le président *(dissoudre)* l'Assemblée. • Sa sœur *(résoudre)* tous les problèmes. • Il se *(détendre)* en écoutant de la musique. • Elle *(feindre)* de ne pas le savoir. • Le roseau *(plier)*, mais ne *(rompre)* pas. • Cette histoire *(valoir)* son pesant d'or. • Il ne *(se confier)* qu'à elle. • Elle lui *(teindre)* les cheveux. • Le suspect *(avouer)* tout.

.../10

455 À SAVOIR

un **accent**	**ad**mettre
accentuer	**trans**mettre
des**séch**er	**com**mettre
ra**jeun**ir	une en**flure**
entrouvrir	enfler
en**vah**ir	su**ffire**
s'en**gouff**rer	suffisant
une cale	pré**dire**
caler	une prédiction

1. Écrivez les trois verbes de la famille de mettre ; cinq verbes ayant des préfixes différents.

2. Quels verbes correspondent à ces noms ?
Accent, gouffre, ouverture, séchoir, prédiction, jeunesse, commission.

3. Relevez les mots qui ont un seul l ; deux f ; un h.

avoir		être		faire	
j'	avais	j'	étais	je	**fai**sais
tu	avais	tu	étais	tu	**fai**sais
il	avait	il	était	il	**fai**sait
nous	avions	nous	étions	nous	**fai**sions
vous	aviez	vous	étiez	vous	**fai**siez
ils	avaient	ils	étaient	ils	**fai**saient

pouvoir		aller		voir	
je	pouvais	j'	allais	je	voyais
tu	pouvais	tu	allais	tu	voyais
il	pouvait	il	allait	il	voyait
nous	pouvions	nous	allions	nous	voyions
vous	pouviez	vous	alliez	vous	voyiez
ils	pouvaient	ils	allaient	ils	voyaient

tenir		prendre		courir	
je	tenais	je	prenais	je	courais
tu	tenais	tu	prenais	tu	courais
il	tenait	il	prenait	il	courait
nous	tenions	nous	prenions	nous	courions
vous	teniez	vous	preniez	vous	couriez
ils	tenaient	ils	prenaient	ils	couraient

dire		venir		savoir	
je	disais	je	venais	je	savais
tu	disais	tu	venais	tu	savais
il	disait	il	venait	il	savait
nous	disions	nous	venions	nous	savions
vous	disiez	vous	veniez	vous	saviez
ils	disaient	ils	venaient	ils	savaient

À RETENIR

■ Les verbes à l'**imparfait** servent à décrire des actions passées, qui ont duré ou qui se sont répétées. On ne sait pas à quel moment précis elles ont commencé, ni à quel moment précis elles se sont terminées.

456 **À quel verbe fondamental correspond chacun de ces verbes ?**

prévoir, appartenir, satisfaire, concourir, prédire, survenir, parcourir, contrefaire, entreprendre, contenir, secourir, entrevoir, prévenir, surprendre, revoir, accourir, détenir, intervenir, comprendre, convenir.

Corrigé p. 237 .../10

457 **Observez le tableau de conjugaison p.152, puis répondez.**

1. Ces verbes ont-ils tous les mêmes terminaisons ?
2. Le verbe *faire* s'écrit-il comme il se prononce ? Justifiez votre réponse.
3. Le **d** du verbe *prendre* se retrouve-t-il à l'imparfait ?
4. Le radical de *courir* s'écrit-il de la même façon à l'imparfait et à l'infinitif ? Écrivez-le.
5. Le radical de *voir* est **voy-** à l'imparfait. Le **y** remplace-t-il le **i** des deux terminaisons **-ions** et **-iez** ? Justifiez votre réponse.

Corrigé p. 237   .../10

458 **Écrivez les verbes en italique à l'imparfait de l'indicatif.**

Je *(devoir)* te dire quelque chose . • Tu me *(donner)* le vertige. • Elles *(vouloir)* lire le journal. • Nous *(défaire)* les paquets. • Il *(voir)* tout tourner. • Ils *(comprendre)* l'espagnol. • Tu *(concourir)* dans quelle catégorie ? • Vous le *(tenir)* à l'envers. • Nous *(avoir)* tout notre temps. • On *(être)* en retard.

Corrigé p. 237   .../10

459 **Complétez ces phrases à l'imparfait avec les verbes sur fond jaune.**

revoir
se souvenir
satisfaire
surprendre
promettre

Ses bons résultats ... ses parents. • À chaque voyage, l'émigré ... son pays avec émotion. • Les jumeaux nous ... toujours de ne pas recommencer. • Ludivine était si effacée que personne ne ... jamais d'elle. • Mon grand-père se ... parfois à parler tout seul.

.../10

460

exister	une **exé**cution
l'exist**ence**	une compétition
ex**puls**er	un com**m**uniqué
exciter	com**m**uniquer
excitant	la com**m**unication
une activi**té**	la **compt**abili**té**
la nervosi**té**	un **compt**e rendu
une lég**en**de	un v**ê**tement
la c**en**dre	un si**ff**lement
une att**en**te	un déguisement

1. Quels mots ont le son /ã/ écrit en ? Quels mots ont le son /õ/ écrit om ?

2. Quels mots commencent par le son /ɛks/ ? par le son /ɛgz/ ?

3. Écrivez les six mots qui ont une lettre muette **et soulignez-la.**

4. À quels noms correspondent ces verbes ? Siffler, attendre, exister, se vêtir, exécuter, communiquer, s'activer, s'énerver.

Autrefois, les portables n'existaient pas.

je	__ais
tu	__ais
il	__ait
nous	__ions
vous	__iez
ils	__aient

⚠️
$$V\_ge \begin{cases} \_ais \\ \_ait \\ \_aient \end{cases}$$
$$V\_ç$$

⚠️
V__ier
Ex. : crier
nous criions

À RETENIR

■ Les terminaisons de l'imparfait de l'indicatif sont les mêmes pour tous les verbes : **-ais**, **-ais**, **-ait**, **-ions**, **-iez**, **-aient**.

■ Si la terminaison commence par un **a**, les verbes terminés à l'infinitif par **-ger** s'écrivent /**ge**/, et ceux terminés par **-cer** s'écrivent /**ç**/.

■ Les verbes dont le radical se termine par un **i** s'écrivent avec **deux i** aux deux premières personnes du pluriel : le **i** du radical et le **i** de la terminaison.

---

461 ❯ **Écrivez les verbes sur fond jaune à l'imparfait de l'indicatif.**

effacer	→	• il ...	• nous ...	• elles ...
remercier	→	• je ...	• il ...	• vous...
voyager	→	• tu ...	• elle ...	• ils ...
vieillir	→	• tu ...	• il ...	• vous ...
oublier	→	• on ...	• nous ...	• vous ...
écrire	→	• j'...	• nous ...	• elles ...
se réveiller	→	• tu ...	• on ...	

Corrigé p. 237   .../20

462 ❯ **Complétez les verbes à l'imparfait de l'indicatif. Pensez à la cédille !**

On ne le dérang... pas. • Et si vous partag... ? • Je stationn... toujours au même endroit. • L'architecte se déplac... à moto. • Nous avanc... si péniblement que nous envisag... de faire demi-tour. • Vous paraiss... heureux. • Des ouvriers répar... l'abribus. • À l'époque, je ne buv... pas de thé. • Que mang...-tu ?

Corrigé p. 237   .../10

463 Écrivez les verbes de ce texte à l'imparfait de l'indicatif.

Visite d'un laboratoire. Malik *(montrer)* les instruments et les gens qui *(s'affairer)*. Près de lui, une femme, petite et menue, *(aller)* et *(venir)*, *(rincer)* des éprouvettes, *(ranger)* des flacons, *(surveiller)* un curieux liquide vert qui *(bouillonner)* dans une grande cornue. Cette évocation moyenâgeuse de la science *(plaire)* aux visiteurs et beaucoup *(filmer)* la scène. .../10

464 Complétez les verbes à l'imparfait de l'indicatif.

Vous lanc... la balle. • On chang... souvent de tactique. • Capucine nag... bien. • L'orage menac... depuis ce matin. • Est-ce que vous travaill... lundi dernier ? • Les policiers exig... une réponse. • Vous étudi... beaucoup en ce temps-là. • Nous nous ennuy... avant ton arrivée. • Et si on le remplac... ? • On n'a pas entendu parce que vous ne cri... pas assez fort. Corrigé p. 237 .../10

465 Écrivez les verbes en italique à l'imparfait de l'indicatif.

Le président de la République *(se joindre)* volontiers à la foule. • Les deux arbustes *(croître)* à un rythme différent. • Le produit *(se dissoudre)* dans l'eau. • Nous ne *(craindre)* pas les critiques. • *(Croire)*-vous ce qu'il racontait ? • Autrefois, nous *(moudre)* le café avec un moulin. • Vous nous *(surprendre)* avec vos opinions. • Le portail *(grincer)* et chaque fois, cela m'*(agacer)*. • Hier, pourquoi *(rire)*-vous ? .../10

466

dé**rang**er	**comm**encer
insister	re**comm**encer
persister	s'é**tabli**r
persistant	un é**tabli**ssement
consister	
consistant	con**somm**er
acheminer	la con**somm**ation
grincer	**bouill**ir
agacer	**bouill**ant
se gra**tt**er	une **bouill**ie
	cha**touill**er

1. **Écrivez les mots qui ont une double consonne.**

2. **À quels verbes rattacher ces noms ?**
Rang, grattoir, grincement, établissement, chemin, bouillie.

3. **Écrivez les adjectifs qui ont le suffixe -ant.**

4. **Relevez cinq mots avec des préfixes différents.**

155

	avoir		être		faire
j'	eus	je	fus	je	fis
tu	eus	tu	fus	tu	fis
il	**eut**	il	**fut**	il	**fit**
nous	eûmes	nous	fûmes	nous	fîmes
vous	eûtes	vous	fûtes	vous	fîtes
ils	**eurent**	ils	**furent**	ils	**firent**
	dire		vouloir		aller
je	dis	je	voulus	j'	allai
tu	dis	tu	voulus	tu	allas
il	**dit**	il	**voulut**	il	**alla**
nous	dîmes	nous	voulûmes	nous	allâmes
vous	dîtes	vous	voulûtes	vous	allâtes
ils	**dirent**	ils	**voulurent**	ils	**allèrent**
	voir		savoir		venir
je	vis	je	sus	je	vins
tu	vis	tu	sus	tu	vins
il	**vit**	il	**sut**	il	**vint**
nous	vîmes	nous	sûmes	nous	vînmes
vous	vîtes	vous	sûtes	vous	vîntes
ils	**virent**	ils	**surent**	ils	**vinrent**
	prendre		devoir		mettre
je	pris	je	dus	je	mis
tu	pris	tu	dus	tu	mis
il	**prit**	il	**dut**	il	**mit**
nous	prîmes	nous	dûmes	nous	mîmes
vous	prîtes	vous	dûtes	vous	mîtes
ils	**prirent**	ils	**durent**	ils	**mirent**

À RETENIR

■ Les verbes au **passé simple** expriment des actions passées, qui ont duré un temps limité ou qui se sont produites à un moment précis.

467 Observez le tableau de conjugaison, puis répondez.

1. Quelle est la caractéristique des deux premières personnes du pluriel ?

2. Quel verbe ne se termine pas par la même lettre que les autres, à la première personne du singulier ?

3. *Ils furent* : est-ce le verbe *faire* au passé simple ?

4. *Ils durent* : est-ce le verbe *durer* au passé simple ?

5. Quel verbe a une orthographe qui ne correspond pas
à sa prononciation ?

Corrigé p. 237   .../10

---

468 >

**Écrivez les verbes au passé simple, à la 1ʳᵉ et à la 3ᵉ personne
du singulier.**

Ce jour-là...
savoir la leçon
faire un portrait
se dire satisfait

prendre le train
mettre une casquette
vouloir la paix
devenir célèbre

avoir peur
le voir de loin
être heureux

.../10

---

469 »

Écrivez les verbes en italique au passé simple.

Ce soir-là, ils *(venir)* chez moi. • Ma sœur ne *(tenir)* pas sa promesse. •
Les gens ne le *(voir)* pas arriver. • Nous *(être)* très étonnées de son
absence. • Mon frère *(devoir)* courir pour me rattraper. • Personne
ne *(refaire)* les calculs. • Le voyageur *(s'en aller)* sur la piste. •
L'un des enfants *(prendre)* la parole et tous *(se mettre)* à applaudir. •
(Parvenir)-tu à le convaincre ?

Corrigé p. 237   .../10

---

470 »

Écrivez les verbes en italique au passé simple.

Quand on *(apprendre)* la nouvelle, il était minuit. • Nous *(avoir)*
de la chance. • On lui *(pardonner)* son échec. • Elle *(admettre)*
les faits. • Elle *(pouvoir)* se libérer facilement. • Vous *(être)* en
tête jusqu'à la fin de la course. • Il pleuvait, alors je *(prendre)*
un parapluie. • Vous *(devoir)* intervenir en catastrophe. •
Ils *(vouloir)* goûter la tarte. • À dater de ce jour, nous *(savoir)*
à quoi nous en tenir.

.../10

---

471 »

À SAVOIR

aligner
un **align**ement

une mé**th**ode
    mé**th**odiquement

immédiat
immédiatement

   licencié
un licenci**ement**

   dévoué
le dévou**ement**

un é**cue**il
un re**cue**il

o**uï**r

certes

exiger
exi**ge**ant

d'ailleurs

des **h**aillons

interne
externe

1. Relevez les mots invariables.

2. Écrivez les synonymes de : entendre,
guenilles, renvoyé, réclamer, sur-le-champ,
ouvrage, bien sûr, obstacle, intérieur.

3. Écrivez les noms. Lesquels
correspondent à un verbe ?

4. Quels mots ont toujours un s final ;
un h ; le son /ø/ écrit ue ; un tréma ?

Tout à coup, le téléphone sonna.

	-er	-ir, -oir, -re		tenir, venir et leurs composés
je	_ai	_is	_us	_ins
tu	_as	_is	_us	_ins
il	_a	_it	_ut	_int
nous	_âmes	_îmes	_ûmes	_înmes
vous	_âtes	_îtes	_ûtes	_întes
ils	_èrent	_irent	_urent	_inrent

À RETENIR

- Au passé simple, les verbes en **-er** se terminent toujours par :
  -ai, -as, -a, -âmes, -âtes, -èrent.
- Les autres verbes se terminent par :
  -is, -is, -it, -îmes, -îtes, -irent ou **-us, -us, -ut, -ûmes, -ûtes, -urent.**
- *Tenir, venir* et les verbes de leur famille se terminent par :
  -ins, -ins, -int, -înmes, -întes, -inrent.

472 ▶ **Complétez le tableau en écrivant ces verbes au passé simple.**

donner, conduire, porter, inscrire, arriver, connaître, décider, tenir, craindre, courir, ressentir, se souvenir.

INFINITIF	je ...**ai** il ...**a**	je ...**is** il ...**it**	je ...**us** il ...**ut**	je ...**ins** il ...**int**
donner	je donn**ai** il donn**a**			
conduire		je conduis**is** il conduis**it**		
...				

Corrigé p. 237 .../10

473 ▶ **Écrivez ces verbes au passé simple, à la 1ʳᵉ et à la 3ᵉ personne du singulier.**

demander, cueillir, finir, examiner, prévenir, vivre, éteindre, apparaître, boire, soutenir.

.../10

474 »

Complétez les verbes au passé simple.

Le choc produi... un bruit musical. • C'est le gardien qui descend... le premier. • On command... une pizza au fromage. • Le loup dispar... comme il était venu. • Hélène aperc... son petit carnet sur la table, le sais... promptement et le gliss... dans sa poche. • Il arriv... en courant, frapp... à la porte, puis repart... quelques minutes plus tard avec le colis à poster.   Corrigé p. 237   .../10

475 »»»

Écrivez les verbes en italique au passé simple.

Je *(rester)* seul, assis sur un tronc d'arbre. • Il *(écrire)* quelques mots sur le livre. • Elle ne le *(reconnaître)* pas. • Ce colis me *(parvenir)* un mois plus tard. • Il *(s'allonger)* sur le canapé. • Ils m'*(envoyer)* les livres le lendemain. • On *(croire)* d'abord qu'il s'agissait d'une antilope. • Les villageois le *(recevoir)* à bras ouverts. • Je *(compter)* très vite jusqu'à cent. • Les motards *(poursuivre)* la voiture jusqu'au péage de l'autoroute.   .../10

476 »»»

Écrivez les verbes en italique au passé simple.

Il ne *(se rendre)* pas compte de ce qui lui arrivait. • Nous *(perdre)* la partie. • Les juniors *(battre)* le club adverse le 2 juin dernier. • Nous *(tressaillir)* au hululement d'une chouette. • Il *(se vêtir)* de blanc et *(chausser)* des bottes. • Nous *(combattre)* avec acharnement. • L'affaire *(se conclure)* dans la joie. • Vous lui *(reprocher)* vivement son attitude. • Savez-vous ce qu'il *(advenir)* de lui ?   Corrigé p. 237   .../10

477 » À SAVOIR

ac**cl**amer
l'ac**cl**amation
recom**mand**er
une recom**mand**ation
enregistrer
man**œu**vrer
une man**œu**vre
préo**cc**uper
une préo**cc**upation
une préc**au**tion

ample
amplifier
tre**ss**aillir
ensevelir
disper**s**er
imiter
une imitation
pré**céd**er
déla**i**sser
fréqu**en**ter

1. Six verbes ont un nom terminé par -ation dans leur famille. Lesquels ?

2. Écrivez les synonymes de : copier, conseiller, éparpiller, augmenter, enfouir, applaudir, sursauter.

3. Écrivez cinq mots qui ont des préfixes différents.

Passé simple
ou imparfait de l'indicatif

À ce moment précis...

Je partis, je courus, puis je m'arrêtai.

Je partais, je courais, puis je m'arrêtais.

Souvent...

À RETENIR

- **Le passé simple** exprime une action passée qui s'est produite à un moment précis ou qui a duré un temps limité.

- **L'imparfait** de l'indicatif marque une action passée, qui a duré ou qui s'est répétée, et dont on ne connaît ni le début, ni la fin.

---

478 > **Un même verbe peut être à l'imparfait ou au passé simple, selon le sens de la phrase. Choisissez chaque fois le temps qui convient.**

- Paul *(arriver)* toujours vers huit heures. Ce jour-là, il *(arriver)* en retard.
- Tout à coup, la porte *(s'ouvrir)* brutalement et le directeur *(entrer)*. D'habitude, chaque fois que le directeur *(entrer)*, il *(ouvrir)* la porte doucement.
- Ce matin-là, le funiculaire *(démarrer)* lentement, puis *(s'arrêter)* soudain sans prévenir. Le funiculaire *(démarrer)* toujours lentement, puis *(s'arrêter)* parfois sans prévenir.   Corrigé p. 238   .../10

479 > **Écrivez les verbes en italique à l'imparfait ou au passé simple de l'indicatif, selon le sens.**

Depuis que mes parents *(se passionner)* pour l'élevage de poissons, notre chat *(avoir)* un sommeil agité. Le pauvre *(passer)* des heures à regarder ces petites bêtes à nageoires. Elles *(hanter)* ses rêves. Ce soir-là, je le *(voir)* qui *(dormir)* paisiblement quand, soudain, il *(se dresser)* d'un bond sur ses pattes et *(regarder)* autour de lui. Il *(rester)* ainsi un long moment, hésitant, puis il *(se recoucher)* en tournant le dos à l'aquarium.   .../10

480 »

Écrivez les verbes au passé simple ou à l'imparfait de l'indicatif.

Le gardien *(enfiler)* un ciré sur son chandail usé, *(mettre)* ses bottes et *(sortir)* du phare. Le vent *(demeurer)* violent, mais il ne *(pleuvoir)* pas. Le sentier qui *(longer)* la falaise le *(conduire)* jusqu'à une passerelle suspendue qui *(se balancer)* au gré des rafales. Il n'*(hésiter)* pas avant de s'y engager, malgré les vagues qui *(déferler)* cinquante mètres plus bas.   Corrigé p. 238   .../10

481 »

Écrivez les verbes au passé simple ou à l'imparfait de l'indicatif.

La piste *(être)* maintenant mouillée, mais le soleil *(briller)* et Julio *(aimer)* ce temps favorable aux bons pilotes. Soudain, un morceau de ferraille *(surgir)* devant lui, *(heurter)* son engin et le *(déséquilibrer)*. Quelques gestes précis dans l'urgence et le bolide *(déraper)*, puis *(reprendre)* sa trajectoire. Au tour suivant, Julio *(apercevoir)* la voiture d'un concurrent. Des mécaniciens l'*(entourer)*.   .../10

482 »»

Écrivez les verbes au passé simple ou à l'imparfait de l'indicatif.

J'avais un corbeau apprivoisé, si malin qu'on l'*(appeler)* « Diable noir ». Le chien du voisin *(essayer)* toujours de lui donner des coups de dents. Un jour, le corbeau *(se percher)* sur une branche pour observer le chien qui *(aboyer)* de toutes ses forces, puis il *(s'envoler)*, *(se poser)* dans un champ et *(revenir)* dans son arbre. S'avançant à petits sauts sur sa branche, il *(se placer)* juste au-dessus du chien, *(ouvrir)* son bec et *(laisser)* tomber un petit caillou vengeur.   Corrigé p. 238   .../10

483 »

À SAVOIR

op**pos**er	em**ball**er
une op**pos**ition	se blo**tt**ir
as**somm**er	gre**lott**er
en**flamm**er	**sc**intiller
s'im**pat**ienter	un **sc**élérat
honorer	pé**till**er
honorable	pé**till**ant
l'**honn**eur	**cue**illir
immense	la **cue**illette
un **im**meuble	un adole**sc**ent

1. Trouvez les synonymes de : briller, enrouler, ramassage, s'agacer, frissonner, traître.

2. Quels mots ont deux m ; deux t ; deux n ; deux l avec le son /l/ ?

3. Relevez les mots qui ont le son /s/. Comment s'écrit-il chaque fois ?

4. Relevez les mots de la famille de : flamme, sommeil, patient, poser.

	avoir		aller		savoir
j'	aurai	j'	irai	je	saurai
tu	auras	tu	iras	tu	sauras
il	aura	il	ira	il	saura
nous	aurons	nous	irons	nous	saurons
vous	aurez	vous	irez	vous	saurez
ils	auront	ils	iront	ils	sauront
	être		faire		mettre
je	serai	je	ferai	je	mettrai
tu	seras	tu	feras	tu	mettras
il	sera	il	fera	il	mettra
nous	serons	nous	ferons	nous	mettrons
vous	serez	vous	ferez	vous	mettrez
ils	seront	ils	feront	ils	mettront
	cueillir		venir		prendre
je	cueillerai	je	viendrai	je	prendrai
tu	cueilleras	tu	viendras	tu	prendras
il	cueillera	il	viendra	il	prendra
nous	cueillerons	nous	viendrons	nous	prendrons
vous	cueillerez	vous	viendrez	vous	prendrez
ils	cueilleront	ils	viendront	ils	prendront
	pouvoir		voir		courir
je	pourrai	je	verrai	je	courrai
tu	pourras	tu	verras	tu	courras
il	pourra	il	verra	il	courra
nous	pourrons	nous	verrons	nous	courrons
vous	pourrez	vous	verrez	vous	courrez
ils	pourront	ils	verront	ils	courront

À RETENIR

■ Les verbes au **futur** expriment des actions qui n'ont pas encore eu lieu au moment où l'on parle, ou qui auront très probablement lieu dans le futur.

484 **Écrivez les verbes en italique à la 2ᵉ personne du singulier du futur.**

savoir lire, *devenir* professionnel, *admettre* son erreur, *refaire* l'exercice, *cueillir* des cerises, *pouvoir* le faire, *revoir* ses amis, *comprendre* la notice, *être* fier, *aller* à la piscine.   Corrigé p. 238   .../10

485 **Observez le tableau de conjugaison p.162, puis répondez.**

1. *Courir* est-il le seul verbe à s'écrire avec deux **r** au futur ?

2. *Il sera* est-il une forme du verbe *savoir* ?

3. Le verbe *faire* change-t-il son radical quand on le conjugue au futur ? Justifiez votre réponse.

4. Le verbe *aller* garde-t-il le radical de l'infinitif ?

5. Entend-on le son /i/ dans la conjugaison de *cueillir* ?

Corrigé p. 238   .../10

486 **Écrivez les verbes en italique au futur de l'indicatif.**

Nous *(émettre)* sur 97.6 MHz. • Après avoir mangé ces gaufres, ils *n'(avoir)* plus faim ! • Vous ne *(se méprendre)* pas sur ses intentions. • Il *(recourir)* sans doute à un emprunt pour acheter sa voiture. • Je ne *(pouvoir)* que vous répéter ce qu'il a dit. • Ces nœuds sont solides, ils ne se *(défaire)* pas. • Ma sœur *(recueillir)* sans hésiter ce chien abandonné. • Tu te *(compromettre)* avec ce chenapan. • La vie *(redevenir)* calme après la fête. • Vous ne *(savoir)* pas répondre si vous ne travaillez pas davantage.   Corrigé p. 238   .../10

487 **Réécrivez ce texte en remplaçant Chaque matin par L'été prochain, et en utilisant le futur de l'indicatif.**

Chaque matin, Zoé va chez ses cousins. Comme d'habitude, elle est prête avant moi. Elle fait le chemin à pied et prend le sentier qui longe la rivière. Elle cueille des mûres. Moi, je suis en retard, bien entendu. Je cours pour la rattraper. Quand je la vois enfin, elle me fait signe. Ma tante vient parfois à notre rencontre.   .../10

À SAVOIR

488

la mécanique
une caractéristique
la reno**mm**ée
la médi**terr**anée
la méta**ll**urgie
extr**ê**me
extr**ê**mement
une évid**ence**
une expéri**ence**

é**tin**celer
é**tin**celant
accabler
accablant
une orn**ière**
une fourmil**ière**
un **moll**usque
un interva**ll**e
une re**ss**ource

1. Relevez les mots de la famille de : métal, étincelle, fourmi, caractère, nom, mou (molle).

2. Écrivez les mots qui ont une double consonne ; un accent grave ; un accent circonflexe.

3. Trouvez les mots qui ont le même radical que : terrain, métallique, nommer.

Plus tard, si je peux, je serai guitariste.

je	**__rai**
tu	**__ras**
il	**__ra**
nous	**__rons**
vous	**__rez**
ils	**__ront**

⚠ **e muet**

je joue**r**ai
j'étudie**r**ai

⚠ **deux r**

je pou**rr**ai
je cou**rr**ai
je ve**rr**ai
j'enve**rr**ai...

À RETENIR

■ Les terminaisons du futur de l'indicatif sont les mêmes pour tous les verbes : **-rai, -ras, -ra, -rons, -rez, -ront.**

■ Les verbes réguliers terminés par **-er** et par **-ir** gardent l'infinitif entier dans la conjugaison.

■ Six verbes s'écrivent avec **deux r** au futur de l'indicatif : *pouvoir, voir, envoyer, courir, mourir, acquérir.*

489 >
Complétez les verbes au futur de l'indicatif.

Je t'appell... demain. • Corrig...-tu ton devoir ? • Ces fleurs plair... à ma mère. • Tu pai... avec ta carte bancaire. • Faute de soins, cet oiseau blessé mour... . • Qui viv..., ver... . • On tri... les dossiers demain. • On emploi... ce nouvel outil. • Ce soir, tu balai... la classe.

Corrigé p. 238   .../10

490 >
Écrivez ces verbes à la 1ʳᵉ et à la 3ᵉ personne du singulier du futur.

vouloir, promettre, recevoir, emmener, apprécier, sourire, devoir, oublier, découvrir, s'instruire.   .../10

491 >
Écrivez les verbes en italique au futur de l'indicatif.

Je le *(revoir)* l'an prochain. • On *(constituer)* une équipe de basket. • Vous *(parcourir)* son article tout à l'heure et nous *(étudier)* son point de vue. • Tu *(plier)* la carte routière. • Je me *(battre)* jusqu'au bout. • Ils *(se dévouer)* sans doute. • Elle *(revenir)* vers six heures. • Le président *(serrer)* ensuite la main des invités. • Il *(partir)* par le dernier avion.

Corrigé p. 238   .../10

492 Écrivez l'infinitif de ces formes verbales.

>>

il *s'écriera*, ils *décriront*, il *lira* ce roman, il *cirera*, il *reliera* ce livre,
il *saura*, je *lierai*, nous *écrirons*, il *sera* là, tu *scieras*.

Corrigé p. 238   .../10

493 Écrivez les verbes en italique au futur de l'indicatif.

>>

Vous *(vérifier)* la pression des pneus. • Je *(s'associer)* avec lui
et nous *(créer)* une entreprise. • Ces mesures *(contribuer)* au
développement économique du pays. • Je vous *(avouer)* que je n'en
sais rien.

Corrigé p. 238   .../10

494 Écrivez les verbes en italique au futur de l'indicatif.

>>

Ils *(émigrer)* au Canada l'an prochain. • Quand *(essayer)*-vous
la nouvelle voiture ? • Pensez-vous qu'il *(acquérir)* ce terrain et
y *(construire)* sa maison ? • Soyez certain que nous le *(convaincre)*. •
On le *(remercier)* chaleureusement. • Tu lui *(confier)* ce secret. •
J'*(apprécier)* beaucoup s'il nous prévient. • Nous *(blanchir)* les murs
de la salle. • Ce maillot *(déteindre)* si vous le lavez à l'eau trop
chaude.

.../10

495 Remplacez Hier par Demain, puis réécrivez ce texte en utilisant
le futur.

>>>

Hier, il ne tenait pas en place. Il préparait tout son matériel
de randonnée, vérifiait son appareil photo, comptait son argent
de poche, promettait d'écrire à ses parents, téléphonait à ses
copains et justifiait son activité fébrile par le souci de ne rien
oublier. Il rêvait tout haut, priait le vent de chasser les nuages
et suppliait la pluie de calmer le vent.

.../10

496

>

rire	**pro**mettre
sourire	**sou**mettre
dire	l'odora**t**
maudire	un passepor**t**
un me**ts**	un extra**it**
g**ê**ner	l'int**érêt**
g**ê**nant	int**é**resser
un clignotant	int**é**ressant
verd**oy**ant	un **ai**mant
éc**œu**rant	un commer**ç**ant

1. Relevez les mots de la famille de :
cœur, dire, rire, mettre, aimer,
passer, gêne.

2. Quels mots font penser à ces noms ?
Lumière, nez, fer, boutique, couleur.

**3. Quels noms se terminent
par une lettre muette ?**

4. Quels mots ont un accent circonflexe ?

avoir		être		finir	
j'	ai eu	j'	ai été	j'	ai fini
tu	as eu	tu	as été	tu	as fini
il	a eu	il	a été	il	a fini
nous	avons eu	nous	avons été	nous	avons fini
vous	avez eu	vous	avez été	vous	avez fini
ils	ont eu	ils	ont été	ils	ont fini
mettre		**prendre**		**dire**	
j'	ai mis	j'	ai pris	j'	ai dit
tu	as mis	tu	as pris	tu	as dit
il	a mis	il	a pris	il	a dit
nous	avons mis	nous	avons pris	nous	avons dit
vous	avez mis	vous	avez pris	vous	avez dit
ils	ont mis	ils	ont pris	ils	ont dit
voir		**pouvoir**		**savoir**	
j'	ai vu	j'	ai pu	j'	ai su
tu	as vu	tu	as pu	tu	as su
il	a vu	il	a pu	il	a su
nous	avons vu	nous	avons pu	nous	avons su
vous	avez vu	vous	avez pu	vous	avez su
ils	ont vu	ils	ont pu	ils	ont su
aller (sujet masculin)		**aller** (sujet féminin)		**écrire**	
je	suis allé	je	suis allée	j'	ai écrit
tu	es allé	tu	es allée	tu	as écrit
il	est allé	elle	est allée	il	a écrit
nous	sommes allé**s**	nous	sommes allé**es**	nous	avons écrit
vous	êtes allé**s**	vous	êtes allé**es**	vous	avez écrit
ils	sont allé**s**	elles	sont allé**es**	ils	ont écrit
venir (sujet masculin)		**venir** (sujet féminin)		**faire**	
je	suis venu	je	suis venu**e**	j'	ai fait
tu	es venu	tu	es venu**e**	tu	as fait
il	est venu	elle	est venu**e**	il	a fait
nous	sommes venu**s**	nous	sommes venu**es**	nous	avons fait
vous	êtes venu**s**	vous	êtes venu**es**	vous	avez fait
ils	sont venu**s**	elles	sont venu**es**	ils	ont fait

À RETENIR

■ **Le passé composé** indique qu'une action a eu lieu dans le passé. Il est formé d'un **auxiliaire** (*avoir* ou *être*) au présent de l'indicatif, suivi du **participe passé** du verbe conjugué.

497 Observez le tableau de conjugaison p.166, puis répondez.

1. Le passé composé est-il un temps qui est composé d'un auxiliaire et d'un participe passé ?
2. À quel temps est l'auxiliaire d'un passé composé ?
3. L'auxiliaire du passé composé est-il toujours *avoir* ?
4. Le participe passé d'un passé composé est-il invariable ?
5. *M. Delile, êtes-vous venu, hier ?* Cette phrase est-elle bien orthographiée ? Dites pourquoi.   Corrigé p. 238 …/10

498 Écrivez ces expressions aux premières personnes du singulier et du pluriel du passé composé.

Dire la vérité • être raisonnable • prendre un cachet • partir en courant • avoir du courage • savoir écouter • aller au marché • voir la mer • donner un ordre • faire vite.   …/10

499 Écrivez les verbes en italique au passé composé.

Hier, ils *(être)* sages. • Il *(pouvoir)* rentrer avant la nuit. • Elles *(aller)* à Nancy, elles reviendront demain. • Je *(savoir)* écrire ce mot difficile. • Nous *(prendre)* la route de Sète au lieu de celle de Nîmes. • Elle *(avoir)* envie de visiter l'atelier. • On lui *(faire)* croire que c'était vrai. • Nous *(dire)* ce que nous pensions. • Il *(voir)* un léopard. • Hier, ils *(venir)* chez moi.   Corrigé p. 238 …/10

500 Reconstituez dix formes verbales au passé composé.

ils ont	ils sont	all-		-és	-ue
elle a	nous avons	ét-	fin-	-u	-é
nous sommes	elle est		ven-	-ée	-i

…/10

501

excepté
une exception
à proximité
l'alcool
   alcoolique
se renseigner
un renseignement
ensoleillé

attrister
s'attarder
accaparer
pareil
un appareil
un appel
se rappeler
épeler

1. Relevez les contraires de : différent, au loin, oublier, réjouir, se dépêcher, ombragé, partager.

2. Écrivez les mots commençant par ac-, at-, ap-, ép-. Que remarquez-vous ?

3. Quels mots s'écrivent avec deux o ; avec xc ; avec ité ?

4. Relevez les noms désignant : un liquide, une information, une machine.

> Je suis arrivé.
> J'ai atterri
> il y a dix minutes.

avoir au présent	+ participe passé	être au présent	+ participe passé
j' **ai**	atterri	je **suis**	arrivé
tu **as**	___i	tu **es**	___é
il **a**	___i	il **est**	___é
nous **avons**	___i	nous **sommes**	___és
vous **avez**	___i	vous **êtes**	___és
ils **ont**	___i	ils **sont**	___és

⚠ Accord avec le sujet.

À RETENIR

- ■ **Le passé composé** est formé d'un auxiliaire (*avoir* ou *être*) au présent de l'indicatif, suivi du participe passé d'un verbe.
- ■ L'auxiliaire porte les marques de la conjugaison. Le participe passé peut porter le **e** du féminin et le **s** du pluriel, en cas d'accord.

502 › Quels verbes sont conjugués au passé composé ? Écrivez-les.

Un avion atterrissait toutes les minutes. • Son avion a atterri en retard. • Sa sœur est née hier. • J'ai toujours aimé le jazz. • On l'aurait approuvé. • Le guide a regroupé les voyageurs. • Des noyaux avaient bouché le siphon. • Le temps s'est adouci. • L'aurait-il déjà interrogé ? • As-tu déjeuné ? • Nous ne serons pas les derniers. • L'avez-vous aperçu ? • Les fruits ont mûri plus tôt cette année. • Elle m'avait convaincu. • Il a ôté son casque et l'a posé à ses pieds.   Corrigé p. 238 …/10

503 › Écrivez les verbes en italique au passé composé.

La pluie *(occasionner)* un embouteillage. • L'eau *(jaillir)* au pied de la paroi. • L'entraîneur *(rassembler)* les joueurs. • On *(chercher)* l'adresse d'un site. • Le public *(applaudir)* longuement la cantatrice. • Nous *(recevoir)* sa réponse. • Ils *(dresser)* le chapiteau sur la place. • Vous *(s'établir)* près de Nice, M. Dubois ? • Nous *(s'efforcer)* d'écouter patiemment. • Les syndicats *(débattre)* des conditions de l'accord.
                    Corrigé p. 238 …/10

504 Réécrivez ce texte en utilisant le passé composé.

Quelque chose remua sous la commode de la chambre. Le chat fit un bond, puis s'immobilisa. Soudain une ombre gris bleuté lui fila sous le nez et disparut sous le lit. Le chat ne bougea pas, juste un frémissement, presque imperceptible. Soudain, il leva la patte avant droite, en arrêt. L'ombre revint d'un coup, sauta par-dessus la queue du chat qui disparut de la pièce, vexé par les facéties de mon lapin nain.   .../10

505 Réécrivez ces phrases en remplaçant les formes peu utilisées du passé simple par les formes plus fréquentes du passé composé.

Ex. : *Grelottâtes-vous ?* → *Avez-vous grelotté ?*

Nous fîmes ce que nous pûmes. • Nous allâmes au théâtre. • Vaccinâtes-vous les enfants ? • Nous courûmes pour monter dans le bus. • Nous cueillîmes des cerises. • Comment démêlâtes-vous le vrai du faux ? • Pourquoi pâlîtes-vous ? • Nous acclamâmes les joueurs. • Qu'en pensâtes-vous ?   Corrigé p. 238   .../10

506 Parmi ces verbes, choisissez-en cinq, puis écrivez-les au passé composé, dans une courte phrase de votre choix.

enregistrer, se blottir, exclure, sculpter, connaître, aligner, suffire, rôder, flairer, vivre.   .../5

507

quelconque	une **sph**ère	
quiconque	un hémi**sph**ère	
quelque**fois**	l'atmo**sph**ère	
toute**fois**	boiteux	
autre**fois**	coller	
supporter	recoller	
supportable	décoller	
in**sup**portable	collant	
ex**cept**ionnel	un quartier	
au préalable	**in**habité	
un par**terre**	**in**attendu	
international	**in**achevé	

1. **Écrivez les mots de la famille de :** terre, boiter, quart, fois, habiter, nation, exception, sphère.

2. **Quels mots ont** le préfixe in- ?

3. **Écrivez les contraires de :** habité, attendu, après, ordinaire, achevé, supportable, coller.

4. **Relevez les synonymes de :** parfois, infernal, il y a longtemps, n'importe qui, avant tout, globe, poisseux.

169

Infinitifs	Temps simples	Temps composés
	présent ⟷	*passé composé*
avoir	j'ai	j'ai eu
être	je suis	j'ai été
faire	je fais	j'ai fait
prendre	je prends	j'ai pris
aller	je vais	je suis allé(e)
venir	je viens	je suis venu(e)
	imparfait ⟷	*plus-que-parfait*
avoir	j'avais	j'avais eu
être	j'étais	j'avais été
faire	je faisais	j'avais fait
prendre	je prenais	j'avais pris
aller	j'allais	j'étais allé(e)
venir	je venais	j'étais venu(e)
	passé simple ⟷	*passé antérieur*
avoir	j'eus	j'eus eu
être	je fus	j'eus été
faire	je fis	j'eus fait
prendre	je pris	j'eus pris
aller	j'allai	je fus allé(e)
venir	je vins	je fus venu(e)
	futur simple ⟷	*futur antérieur*
avoir	j'aurai	j'aurai eu
être	je serai	j'aurai été
faire	je ferai	j'aurai fait
prendre	je prendrai	j'aurai pris
aller	j'irai	je serai allé(e)
venir	je viendrai	je serai venu(e)

À RETENIR

■ Les **temps composés** de l'indicatif sont le passé composé, le plus-que-parfait, le passé antérieur et le futur antérieur.

■ Au **passé composé**, l'auxiliaire est au présent. Au **plus-que-parfait**, l'auxiliaire est à l'imparfait. Au **passé antérieur**, l'auxiliaire est au passé simple. Au **futur antérieur**, l'auxiliaire est au futur simple.

508 **>**

Observez le tableau de conjugaison p.170, puis répondez.

1. Le futur antérieur est-il un temps composé ?
2. Quel temps composé correspond au présent de l'indicatif ?
3. À quel temps est le verbe *aller* dans « *il était allé* » ?
4. À quel temps est le verbe *finir* dans « *vous aurez fini* » ?
5. Aux temps composés, est-ce l'auxiliaire ou le participe passé qui prend les marques de la conjugaison ?   Corrigé p. 238   .../10

509 **>>**

Écrivez l'infinitif de chaque verbe en bleu, puis précisez à quel temps composé il est conjugué.

Ex. : *elles furent descendues* → *descendre, passé antérieur.*

Elle *avait été* très malade à cette époque. • Ils *sont partis* ce matin. • On *sera arrivé* à Paris avant midi. • On l'*a surpris* qui se sauvait. • Il téléphona dès qu'il *eut fini.* • On sait que vous *aurez fait* tout votre possible. • Vous *aviez compris* dès le début. • Il reprit ses esprits dès que nous l'*eûmes réchauffé.* • Elles *ont* tout *défait.* • Vous *serez* sans doute *venus* en voiture.   Corrigé p. 238   .../10

510 **>>**

Écrivez chaque verbe en bleu au temps composé correspondant, sans changer la personne.

Ex. : *Nous riions souvent.* → *Nous* **avions** *souvent* **ri**.

Tu *prendras* le volant. • Elle *était* végétarienne. • Elles *savaient* leur leçon. • Vous le *voyez.* • Nous *étudiions* l'astronomie. • On *tentera* l'impossible. • Il *se promenait* souvent seul le soir. • Tu n'*éteignais* pas. • Ils *examinaient* la harpe. • On *essuyait* la buée.   .../10

511 **>>**

parfois	un avantage
une grue	tout à coup
te**ll**ement	un petit pois
davantage	un poi**ds** lourd
la plu**part**	un pan de mur
une cou**rr**oie	une par**oi**
une boiserie	une trib**u**
une **fol**ie	un son
s'af**fol**er	ré**sonn**er

1. **Relevez les noms féminins.**
2. **Écrivez les mots de la famille de :** folie, son, bois, fois, partie.
3. **Écrivez les synonymes de :** groupe, bénéfice, camion, s'inquiéter, tant, soudain, plus.
4. **Relevez les mots qui évoquent :** un légume, la construction, la montagne, une société, la mécanique.

Les participes passés terminés par -i, -is, -it

AUXILIAIRE	+	PARTICIPE PASSÉ

avoir
ou $\quad$ + V— is
être $\qquad$ it

avoir $\rightarrow$ i $\qquad$ une course **qui est** finie
ou $\quad$ + V— is $\qquad$ une chose **qui est** mise
être $\qquad$ it $\qquad$ une carte **qui est** écrite

■ La fin d'un participe passé en /i/ peut s'écrire **i**, **is** ou **it**.

■ Si on hésite, il suffit de mettre le participe passé dans une expression au féminin. Un participe passé en **-is** ou **-it** fait entendre un féminin en **-ise** ou en **-ite**.

---

512 **Complétez ces expressions au féminin.**

Une personne assi... dans un fauteuil • une bête mi... en cage • une chose pri... par erreur • une chose di... à voix basse • une phrase écri... au stylo • une maison construi... en briques • une voiture condui... avec aisance • une émission transmi... par satellite • une chose interdi... par la loi • une personne inscri... sur la liste électorale. $\hfill$ Corrigé p. 238 $\quad$ .../10

513 **Complétez les participes passés par i, is ou it.**

Elle a établ... un nouveau record. • La loi a interd... de fumer dans les lieux publics. • Ils ont rempl... les verres de jus de fruit. • Il a comm... une infraction. • Il a encore condu... trop vite. $\hfill$ Corrigé p. 238 $\quad$ .../10

514 **Complétez les participes passés par i, is ou it.**

Les spéléologues n'ont pas dorm... à cause de l'orage. • On l'a pr... la main dans le sac. • Elle m'a écr... la semaine dernière. • Ces élèves ont beaucoup grand... pendant les vacances. • Nous avons adm... son point de vue. $\hfill$ .../10

515 ›› **Écrivez les participes passés de ces verbes en trois groupes, selon qu'ils se terminent par i, is ou it. Mais il y a un intrus !**

comprendre, introduire, trahir, produire, fleurir, s'instruire, permettre, entreprendre, jaunir, conquérir, resplendir, sourire, apercevoir, surprendre, choisir, poursuivre, déduire, réussir, prescrire, acquérir.

Corrigé p. 238 .../10

516 ›› **Écrivez les participes passés des verbes en italique.**

Il a *(souscrire)* une assurance sur la vie. • Elles ont *(admettre)* mon point de vue. • Je crains que cette imprimante n'ait pas correctement *(reproduire)* les couleurs. • L'assistance a bien *(comprendre)*. • Elle lui a gentiment *(sourire)*. • Avez-vous *(transmettre)* mon message ? • Dès qu'il fut *(partir)*, on commença à le regretter. • Il sortit dès qu'il eut *(finir)*. • Elle avait tout *(prédire)* ! • Les mauvaises herbes ont *(envahir)* le jardin. .../10

517 ››› **Écrivez ces phrases en complétant avec les participes passés des verbes sur fond vert.**

> traduire   réunir   garnir   prescrire   grandir   dormir
> ressortir   apprendre   omettre   conduire

Il est ... par la grande porte. • C'est elle qui a ... ce livre anglais. • Il n'a pas très bien ... cette nuit. • Le rôle fut ... par tous les acteurs. • Le médecin a ... un antibiotique. • Les délégués ont ... le comité d'entreprise. • Le coupable fut aussitôt ... en prison. • Elle a ... le gâteau avec du chocolat. • On a ... de lui demander son avis. • Votre fils a beaucoup ... depuis l'an dernier. .../10

518 ›› À SAVOIR

une dem**an**de	frotter
dem**an**der	un déba**t**
la musique	un syndica**t**
un musi**c**ien	
une nuan**c**e	un assau**t**
la connaiss**ance**	un occupant
l'assist**ance**	engourdir
une conten**ance**	g**â**ter
la ressembl**ance**	rel**â**cher
	p**â**lir

1. Relevez les verbes, puis écrivez leur participe passé.

2. Quels noms correspondent à ces verbes ?
Demander, ressembler, connaître, assister, débattre, contenir, occuper.

3. Quels noms désignent une personne ; un groupe de personnes ?

4. Quels mots ont un t muet ; un accent circonflexe ?

173

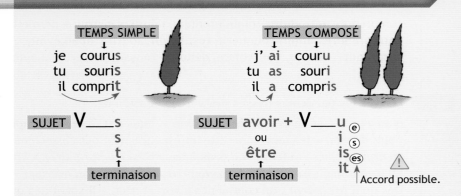

À RETENIR

- À un **temps simple**, le verbe porte lui-même les marques de la conjugaison.
- À un **temps composé**, le verbe est au participe passé. C'est l'auxiliaire (*avoir* ou *être*) qui porte les marques de la conjugaison.

519 Dites si chaque mot en bleu est un verbe à un temps simple ou le participe passé d'un temps composé. Écrivez chaque fois le groupe sujet + verbe.

Il fut évidemment *soumis* à un entraînement intensif. • On lui *remit* la médaille d'or. • Cela ne devrait pas être *permis*. • On n'a pas très bien *compris*. • On le *surprit* alors qu'il escaladait le mur. • Ils m'ont volontiers *inscrit* sur la liste. • Cette usine a sans doute *produit* plus de 12 % des véhicules. • Il *réunit* ses collaborateurs. • Je lui *permis* d'entrer dans le laboratoire. • Elle le lui a bien *dit* trois fois !

Corrigé p. 239   …/10

520 Vrai ou faux ? Justifiez vos réponses à l'aide d'un exemple.

1. *Avoir* est le seul auxiliaire des temps composés.
2. Un verbe conjugué à un temps simple n'a pas d'auxiliaire.
3. À un temps composé, c'est l'auxiliaire qui prend les terminaisons de la conjugaison.
4. Un verbe conjugué à un temps simple a une terminaison qui change suivant les personnes de la conjugaison.
5. L'orthographe du participe passé change à la forme interrogative.

…/10

521 ▸ **Complétez les verbes de ces phrases.**

Il parcouru… les couloirs sans rien trouver, repri… son plan et aperçu… enfin ce qu'il cherchait. • Les choses ont dû… se passer ainsi. • Ce sera fini… avant la nuit. • Pierre couru… à la fenêtre et la vue de la neige le rempli… de joie. • Je suis parti… de chez elle vers six heures. • Je te remerci… de m'avoir prêté ton vélo. Cela m'a permi… de gagner du temps. Corrigé p. 239 …/10

522 ▸ **À partir de chaque expression, écrivez une phrase avec le verbe au passé composé, puis la même phrase avec le verbe au passé simple.**

Ex. : *prendre l'avion* → *Arthur **a pris** l'avion pour la première fois.*
*Arthur **prit** l'avion pour la première fois.*

réussir une photo • apercevoir une étoile filante • promettre de rentrer tôt • agir avec sagesse • reconnaître ses torts.
Corrigé p. 239 …/10

523 ▸ **Écrivez les verbes à un temps simple ou à un temps composé.**

Après avoir *(émettre)* le signal qui avait été *(convenir)*, il cacha l'émetteur. • Il n'a pas *(paraître)* surpris par la nouvelle. • Elle a *(décrire)* ce paysage avec talent. • La photo sera plus nette si je la *(réduire)* un peu. • Elle n'a pas *(vouloir)* jouer. • L'homme *(croire)* bien faire. • L'avez-vous *(connaître)* en vacances ? • Le garçon *(disparaître)* derrière la haie. • A-t-il tout *(remettre)* en place après le spectacle ? …/10

524 ▸

un circui**t**	rem**bours**er
un guich**et**	dé**bours**er
ja**pp**er	un parap**et**
heurter	un para**tonn**erre
haleter	bou**le**verser
haletant	re**conn**aissant
sill**onn**er	re**conn**aissable
per**ce**voir	la re**conn**aiss**ance**
un **in**cident	les condolé**ance**s
un **ac**cident	le piment

1. **Écrivez les mots de la famille de :** bourse, connaître, sillon, pimenter.

2. **Relevez les noms désignant :** un garde-corps ; ce qu'on dit lors d'un décès ; un parcours fermé ; une ouverture par où l'on parle ; un parafoudre.

3. **Relevez les verbes signifiant :** toucher brutalement ; respirer vite et avec gêne ; rendre l'argent prêté ; aboyer d'une manière aiguë, émouvoir.

175

Tomi vient pour *quoi fairrre?* chanter.
a envie de
veut

Quoi faire ? V___er

Tomi a chanté.
avoir chanté

avoir
ou + V___é
être

À RETENIR

- Le verbe terminé par **-er** est à l'**infinitif**. Il indique qu'une action vient de se faire, va se faire ou peut se faire.
- Le verbe terminé par **-é** est au **participe passé**. Il est conjugué avec un auxiliaire. Il peut aussi être seul, employé comme un adjectif.

---

525 > **Écrivez toutes les phrases possibles.**

Ex. : *J'ai + joué au tennis.* → *J'**ai** joué au tennis.*

J'ai	J'étais			joué au tennis.
J'aime	Je vais	Nous avions		jouer au tennis.
Je suis	J'espère	On vient de	+	resté au stade.
Il pense	Elle a aussi	Il est en train de		

Corrigé p. 239   .../10

526 > **Complétez ces couples de phrases par é ou par er.**

Il est en train de se repos... .   Il commence à neig... .
Il s'est bien repos... .   Il a neig... toute la nuit.

Elle va entr... en scène.   Avez-vous pay... la facture ?
Il est entr... en scène.   Peux-tu la pay... pour moi ?

Antoine va sans doute se tromp... dans ses calculs.
Cette fois, Antoine ne s'est pas tromp... .   Corrigé p. 239   .../10

527 > **Complétez ces phrases par é ou par er.**

Je n'avais pas encore trouv... la solution. • Elle n'avait pas cess...
de cri... . • Il ne faut pas grogn... . • On a été oblig... d'abandonn...
au troisième tour. • Nous sommes en train de déjeun... . • Son oncle
l'a regard... dîn... sans parl... .   .../10

528 **Complétez ces phrases par é ou par er.**

Dimitry avait travaill... le dimanche pour ne pas s'ennuy... . • Cette comédienne n'a jamais trouv... le temps de se mari... . • Mon père s'était lav..., coiff..., habill... et il venait juste de tout prépar... et de tout rang... quand le téléphone sonna. • Avez-vous pu assist... au match ?

.../10

529 **Complétez ces phrases par é ou par er. Pensez aux accords.**

L'avez-vous autoris... à quitter le collège ? • Où avez-vous appris à si bien vis... ? • Nous n'avons pas prolong... notre séjour, car la rivière était pollu... . • Il s'est fait piqu... par une guêpe et son doigt a beaucoup enfl... . • Elle s'est souvent confi... à lui pendant leur séjour. • Comment avez-vous pu ignor... la nouvelle ? • Il aurait voulu racont... la vérité, avou... qu'il avait été témoin de la bagarre.

Corrigé p. 239   .../10

530 **Réécrivez ce texte en remplaçant On avait par On voulait, puis imaginez une fin.**

On avait tout préparé, planté nos tréteaux sur la place de la mairie, installé les décors, accroché des guirlandes entre les arbres, branché des projecteurs. *On avait* aussi aligné dix rangées de chaises pour les spectateurs, contrôlé la sono, accordé les guitares et les violons, vérifié les costumes, réglé les caméras. Mais...

.../10

531

un a**ci**de	endur**cir**
un **ty**pe	un lyc**ée**
une **sy**llabe	la mo**elle**
un **sym**bole	mo**elle**ux
indulg**ent**	soy**eux**
l'indulg**ence**	od**ieux**
à l'**ai**se	po**llu**er
ais**é**	la po**llu**tion
ais**é**ment	une répara**tion**
l'ais**ance**	une tenta**tion**

1. **Écrivez les mots de la famille de :** dur, réparer, tenter, soie.

2. **Quels noms correspondent à ces verbes ?** Polluer, acidifier, typer.

3. **Relevez les mots :**
• qui ont deux l, un x muet, un y pour le son /i/ ;
• qui sont des adjectifs qualificatifs.

4. **Relevez les synonymes de :** facile, doux, bienveillant, insupportable.

radical →	avan**cer** *avanc-*	bou**ger** *boug-*
présent de l'indicatif	j'avanc**e** nous avan**çons** ils avanc**ent**	je boug**e** nous boug**eons** ils boug**ent**
imparfait de l'indicatif	j'avan**çais** nous avanc**ions** ils avan**çaient**	je boug**eais** nous boug**ions** ils boug**eaient**
passé simple de l'indicatif	j'avan**çai** nous avan**çâmes** ils avanc**èrent**	je boug**eai** nous boug**eâmes** ils boug**èrent**
impératif présent	avanc**e** avan**çons**	boug**e** boug**eons**

À RETENIR

■ Dans les verbes terminés par -**cer**, on ajoute une cédille au **c** du radical avant les terminaisons qui commencent par **a** ou par **o**.

■ Dans les verbes terminés par -**ger**, on ajoute un **e** après le **g** du radical avant les terminaisons qui commencent par **a** ou par **o**.

---

532 ›› **Complétez chaque verbe au temps qui convient.**

Il était deux heures quand la radio annonc... la nouvelle. • J'exerc... déjà ce métier l'an dernier. • Il l'appela et l'interrog... . • Prenez votre compas et trac... un cercle. • Ce soir-là, il y avait tant de monde que nous voyag... debout. Corrigé p. 239 .../10

---

533 ››› **Écrivez chaque verbe en italique au temps qui convient.**

Le bébé *(sucer)* son pouce si on le laissait. • Il *(recommencer)* et trouva la solution. • Hier, il *(forger)* un outil qui ressemblait à une pioche. • Quand j'étais jeune, je *(juger)* sans réfléchir. • Tu *(nager)* mieux l'an dernier. • Ce jour-là, il ne *(ranger)* pas ses outils. • Elle *(s'élancer)* et partit comme une flèche. • Il *(neiger)* pendant trois jours. • Les camions patinaient, *(avancer)* lentement et *(tracer)* de profonds sillons dans la boue. .../10

81 Les verbes en -quer, -guer

radical →	expli**quer** *expliqu-*	navi**guer** *navigu-*
présent de l'indicatif	j'explique nous expliqu**ons** ils expliqu**ent**	je navigue nous naviguons ils navigu**ent**
imparfait de l'indicatif	j'expliqu**ais** nous expliqu**ions** ils expliqu**aient**	je navigu**ais** nous navigu**ions** ils navigu**aient**
passé simple de l'indicatif	j'expliqu**ai** nous expliqu**âmes** ils expliqu**èrent**	je navigu**ai** nous navigu**âmes** ils navigu**èrent**
impératif présent	explique expliqu**ons**	navigue naviguons

À RETENIR

■ Les verbes terminés par -**quer** et par -**guer** gardent leur radical complet dans la conjugaison, même si la terminaison commence par un **a** ou par un **o** : *j'expliquais, nous naviguons.*

534 **Complétez chaque verbe au temps qui convient.**

Je travaillais lentement et m'appliq... beaucoup. • Ce qu'il vit l'intrig... tant, qu'il se risq... à s'en approcher. • Tu nous fatig... de questions auxquelles on ne pouvait répondre. • Elle m'expliq... le problème, mais je ne compris pas. Corrigé p. 239 .../10

535 **Écrivez chaque verbe en italique au temps qui convient.**

Si tu *(élaguer)* la haie et tondais le gazon ? • La nuit tombait et on ne *(distinguer)* plus les visages. • Le sentier *(zigzaguer)* au bord du précipice et elle *(manquer)* soudain de perdre l'équilibre. • Les pompiers *(attaquer)* le feu quand une poutre *(craquer)* et le toit s'effondra. • Le canal *(irriguer)* les arbres qu'on avait plantés. • Les passagers *(dialoguer)* dans une langue qu'il ignorait. • Le vent soufflait et les enfants *(claquer)* des dents. • On le *(critiquer)*, mais il n'en tint pas compte. .../10

	p**ayer**	nett**oyer**	ess**uyer**
présent de l'indicatif	je paie nous payons ils paient	je nettoie nous nettoyons ils nettoient	j'essuie nous essuyons ils essuient
futur de l'indicatif	je paierai nous paierons	je nettoierai nous nettoierons	j'essuierai nous essuierons
conditionnel présent	je paierais nous paierions	je nettoierais nous nettoierions	j'essuierais nous essuierions
impératif présent	paie payons	nettoie nettoyons	essuie essuyons
subjonctif présent	que je paie que n. payions qu'ils paient	que je nettoie que n. nettoyions qu'ils nettoient	que j'essuie que n. essuyions qu'ils essuient

Remarque : les verbes terminés par -**ayer** peuvent garder le **y** dans toute leur conjugaison : *je paye*, *ils payent*, etc.

À RETENIR

■ Dans les verbes terminés par -**yer**, le **y** se change en **i**
à certains temps et à certaines personnes de la conjugaison.

---

536 » Écrivez ces expressions au présent de l'indicatif, à la 3e personne du singulier et à la 3e personne du pluriel.

Balayer le couloir • nettoyer la cuisine • essayer une voiture • essuyer une assiette • renvoyer la balle. Corrigé p. 239   .../10

537 »» Écrivez les verbes au présent ou au futur, suivant le sens.

Je *(payer)* bientôt. • Son chien *(aboyer)* sans doute quand il me verra. • Elle *(s'ennuyer)* souvent le soir. • Il *(employer)* dix ouvriers. • On *(essayer)* à nouveau demain. • Avec quel torchon *(essuyer)*-t-on la vaisselle ? • Les mouettes *(tournoyer)* au-dessus du bateau. • On *(balayer)* la salle tout à l'heure. • Il m'*(effrayer)* avec ses histoires. • D'accord, j'*(envoyer)* la lettre tout de suite. Corrigé p. 239   .../5

83 Les verbes en -eler, -eter

	appeler	jeter	acheter	geler
présent	j'appelle nous appelons ils appellent	je jette nous jetons ils jettent	j'achète nous achetons ils achètent	je gèle nous gelons ils gèlent
imparfait	j'appelais	je jetais	j'achetais	je gelais
passé simple	j'appelai	je jetai	j'achetai	je gelai
futur	j'appellerai	je jetterai	j'achèterai	je gèlerai
passé composé	j'ai appelé	j'ai jeté	j'ai acheté	j'ai gelé
impératif	appelle appelons	jette jetons	achète achetons	gèle gelons

Se conjuguent comme *appeler* : rappeler et comme *jeter* : rejeter, projeter...*	Se conjuguent comme *acheter* et *geler* : déceler, démanteler, haleter, modeler, peler...*

À RETENIR

- Les verbes **appeler**, **jeter** et les verbes de leur famille s'écrivent avec un **e** suivi d'une double consonne pour marquer le son /ɛ/.
- Les verbes **acheter**, **geler** et les verbes de leur famille s'écrivent avec un **è** suivi d'une consonne simple pour marquer le son /ɛ/.

538 » **Écrivez les verbes en italique au futur de l'indicatif.**

On *(congeler)* les poissons en haute mer. • Elles *(appeler)* un taxi. • Elle regardera la photo, puis elle la *(jeter)*. • Vous *(acheter)* un câble pour l'ordinateur. • Tu *(peler)* ta poire avec ce couteau.

Corrigé p. 239 .../10

539 »» **Écrivez les verbes au présent de l'indicatif ou de l'impératif.**

Nous *(renouveler)* votre contrat. • *(Racheter)* cette voiture ! • Avec ce produit, les casseroles *(étinceler)*. • Ne *(cacheter)* pas cette enveloppe. • Il rue quand on l'*(atteler)* à sa carriole. • Pourquoi ne *(projeter)*-tu pas de voyager ? • L'eau *(ruisseler)* sur son visage. • L'érosion *(modeler)* le relief. • La neige (s'*amonceler*) sur le toit. • Ils *(déceler)* de l'inquiétude dans sa voix. .../10

* Cf. page 247.

	Verbes en -tir comme *partir*	Verbes en -tre comme *mettre*	comme *paraître**
présent de l'indicatif	je par**s** tu par**s** il par**t** nous partons...	je met**s** tu met**s** il me**t** nous mettons...	je parais tu parais il paraît n. paraissons...
futur simple de l'indicatif	je partirai tu partiras il partira...	je mettrai tu mettras il mettra...	je paraîtrai tu paraîtras il paraîtra...
conditionnel présent	je partirais tu partirais il partirait...	je mettrais tu mettrais il mettrait...	je paraîtrais tu paraîtrais il paraîtrait...
impératif présent	par**s**, partons, partez	met**s**, mettons, mettez	parais, paraissons...

À RETENIR

- Dans les verbes du 3e groupe terminés par **-tir**, on n'écrit pas le **t** du radical lorsqu'il est muet : *partir → par + terminaison **s** ou **t**.*
- Dans les verbes terminés par **-tre**, comme *mettre ou battre*, on écrit un seul **t** si l'on n'entend pas le son /t/ : *mettre → je mets, il met.*
- Les verbes en **-aître** gardent leur accent circonflexe sur le **i** avant le **t** du radical : *paraître → il paraît, mais il paraissait.**

540 **Écrivez les verbes au futur ou au conditionnel présent.**

Pensais-tu qu'il nous *(mentir)* ? • On la *(garantir)* trois ans. • Nous les *(battre)* en finale. • Ils t'*(avertir)* s'ils pouvaient le faire. • Elle *(apparaître)* au balcon.   Corrigé p. 239   .../10

541 **Écrivez les verbes au présent de l'indicatif ou de l'impératif.**

Je *(sortir)* toujours par la porte de droite. • Je te le répète : *(repartir)* seul, tu *(connaître)* le chemin. • Elle dit qu'elle *(se repentir)*. • Le chien *(disparaître)* dès qu'on l'appelle. • Comment te *(sentir)*-tu ? • Il *(paraître)* que tu *(pressentir)* les catastrophes. • Tu peux le faire, *(consentir)*-lui un prêt de mille euros. • Vous la *(reconnaître)*.   .../10

---

* Cf. page 247.

85 Les verbes fondamentaux à l'impératif présent

avoir	être	faire
aie	sois	fais
ayons	soyons	faisons
ayez	soyez	fai**tes**

aller	voir	venir
va	voi**s**	vien**s**
allons	voyons	venons
allez	voyez	venez

prendre	mettre	courir
pren**ds**	met**s**	cour**s**
prenons	mettons	courons
prenez	mettez	courez

dire	savoir	donner
dis	sach**e**	donn**e**
disons	sachons	donnons
di**tes**	sachez	donnez

À RETENIR

■ **L'impératif présent** sert à exprimer des ordres ou des conseils. Il se conjugue seulement à trois personnes : la 2ᵉ personne du singulier, la 1ʳᵉ et la 2ᵉ personne du pluriel. On n'écrit pas les pronoms personnels.

 542 **Écrivez les verbes aux trois personnes de l'impératif présent.**

Ex. : *lui donner un conseil → Donne-lui, donnons-lui, donnez-lui un conseil.*

dire la vérité	être raisonnable	aller à la bibliothèque
lui promettre un jeu	avoir du courage	

Corrigé p. 239   .../10

 543 **Écrivez ces phrases en utilisant l'impératif présent.**

(Surprendre)-moi et *(être)* le premier ! • Ne pas *(faire)* le clown, Samir ! • Ne pas y *(aller)* seul, tu as compris ? • *(Être)* prudents, tous les deux, et *(revenir)* avant la nuit. • Ne pas *(redonner)* de lait au chat, tu le rendrais malade. • Observez bien et *(savoir)* retenir l'essentiel. • *(Avoir)* toujours soin d'éteindre ta chambre. • *(Courir)* moins vite, je n'arrive pas à te suivre. .../10

C'est un ordre, un conseil...

	_er	Autres terminaisons
2ᵉ pers. sing.	**_e**	**_s**
1ʳᵉ pers. plur.	**_ons**	
2ᵉ pers. plur.	**_ez**	↓

⚠ aller → va

⚠ Si on peut entendre le son /ə/ à la 2ᵉ personne du singulier, on écrit **e**. parle, offre, cueille...

Même écriture qu'au présent de l'indicatif

revenir → reviens
rendre → rends

À RETENIR

■ À l'impératif présent, les terminaisons des verbes du 1ᵉʳ groupe sont : **-e**, **-ons**, **-ez**. C'est aussi le cas des verbes qui se terminent par le son « e » à la 2ᵉ personne du singulier, comme *offrir, cueillir, ouvrir*.

■ Les terminaisons des autres verbes sont les mêmes qu'au présent de l'indicatif : **-s** ou **-ds**, **-ons**, **-ez**.

---

544 **Complétez à la 2ᵉ personne du singulier de l'impératif présent.**

Montr... ta langue. • Ne remu... pas ainsi. • Endor...-toi vite. • Nettoi... cette table. • Ne boi... pas tout. • Mang... et tien...-toi tranquille. • Ne cri... pas si fort ! • Répon... par retour du courrier. • Écri...-nous dès ton arrivée.   Corrigé p. 239   .../10

545 **Complétez ces verbes à l'impératif présent.**

Offr... ces fleurs à ta tante. • Tai...-toi, travaill... en silence. • Couvr...-toi, il fait froid. • Par... dès que tu veux. • Tri... tes déchets. • Condui... ton frère chez le coiffeur. • Arrêt... ton portable et écout...-moi. • Ne te plain... pas.   .../10

546 **Réécrivez ces phrases à la forme affirmative. Pensez au trait d'union entre le verbe et le pronom qui suit.**

Ex. : *Ne vous penchez pas.* → *Penchez-vous.*

Ne vous levez pas si tôt. • Ne les laissons pas faire. • Ne les dérange pas. • Ne les remerciez pas. • Ne me retiens pas. • Ne les placez jamais ici. • Ne vous dirigez pas vers le sud. • Ne les échangeons pas. • Ne lui prête pas ta console de jeux. • Ne les livrez pas aujourd'hui.   Corrigé p. 239   .../10

547 » Écrivez les verbes en italique à la 2e personne du pluriel de l'impératif présent.

(Commencer) le plus tôt possible. • Ne pas *(descendre)* tout de suite. • *(Regarder)* dans le rétroviseur. • *(Revenir)* dès que ce sera terminé. • Ne pas *(s'effrayer)* pour si peu. • *(S'accorder)* un peu de temps pour réfléchir. • *(Détruire)* ce chèque. • *(Se sauver)* très vite. • Quand il sonnera, lui *(ouvrir)* la porte. • Ne pas *(utiliser)* cette perceuse. .../10

548 »» Complétez au présent de l'indicatif ou de l'impératif.

Tu mang... trop, sui... ton régime. • Soi... gentil, donn...-moi son numéro de portable. • Achèt...-moi un livre. • Tu leur montr... ta collection de timbres arabes ? • Jett... ces papiers dans la corbeille ! • Tu ne t'arrêt... pas en chemin, d'accord ? • Si tu quitt... la pièce, étein... la lumière. Corrigé p. 239 .../10

549 »» Réécrivez ces phrases à la 2e personne du singulier.

Si vous entrez, parlez moins fort. • Ne riez pas sans raison, s'il vous plaît. • Cueillez ces cerises avant l'orage. • Ne regrettez pas ce que vous avez fait, réfléchissez plutôt. • Permettez-moi de vous interrompre. • Déplacez votre chaise. • Réjouissez-vous, les vacances arrivent. • Lavez-vous les mains, puis essuyez-les. • Appuyez sur le bouton rouge pour arrêter le programme. • Souriez, on vous photographie. .../10

550 À SAVOIR ›

un robo**t**
en**neig**é
la magie
   magique
l'**â**ge
âgé
un rebe**lle**
une citade**lle**
une éti**n**celle

un tra**j**et
un fourré
une colo**nn**e
une colo**ni**e
l'instru**cti**on
la destru**cti**on
   destructe**ur**
une utilisa**ti**on
un utilisate**ur**

1. Quels noms correspondent à ces verbes ? Se rebeller, robotiser, étinceler, utiliser, coloniser, détruire, s'instruire.

2. Écrivez les mots qui ont deux n ; deux l ; deux r ; un accent.

3. Quels mots correspondent à ces définitions ? Merveilleux, démolition, buisson, révolté, parcours, point brillant, vieux, ville fortifiée.

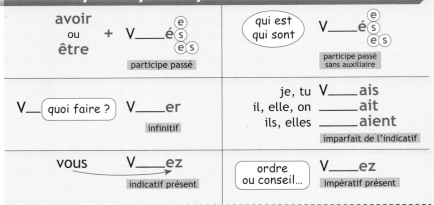

À RETENIR

- Un verbe terminé par **-é** est un **participe passé**.
- Un verbe terminé par **-er** est un **infinitif**. Pour le reconnaître, on peut en général intercaler la question « *Quoi faire ?* » avant ce verbe.
- **-ez** est une terminaison de la deuxième personne du pluriel.
- **-ais**, **-ait**, **-aient** sont des terminaisons de l'imparfait de l'indicatif.

551 **Vrai ou faux ? Justifiez vos réponses à l'aide d'un exemple.**

1. À la fin d'un verbe, le son /e/ ou /ɛ/ s'écrit toujours de la même façon.
2. Un verbe précédé de l'expression *quoi faire* est à l'infinitif.
3. Un verbe conjugué avec l'auxiliaire *être* peut être à l'infinitif.
4. Un verbe qui a pour sujet *vous* peut être terminé par **-ez**.
5. Un verbe conjugué avec l'auxiliaire *avoir* est un participe passé qui peut être terminé par **-é**.   Corrigé p. 239   .../10

552 **Remplacez chaque verbe faire par l'un des verbes sur fond bleu.**

Ex. : *Il a **fait** la vaisselle.* → *Il a **lavé** la vaisselle.*

> procéder coûter sembler exécuter provoquer
> visiter laver adresser mesurer cirer égaler

La piscine doit *faire* 50 mètres de long. • Les gens lui ont *fait* des reproches. • Vous *faites* vos bottes ? • Elle a *fait* tout le travail. • Il ne fallait pas *faire* ainsi. • La tempête a *fait* des dégâts. • Vous *faites* jeune. • Ces touristes disent qu'ils ont *fait* le Canada. • La réparation va *faire* deux cents euros. • Deux et deux ont toujours *fait* quatre.   Corrigé p. 239   .../10

553 ▶ **Complétez par une terminaison en** /e/ **ou en** /ɛ/.

Elle nous a donn... deux heures pour termin... ce plan. • Puis-je
me retir... ? • Aviez-vous mentionn... la présence de traces ? •
La municipalité va faire restaur... ce cloître. • Il faut développ...
ce paragraphe. • Elle effectu... patiemment ses tâches, sans jamais
oubli... le but qu'elle s'était fix... . • Il vit que les concurrents
s'apprêt... à partir. .../10

554 ▶ **Complétez par une terminaison en** /e/ **ou en** /ɛ/. **Pensez
aux accords.**

Jamel et Tom march... sur le sentier, précéd... de leurs deux chiens. •
Te rend...-tu compte que le câble all... cass... ? • Les choses s'étaient
arrang... pour lui. • N'attend... pas que j'aie termin... . • Pourquoi
n'ont-ils pas pens... à me téléphon... ? Corrigé p. 240 .../10

555 ▶ **Remplacez chaque verbe** faire **par l'un des verbes sur fond bleu,
en modifiant la phrase, si nécessaire.**

Ex. : *Il a **fait** un trou dans la planche.* → *Il a **percé** la planche.*

> étudier s'harmoniser s'amuser fouiller cogner
> passer percer marcher former déranger jouer

Ils vont *faire* la fête. • On a *fait* une partie d'échecs. • Si cela ne te
faisait rien, tu me le prêterais. • Il s'est *fait* une bosse. • Son fils va
faire médecine. • Ces couleurs *faisaient* un bel ensemble. • *Faites*
donc, je vous en prie. • Elles vont *faire* vingt kilomètres à pied. •
Les gens ont *fait* cercle autour de lui. • Un pauvre homme *faisait*
les poubelles. Corrigé p. 240 .../10

556 ▶ **Complétez par une terminaison en** /e/ **ou en** /ɛ/. **Pensez aux accords.**

La ronde des camions s'était arrêt... . • Les choses redeven... elles-
mêmes. • Rien n'était chang... . • Il faillit se trouv... nez à nez avec
Matéo, qui reven... du chantier. • All... lui parl... ! N'hésit... pas. •
Sa toilette achev..., il déjeun... . Corrigé p. 240 .../10

557 ▶ **Avec chaque expression, écrivez cinq phrases différentes de façon que
le verbe se termine successivement par é, er, ez, ais et ait (ou aient).**

Préparer sa valise • quitter le collège.

Ex. : *Craignant de ne pas se réveiller à temps, Aurélien avait
préparé sa valise la veille.* .../10

558

>>>

Remplacez chaque verbe faire par l'un des verbes de droite, en tenant compte du sens et de l'orthographe. Ajustez les phrases, si nécessaire.

On va faire quelque chose pour le sauver.	gagner
L'araignée faisait sa toile.	tenter
Il a fait beaucoup d'argent avec son invention.	mousser
Faites du violon, plutôt que du piano.	terminer
Je suis ravi, voilà qui est fait !	jouer
Ce savon va faire trop de mousse.	causer
Vous faites tout votre possible.	dramatiser
Ce sont eux qui faisaient la garde.	tisser
Elle peut faire du tort à ses amis.	s'appliquer
N'en faites pas toute une histoire.	monter

.../10

559

>>>

Écrivez les verbes en italique en ajoutant une des terminaisons en /e/ ou en /ɛ/ de la leçon. Pensez aux accords éventuels.

L'accusé *(sembler)* avoir totalement *(oublier)* les menaces qu'il avait *(proférer)*. • Les adolescents, très peu *(rassurer)*, allèrent *(chercher)* un abri sûr. • La porte était-elle bien *(fermer)* à clé ? • N'avez-vous pas *(oublier)* d'*(emporter)* les photographies que Line a *(imprimer)* pour vous ? • David et Jean étaient partis en excursion, *(encourager)* par le soleil.

Corrigé p. 240   .../10

560

>>

À SAVOIR

citer	un trai**té**
un pil**ier**	un retrai**té**
m**ê**ler	un marronn**ier**
démo**l**ir	un groseill**ier**
le zin**c**	une catastro**phe**
un **s**ite	photo**graph**ier
situer	une biblio**thèque**
le céle**ri**	une **arrest**ation
un empl**oi**	une **oc**cupation
la l**oi**	la végétation

1. Quels noms se terminent par -ier ; par -ation ; par -é ; par le son /g/ ?

2. Écrivez les noms de la famille de : employer, arrêt, loyal, pile (en béton).

3. Quels verbes correspondent à ces noms ?
Occupation, citation, situation, démolition, arrestation, photographie.

4. À quels noms associer ces mots ?
Légume, Internet, arbuste, arbre, métal, travail, drame, livre.

Le verbe asseoir*

présent de l'indicatif		**subjonctif** présent	
j'assieds *ou*	j'assois	que j'asseye *ou*	que j'assoie
il assied	il assoit	qu'il asseye	qu'il assoie
nous asseyons	nous assoyons	que n. asseyions	que n. assoyions
ils asseyent	ils assoient	qu'ils asseyent	qu'ils assoient

imparfait de l'indicatif		**impératif** présent	
j'asseyais *ou*	j'assoyais	assieds *ou*	assois
nous asseyions	nous assoyions	asseyons	assoyons
ils asseyaient	ils assoyaient	asseyez	assoyez

passé simple	**passé composé**	**futur** de l'indicatif	
j'assis	j'ai assis	j'assiérai *ou*	j'assoirai
nous assîmes	nous avons assis	nous assiérons	nous assoirons
ils assirent	ils ont assis	ils assiéront	ils assoiront

- À certains temps, le verbe **asseoir** a deux conjugaisons possibles. Quand on entend le son /wa/, on n'écrit pas le **e** de l'infinitif.*
- Ce verbe s'utilise le plus souvent à la forme pronominale, avec l'auxiliaire **être** à un temps composé. Son participe passé s'accorde alors avec le sujet : *elle s'est assise.*

561 ›› **Écrivez la seconde forme du verbe asseoir, sans changer le temps, ni la personne.**

Nous nous assoyons, ils s'asseyaient, je m'assoirai, assois-toi, il faut qu'ils s'assoient, asseyons-le, j'assois mon petit frère, ils s'assiéront, je m'assoyais, ils s'assoient. .../10

562 ››› **Complétez par le verbe asseoir à l'infinitif, au participe passé ou au temps qui convient.**

Nous voulons nous ... . • Ils sont déjà ... . • Clara entre dans la salle d'attente et s'... . • Est-ce que tu t'... souvent à califourchon ? • Autrefois, il s'... souvent à l'ombre du tilleul. • Il s'... près de la cheminée et commença sa lecture. • Elle s'... au volant et conduira. • J'aime m'... sur ce vieux banc. • Nous nous ... et fîmes silence. • On voudrait que tu t'... à côté de ta tante. Corrigé p. 240 .../10

* Cf. page 247.

	avoir		aller		savoir
j'	aurais	j'	irais	je	saurais
tu	aurais	tu	irais	tu	saurais
il	aurait	il	irait	il	saurait
nous	aurions	nous	irions	nous	saurions
vous	auriez	vous	iriez	vous	sauriez
ils	auraient	ils	iraient	ils	sauraient

	être		faire		mettre
je	serais	je	ferais	je	mettrais
tu	serais	tu	ferais	tu	mettrais
il	serait	il	ferait	il	mettrait
nous	serions	nous	ferions	nous	mettrions
vous	seriez	vous	feriez	vous	mettriez
ils	seraient	ils	feraient	ils	mettraient

	cueillir		venir		prendre
je	cueillerais	je	viendrais	je	prendrais
tu	cueillerais	tu	viendrais	tu	prendrais
il	cueillerait	il	viendrait	il	prendrait
nous	cueillerions	nous	viendrions	nous	prendrions
vous	cueilleriez	vous	viendriez	vous	prendriez
ils	cueilleraient	ils	viendraient	ils	prendraient

	pouvoir		voir		courir
je	pourrais	je	verrais	je	courrais
tu	pourrais	tu	verrais	tu	courrais
il	pourrait	il	verrait	il	courrait
nous	pourrions	nous	verrions	nous	courrions
vous	pourriez	vous	verriez	vous	courriez
ils	pourraient	ils	verraient	ils	courraient

À RETENIR

■ Les verbes au **conditionnel** expriment des actions supposées, souhaitées ou imaginaires : *Si j'avais un vélo, je **ferais** la course.*

■ Ils peuvent aussi exprimer une action future dans le passé : *L'an dernier, mes parents avaient décidé que nous **irions** en Espagne.*

563 **Écrivez les verbes au conditionnel présent, aux 1res personnes du singulier et du pluriel.**

Si je pouvais... prendre le bateau, défaire ce nœud, revenir tout de suite, aller au zoo, cueillir du muguet.

Corrigé p. 240   .../10

564 **Observez le tableau de conjugaison p.190, puis répondez.**

1. À quel temps simple de l'indicatif font penser les terminaisons du conditionnel présent ?

2. Le radical du verbe est-il le même au futur simple de l'indicatif et au conditionnel présent ?

3. Quel est le radical du verbe *faire* ?

4. Entend-on le son /ir/ quand on conjugue le verbe *cueillir* ?

5. Quels verbes prennent deux **r** ? .../10

565 **Écrivez les verbes en italique au conditionnel présent.**

S'il n'y avait pas de brume, on *(voir)* le mont Blanc. • Ils *(courir)* plus vite avec de bonnes chaussures. • *(Pouvoir)*-tu me prêter ce livre ? • Si j'apercevais l'étoile polaire, je *(être)* heureux. • On lui *(soumettre)* l'idée, s'il était là. Corrigé p. 240 .../10

566 **Réécrivez ces phrases après avoir mis les verbes en bleu à l'imparfait de l'indicatif.**

Ex. : *Je crois que tu viendras.* → *Je **croyais** que tu **viendrais**.*

On *pense* que ce candidat recueillera moins de voix. • Elles iront au stade si la pluie *s'arrête*. • Je comprendrai si tu me *fais* un croquis. • Je *suppose* que tu lui permettras de monter sur scène. • Il accourra s'il *apprend* la nouvelle. Corrigé p. 240 .../10

567 **Enrichissez ces phrases de façon à utiliser le conditionnel présent.**

Ex. : *Je voyais mieux.* → *Je **verrais** mieux si je portais des lunettes.*

Je sais ma leçon. • Elle met une casquette. • Je serai calme. • Tu courais vite. • Ils viendront à pied. .../10

568

À SAVOIR

parallèle
un **parallél**ogramme
etc. (**et c**etera)
une si**lh**ouette
se dés**h**abiller
la sym**path**ie
l'ent**h**ousiasme
né**cess**iter
né**cess**airement
un avertis**s**ement

intact
un n**œu**d
né**an**moins
volontie**rs**
un dég**ât**
à dess**ein**
ai**gui**ser
intri**gu**er
pit**t**oresque

1. Relevez les mots désignant :
une figure géométrique, une boucle, un avis, une abréviation, un dommage, l'intention de.

2. Écrivez les mots qui ont un h muet ; une consonne finale muette ; deux s.

3. Quels sont les contraires de ces mots ?
Banal, habiller, à contrecœur, endommagé.

Le conditionnel présent

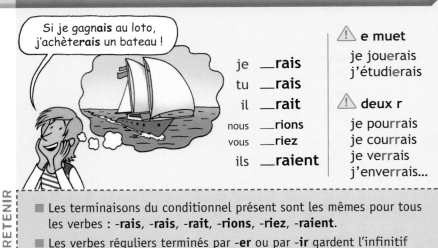

> Si je gagn**ais** au loto,
> j'achèt**erais** un bateau !

je ＿**rais**
tu ＿**rais**
il ＿**rait**
nous ＿**rions**
vous ＿**riez**
ils ＿**raient**

⚠ **e muet**
je joue**rais**
j'étudie**rais**

⚠ **deux r**
je pour**rais**
je cour**rais**
je ver**rais**
j'enver**rais**...

À RETENIR

■ Les terminaisons du conditionnel présent sont les mêmes pour tous les verbes : **-rais, -rais, -rait, -rions, -riez, -raient**.

■ Les verbes réguliers terminés par **-er** ou par **-ir** gardent l'infinitif entier dans la conjugaison.

■ Six verbes s'écrivent avec **deux r** au conditionnel présent : *pouvoir, voir, envoyer, courir, mourir, acquérir.*

569 **Complétez les verbes au conditionnel présent.**

J'aim... que vous veniez à la maison dimanche. • S'il n'avait pas le mal de mer, il s'engag... dans la marine. • Nous appliqu... cette loi si les députés la votaient. • Il sembl... que son témoignage ne tienne pas. • S'il était moins douillet, il cri... moins fort. • Si cela se savait, les journalistes en parl... ! • Julia rest... seule si je devais quitter le pays. • J'y renonc... volontiers si vous me le demandiez. • Le récompens...-tu s'il gagnait ? • Je transmett... le message si je pouvais le faire. Corrigé p. 240 .../10

570 **Réécrivez ces phrases, avec les verbes à la même personne du conditionnel présent, mais au pluriel.**

Ex. : *Je danserais avec plaisir.* → *Nous danserions avec plaisir.*

J'en mangerais s'il y en avait. • Lui en voudrais-tu ? • Pourquoi quitterais-tu le collège ? • Il dénoncerait les abus. • Je promènerais volontiers le chien. • Il ne s'en plaindrait pas. • Si tu le savais, tu danserais de joie. • Elle défendrait ses droits avec vigueur. • Comment le devinerais-je ? • Pourquoi réussirait-il ? .../10

571 **Écrivez les verbes en bleu à l'imparfait de l'indicatif, puis ajustez le temps du second verbe.**

Si vous *venez*, on vous ouvrira. | S'il *est* libre, il se joindra à nous.
Si je *peux*, je t'en achèterai un. | Si elle en *mange*, elle en mourra.
S'il me *fait* mal, je remuerai. | Si on les *cire*, elles brilleront.
S'ils *se soignent*, ils guériront. | Si elle *dit* oui, ils se marieront.
Si tu le *vois*, tu le salueras. | S'il le *faut*, nous déménagerons.

Corrigé p. 240   .../10

572 **Écrivez les verbes en italique au conditionnel présent.**

Il m'*(écrire)* plus souvent s'il pensait à moi. • Si vous étiez gentils, vous *(essuyer)* la vaisselle. • Je *(souhaiter)* que vous veniez nous rendre visite. • Si j'étais sûr qu'il fasse beau en août, je *(louer)* un chalet. • On *(s'établir)* volontiers dans cette région.

Corrigé p. 240   .../10

573 **Transformez ces phrases de façon que le verbe en bleu soit au présent du conditionnel, sans changer le sujet.**

Ex. : *Je demanderai si je veux !* → *Je demanderais si je voulais !*

Si j'en ai besoin, je me *servirai*. • Comment *réagirez*-vous si cela se produit ? • S'il le faut, on *démolira* le mur. • Si tu travailles bien, tu *obtiendras* de bons résultats. • Si vous êtes d'accord, nous *organiserons* tout. • Si tu le permets, je lui *offrirai* un cadeau. • Si je réussis, j'*oublierai* tous mes efforts passés. • Vous *trouverez* si vous réfléchissez davantage. • Si on lance ce bâton, mon chien le *rapportera*. • Elle *sourira* si je suis aimable avec elle.   .../10

574

jai**ll**ir
foui**ll**er
récompen**s**er
la **lai**deur
un los**an**ge
la re**van**che
vulg**aire**
un advers**aire**
un intermédi**aire**
un parten**aire**

une **diff**érence
une **con**fidence
un plomb**ier**
la plomberie
un pâtiss**ier**
une pâtisserie
flas**que**
obli**que**
schématique
un **périod**ique

1. Relevez les verbes.

2. Écrivez les adjectifs de la famille de : schéma, vulgarité.

3. Écrivez le contraire de : beauté, adversaire, pardon, punir, rigide, similitude.

4. Quels mots font penser à ces noms ?
Géométrie, archéologie, revue, tuyau, carré, gâteau.

193

91 Futur de l'indicatif ou conditionnel présent

> Si j'**ai** le temps, j'**irai** au stade.

> Si je pouv**ais**, j'**irais** au stade.

je __**rai**
tu __**ras**
il __**ra**
...

je __**rais**
tu __**rais**
il __**rait**
...

■ **Le futur de l'indicatif** correspond à une condition exprimée ou sous-entendue au présent : *je viendrai (si j'ai le temps)*.

■ **Le conditionnel présent** correspond à une condition exprimée ou sous-entendue à l'imparfait : *je viendrais (si j'avais le temps)*.

575 **Écrivez chaque verbe en bleu au futur de l'indicatif, puis au conditionnel présent.**

Permettre → J'espère que tu me ... de t'aider. J'espérais que tu me ... de t'aider. • *Trouver* → Nous ... la sortie si tu m'aides. Nous ... la sortie si tu m'aidais. • *Appeler* → On ... si on entend un bruit suspect. On ... si on entendait un bruit suspect. • *Entendre* → Si je vais sur le balcon, j'... les oiseaux chanter. Si j'allais sur le balcon, j'... les oiseaux chanter. • *Regarder* → Si ce film m'intéresse, je le ... jusqu'à la fin. Si ce film m'intéressait, je le ... jusqu'à la fin.

Corrigé p. 240   .../10

576 **Complétez les verbes, soit au futur de l'indicatif, soit au conditionnel présent.**

Je clou... bien ces planches si j'avais un marteau. • Je t'enver... de mes nouvelles dès mon arrivée. • Je continu... de descendre malgré le brouillard. • Si j'avais mis mes tennis, je cour... plus vite. • Je t'avou... tout, si tu ne me grondes pas. • En bas de la piste, la neige est fraîche et je devr... me méfier. • J'appréci... cette promenade s'il n'était pas si tard. • J'aimer... tant être pilote ! • Si tu gagnes, je ne t'envi... pas. • Je souhaiter... voyager davantage !   .../10

577 **Choisissez entre le futur de l'indicatif et le conditionnel présent.**

Si tu couchais là, tu aur... plus chaud. • Si j'osais, je négoci...
le prix. • J'ir... moi-même, si vous voulez. • Crois-tu que je le ver...
si je prends des jumelles ? • Je ne pour... pas le quitter, même si
je voulais. • J'aimer... que vous me fassiez parvenir ce document. •
J'ai compris, je saur... le faire. • Je ser... heureux si vous me donniez
votre avis. • Si ce pétrolier s'échouait, il pollu... la côte. •
Si je n'étudie pas, j'échou... . Corrigé p. 240 .../10

578 **Écrivez les verbes au futur de l'indicatif ou au conditionnel présent.**

Si tu étais soigneux, tu *(nettoyer)* ton clavier. • Si j'avais la facture,
il me *(rembourser)*. • S'il ne respecte pas les règles du jeu, il *(devoir)*
quitter l'équipe. • Je n'*(aller)* pas, même s'il fait beau. • Si nous
étions quatre, nous *(pouvoir)* jouer aux cartes. • Même si vous me
le donniez, je ne l'*(utiliser)* pas. • Nous ne *(réussir)* que si elle nous
aide. • Réponds et je te *(laisser)* tranquille. • Je *(refuser)*, même si
vous insistiez. • Vous *(hésiter)* si c'est moi qui vous le demandais ?

Corrigé p. 240 .../10

579 **Enrichissez chaque phrase en y ajoutant une condition pour que
le verbe soit au futur. Réécrivez-la ensuite en y ajoutant la même
condition, mais de façon que le verbe soit au conditionnel.**

Ex. : *Mon portable **sonne**. → **Si je l'éteins**, mon portable ne **sonnera** pas.
Si je l'éteignais, mon portable ne **sonnerait** pas.*

Son chien se sauve. • La musique résonne. • Elle mange
une gaufre. • Les spectateurs applaudissent. • Le commerçant
me rembourse. .../10

580

À SAVOIR

une **h**alte	des étre**nn**es
un **h**ui**ss**ier	une ca**th**édrale
un ho**mm**age	un tu**nn**el
sole**nn**el	la mo**nn**aie
le brou**h**a**h**a	négo**c**ier
un **sch**éma	un négo**c**iant
hourra	per**s**é**v**érer
	per**s**é**v**ér**ant**
une gau**f**re	la per**s**é**v**ér**ance**
un gau**f**rier	

1. Relevez les mots qui ont un h ; deux n ;
un seul f ; un e qui se prononce /a/.

2. Écrivez les synonymes de : cadeaux,
marchand, pièces, bravo, croquis, arrêt,
s'obstiner.

3. Écrivez les noms désignant :
un bruit confus, un gâteau, une qualité,
un métier, une grande église.

	être		avoir		faire
que je	sois	que j'	aie	que je	fasse
que tu	sois	que tu	aies	que tu	fasses
qu'il	soit	qu'il	ait	qu'il	fasse
que nous	soyons	que nous	ayons	que nous	fassions
que vous	soyez	que vous	ayez	que vous	fassiez
qu'ils	soient	qu'ils	aient	qu'ils	fassent

	pouvoir		vouloir		aller
que je	puisse	que je	veuille	que j'	aille
que tu	puisses	que tu	veuilles	que tu	ailles
qu'il	puisse	qu'il	veuille	qu'il	aille
que nous	puissions	que nous	voulions	que nous	allions
que vous	puissiez	que vous	vouliez	que vous	alliez
qu'ils	puissent	qu'ils	veuillent	qu'ils	aillent

	voir		courir		savoir
que je	voie	que je	coure	que je	sache
que tu	voies	que tu	coures	que tu	saches
qu'il	voie	qu'il	coure	qu'il	sache
que nous	voyions	que nous	courions	que nous	sachions
que vous	voyiez	que vous	couriez	que vous	sachiez
qu'ils	voient	qu'ils	courent	qu'ils	sachent

	prendre		venir		mettre
que je	prenne	que je	vienne	que je	mette
que tu	prennes	que tu	viennes	que tu	mettes
qu'il	prenne	qu'il	vienne	qu'il	mette
que nous	prenions	que nous	venions	que nous	mettions
que vous	preniez	que vous	veniez	que vous	mettiez
qu'ils	prennent	qu'ils	viennent	qu'ils	mettent

À RETENIR

■ Les verbes au **subjonctif présent** expriment des actions qui n'ont pas réellement lieu, auxquelles on pense et que l'on envisage.

581 **Utilisez les verbes en bleu pour compléter ces phrases.**

Nous *savons* notre leçon. → Pourvu que nous … répondre ! • Tu *vas* chez le coiffeur. → Il est temps que tu y … ! • *Prenez* cette vis. → Il vaut mieux que vous … cette vis. • *Veux*-tu chanter ? → Il ne croit pas que tu … chanter. • Il *a* peur. → J'éclaire pour qu'il n'… pas peur.

Corrigé p. 240   …/10

582 **Observez le tableau de conjugaison p.196, puis répondez.**

1. Si je dis « *Il faut que je coure* », suis-je en train de courir ?
2. Les terminaisons des verbes fondamentaux sont-elles les mêmes pour tous les verbes ?
3. Quels verbes ont un **y** au subjonctif présent ?
4. Quels verbes se terminent par **t** à la 3e pers. du singulier ?
5. Le verbe *prendre* a-t-il deux **n** à toutes les personnes ?   .../10

583 **Réécrivez ces phrases en remplaçant les pronoms sujets en bleu par les pronoms correspondants au singulier.**

Il faut que *nous* vous disions notre plaisir de vous revoir. • Qu'*elles* le veuillent ou non, tu seras élu. • Il a pu sortir sans que *nous* le sachions. • Elle exige que *vous* preniez le train. • Je regrette qu'*ils* ne la voient pas. • Permettez qu'*ils* viennent vous offrir ce bouquet. • C'est dommage que *nous* ne puissions pas jouer. • J'attends que *vous* mettiez vos lunettes. • Il se peut que *nous* soyons déjà à la maison. • Avertissez-les avant qu'*ils* n'aient des ennuis.   Corrigé p. 240 .../10

584 **Enrichissez ces phrases de façon à utiliser le subjonctif présent.**

Ex. : *Tu cours.* → *Il n'est pas raisonnable **que tu coures** avec la fièvre que tu as.*

Nous promettons. • Il ne comprend pas. • Vous êtes heureux. • Elle sait tout. • Je peux en parler.   .../10

585

une anecdote
la réflexion
une opinion
une péninsule
les mollets
la vaisselle
l'angoisse
à contrecœur
incommoder
précisément

affligé
évoquer
suffoquer
suffocant
suffisant
extravagant
le loyer
le défunt
somptueux
laborieux

1. Relevez les synonymes de : gêner, anxiété, avis, étouffer, à regret, pénible, triste, farfelu, histoire courte.

2. Trouvez les mots de la famille de : cœur, réfléchir, suffire, préciser.

3. À quels noms associer ces expressions ? Une partie du corps, la cuisine, une grande presqu'île, des funérailles, un prix à payer.

4. Écrivez quatre mots ayant une double consonne différente **et deux mots** avec le son /g/.

Il faut que je réponde.

Il faut que …

je   __**e**
tu   __**es**
il   __**e**
nous   __**ions**
vous   __**iez**
ils   __**ent**

⚠ Verbes en -ier
Ex. : étudier
que nous **étudiions**
que vous **étudiiez**

À RETENIR

- Au **subjonctif présent**, les terminaisons sont les mêmes pour tous les verbes : **-e**, **-es**, **-e**, **-ions**, **-iez**, **-ent** (sauf pour *avoir* et *être*).
- Les verbes en -ier ont deux **i** à la 1re et à la 2e personne du pluriel : le **i** du radical et le **i** de la terminaison (*étudier* → *il faut que nous étudi.ions, que vous étudi.iez*).

586 › **Écrivez les verbes au subjonctif présent, à la 3e personne du singulier.**

Il faut qu'il ou elle… approuver les comptes, surprendre le voleur, lire un roman, recueillir un malheureux, saluer la foule, choisir un livre, essayer des chaussures, sourire avec gentillesse, attendre un peu, peindre un portrait.   Corrigé p. 241 …/10

587 › **Écrivez les verbes de l'exercice précédent à la 2e personne du pluriel du subjonctif présent.**

Ex. : *Il faut que vous… .*   …/10

588 »› **Complétez au subjonctif présent, en utilisant le verbe en bleu.**

Vous *corrigez* vos erreurs. Il faut que vous … vos erreurs. • Elle *vend* des fruits. Il faut qu'elle les … tous. • Tu *dors* beaucoup. Il est nécessaire que tu … . • Nous nous *chauffons* au gaz. J'aimerais que nous nous … au gaz. • Tu *conduis*. Je veux que tu … . • Vous *buvez* peu. Il semble que vous … peu. • Est-ce que tu l'*avertis* ? Il faut que tu l'… . • Je *tiens* fermement le volant. Il est indispensable que je le … fermement. • On *démolit* cet immeuble. Je crains qu'on le … . • *Précisez* vos choix. On demande que vous … vos choix.   Corrigé p. 241 …/10

589 ›› **Écrivez les verbes en italique au subjonctif présent.**

Il faut qu'elle *(éteindre)* ses phares. • Il serait plus correct que vous *(attendre)* votre tour. • On voudrait qu'elle *(coudre)* les boutons et *(raccourcir)* l'ourlet. • Elle souhaite que nous l'*(inviter)*. • Je veux que tu *(continuer)* tes études. • Je n'aime pas que vous *(hésiter)* autant. • On craint qu'il ne t'*(interdire)* de le faire. • Attends qu'on la *(prévenir)*. • Aimerais-tu que je t'*(inscrire)* ?
Corrigé p. 241 ...
/10

590 ››› **Écrivez les verbes en italique au subjonctif présent.**

Pourquoi voudrais-tu que je le *(connaître)* ? • Il faut que vous *(vérifier)* la facture. • Il a téléphoné pour qu'on le *(rejoindre)* devant la mairie. • Il faut que je *(résoudre)* ce problème. • Il aime que je *(rire)*. • Il faut que nous *(étudier)* le subjonctif. • Elle souhaite que je le *(croire)* sur parole. • Faites qu'on le *(secourir)*. • J'aimerais que vous *(apprécier)* ce qu'elle fait pour nous. • Il va falloir que vous *(retendre)* ce câble.
Corrigé p. 241 ...
/10

591 ››› **Écrivez les verbes en italique au subjonctif présent.**

Il faut qu'il *(essuyer)* les verres. • Il n'est pas certain qu'on *(atteindre)* le sommet. • Pourquoi veux-tu qu'elle le *(craindre)* ? • Elle veut que vous *(travailler)*. • Autant qu'on le *(remercier)* tout de suite ! • Il est important qu'il *(payer)* rapidement ses dettes. • Il exige que nous lui *(envoyer)* une photocopie. • Je souhaite qu'elle le *(revoir)*. • Je m'étonne qu'on l'*(exclure)* ! • Il faudra qu'on *(s'employer)* à le convaincre.
...
/10

592 ›› À SAVOIR

a**cc**omplir	une e**x**plosion
a**cc**umuler	une e**x**pre**ss**ion
a**cc**ompagner	le réveillon
une a**ff**iche	un pail**lass**on
l'**app**étit	**extra**ordinaire
appétissant	perpendicul**aire**
un match	
le football	un **labor**atoire
	un co**ll**abor**ateur**
a**cc**epter	une génér**ation**
e**ff**ectuer	une autoris**ation**

1. Quels mots retrouvez-vous ?
• **En changeant le préfixe de :** impression, implosion, excepter.
• **En ajoutant un préfixe à :** ordinaire, cumuler, fiche.

2. Trouvez les mots de la famille de : paille, veille, fiche, compagnie.

3. Quels noms correspondent à ces verbes ? Générer, autoriser, collaborer, exprimer.

4. Quels mots ont une double consonne ?

Présent de l'indicatif ou du subjonctif

| INDICATIF | SUBJONCTIF |

Je pars.

Je cours.

Il faut que je part**e**.

Il faut que je cour**e**.

⚠ vous essay**ez**

⚠ il faut que vous essay**iez**.

À RETENIR

- ■ **L'indicatif** exprime une action réelle, qui a déjà eu lieu, qui a lieu en ce moment ou qui aura lieu plus tard, dans le futur.
- ■ **Le subjonctif** exprime une action pensée, envisagée par l'esprit.

Expressions suivies du subjonctif : il faut que, je doute que, j'aimerais que, je veux que, je crains que, il vaut mieux que, je souhaite que...

Conjonctions et locutions suivies du subjonctif : afin que, pour que, de crainte que, non que, ce n'est pas que, avant que, en attendant que, d'ici que, quoique, bien que, pourvu que...

---

593 > **Écrivez chaque verbe au présent de l'indicatif, puis du subjonctif.**

Conduire → Il ... avec prudence. Nous souhaitons qu'il ... avec prudence. • *Rire* → Elle ... toujours. Je voudrais qu'elle ... de bon cœur. • *Conclure* → On ... ce marché. Il est nécessaire que l'on ... ce marché. • *Parcourir* → Est-ce que tu ... cette distance à pied ? J'ai peur que tu ne ... cette distance à pied. • *Croire* → Nous ... à cette histoire. Il ne faudrait pas que nous ... à cette histoire.

Corrigé p. 241   .../10

594 >> **Écrivez les verbes au présent de l'indicatif ou du subjonctif.**

Éclaire, car je n'*(apercevoir)* plus le talus. • Je voudrais qu'elle *(descendre)* tout de suite. • On pense que vous ne *(distinguer)* pas le vrai du faux. • Il faut que vous *(atterrir)* sur la piste 2. • Nous espérons que vous *(apprécier)* sa discrétion. • Si je *(reconstruire)* le hangar, m'aideras-tu ? • Les paysans aimeraient qu'il *(pleuvoir)*. • Je crains qu'il ne *(recevoir)* plus son courrier. • Est-il nécessaire que tu le *(reconduire)* ? • Approche-toi, on t'*(entendre)* mal.   .../10

595 Complétez par les auxiliaires avoir ou être au présent de l'indicatif
ou du subjonctif.

Je doute que l'on ... fini à temps. • Son frère, que tu connais, ...
parti en vacances. • Ne t'...-je pas déjà répondu ? • Il faut que
j'... obtenu ce prêt pour tourner mon film. • En veux-tu ? Non, j'en
... assez. • Le jardin ... envahi par les ronces. • Rentrons avant
qu'ils n'... pris froid. • L'...-je bien mis au courant ? • Il faut que
l'ordinateur ... connecté avant midi. • C'est le plus beau tableau
que j'... jamais vu.   Corrigé p. 241   .../10

596 Écrivez les verbes en italique au présent de l'indicatif ou
du subjonctif.

Je souhaite que nous l'*(employer)*. • Il faut que vous *(s'habiller)* plus
chaudement. • Soyez sûrs que nous *(veiller)* sur lui. • Pourquoi
voudriez-vous que je le *(croire)* ? • Il se peut qu'on le *(renvoyer)*. •
Est-ce que vous *(s'ennuyer)* aujourd'hui ? • Je ne veux pas que vous
le *(réveiller)*. • Je te confirme que nous *(s'occuper)* bien de tout. •
Il faudrait que vous *(essayer)* ! • Je ne veux pas que nous *(payer)*
trop cher.   Corrigé p. 241   .../10

597 Réécrivez ces phrases de façon à utiliser le présent du subjonctif,
en vous aidant des expressions et locutions du résumé À RETENIR.

Nous l'accueillons avec des cris de joie. • Le chien s'enfuit. •
On loue un appartement pour les vacances. • Cette rivière meurt
d'asphyxie à cause de la pollution. • Elle traduit ce texte en russe. •
Mon frère écrit un roman. • Un ovni apparut dans le ciel. • Notre
équipe bat la vôtre. • L'eau atteint la cote d'alerte. • Vous lui
apportez un plat chaud.   .../10

598

À SAVOIR

une vo**ie**
une ba**ie**
un golf**e**
la varié**té**
l'obscuri**té**
l'impossibili**té**
   national
la nationali**té**
la banlieu**e**
la superfi**cie**

un env**oi**
   env**oy**er
un v**oy**age
la **ci**me
le luxe
éga**y**er
béga**y**er
foudr**oy**er
le golf
le gendre

1. Quels noms féminins se terminent
par un e ; par -té ?

2. Écrivez les noms de la famille de :
national, possible, envoyer, obscur,
varier, luxueux.

3. Trouvez les synonymes de : chemin,
sommet, bredouiller, surface, diversité,
beau-fils, distraire.

4. Quels mots évoquent la montagne,
la mer, l'orage, la ville, le sport ?

95 | Le subjonctif passé

> Je suis content que tu **aies** trouvé mon adresse et que tu **sois** venu.

que j' aie trouvé	que je sois venu
que tu aies ____é	que tu sois ____u
qu'il ait ____é	qu'il soit ____u
que nous ayons ____é	que nous soyons ____us
que vous ayez ____é	que vous soyez ____us
qu'ils aient ____é	qu'ils soient ____us

auxiliaire avoir au subj. présent + participe passé

auxiliaire être au subj. présent + participe passé (e)(s)(e)(s)

⚠ Accord avec le sujet.

À RETENIR

■ **Le subjonctif passé** est un temps composé du subjonctif. Il indique qu'une action envisagée est passée par rapport au moment présent.

■ Le subjonctif passé est formé de l'auxiliaire **avoir** ou de l'auxiliaire **être** au subjonctif présent, suivi du participe passé du verbe.

---

599 ›› Écrivez ces verbes au subjonctif passé, à la 2ᵉ personne du singulier et à la 2ᵉ personne du pluriel. Ajoutez un complément.

Ex. : *voir* → *Je crains que tu **aies vu**, que vous **ayez vu** un fantôme.*
Je crains que... abîmer, éteindre, annuler, hésiter, dormir.

Corrigé p. 241   .../10

600 ›› Écrivez ces verbes au subjonctif passé, aux 3ᵉ personnes du singulier et du pluriel. Ajoutez un complément et n'oubliez pas les accords.

Ex. : *rentrer* → *Il faut qu'elle **soit rentrée**, qu'elles **soient rentrées** tôt.*
Je crains que... sortir, tomber, rester, aller, partir.

.../10

601 ›› Utilisez les verbes à l'infinitif pour compléter les phrases, d'abord au présent, ensuite au passé du subjonctif.

Demander → Il faut qu'il te ... l'autorisation. Je crains qu'il n'... pas ... ton accord. • *Répondre* → Il faut que nous ... . Demain, il faudra que nous lui ... . • *Choisir* → On aimerait qu'elle ... tout de suite. On doute qu'elle ... avant ce soir. • *Lire* → Je comprends, bien que je ... vite. J'ai compris, bien que j'... très vite. • *Descendre* → Je voudrais que vous ... au sous-sol. Il aimerait que vous ... déjà ... .   Corrigé p. 241   .../10

602 Écrivez les verbes en italique au subjonctif passé.

›››

Il est content que son chien *(pouvoir)* l'accompagner. • Je n'ai pas le temps d'attendre que tu le *(trouver)*. • Il faut encore que tu *(aller)* te battre avec ces garnements ! • Je ne suis pas certaine qu'elle *(croire)* à mon histoire. • Quoi qu'ils *(prévoir)* de faire, dites-leur d'annuler.

Corrigé p. 241 .../10

603 Écrivez les verbes en italique au subjonctif passé.

›››

Il faudrait que vous *(terminer)* cette réparation avant midi. • Avec la grève, comment voulez-vous qu'il *(recevoir)* mon invitation ? • Il se peut qu'on le *(renvoyer)*. • C'est bien que les élèves *(discuter)* ce problème entre eux. • Pensez-vous qu'elle *(travailler)* samedi dernier ?

.../10

604 Écrivez les verbes en italique au subjonctif passé. N'oubliez pas d'accorder les participes passés, si nécessaire.

›››

Croyez-vous qu'ils *(dire)* la vérité ? • J'aimerais qu'on *(louer)* ce chalet. • Je suis heureux que tu nous *(voir)*. • Pourquoi voudrais-tu que je les *(croire)* ? • Je crains qu'on le lui *(reprendre)*. • Il rit, bien qu'il *(avoir)* peur. • Dommage que vous ne pas *(vouloir)* chanter ! • Pourvu qu'il *(penser)* à moi ! • J'ai lu en attendant que tu *(finir)*. • On ne voudrait pas qu'ils *(venir)* pour rien.

Corrigé p. 241 .../10

605

›› À SAVOIR

anxi**eux**
nerv**eux**
essen**t**iel
 impru**dent**
l'impru**dence**
le tumulte
 tumultu**eux**
l'**h**armonie
 harmoni**eux**
ennuy**eux**
cruel
cru**elle**ment
artifi**c**iel

famili**er**
famili**al**

horri**bl**ement
hardiment
désespé**ré**ment
bruy**ant**
bruy**amm**ent
nulle part
nullement
l'**aff**ection
 affectueusement
 négliger
la néglig**ence**

1. Cherchez les adjectifs, puis écrivez-les.

2. Trouvez les contraires de : réel, silencieux, intéressant, superflu, calme, gentil, inconnu.

3. Quels adverbes correspondent à ces adjectifs ?
Hardi, affectueux, nul, horrible, cruel, bruyant, désespéré.

4. Relevez les mots qui s'écrivent :
• avec une double consonne ;
• avec un **c** qui se prononce /s/ ;
• avec un **h**.

Il écoute la leçon.

Écoute-t-il ?

V___○-t-○___
voyelle   voyelle

VERBE **SUJET**

Écoute—la !

VERBE – **PRONOM**

Il (t') écoute.

○ t' = te, toi

Va chercher le journal.

Vas-y !

V___○s-○___
voyelle   voyelle

VERBE
à l'impératif

Entend—il ?

‿ liaison

⚠ Va-t'en (s'en aller)

À RETENIR

▪ Les lettres euphoniques sont ajoutées entre un verbe et un pronom pour représenter la prononciation : on ne dit pas « écoute-il », « va-y » et « donne-en », mais écoute-**t**-il, vas-**y** et donnes-**en**.

▪ Il ne faut pas confondre ces lettres ajoutées avec une liaison (entend-il) ou avec le pronom élidé **t'** de **te** (il t'écoute → toi).

▪ On met un tiret entre un verbe et un pronom qui le suit.

---

606 › **Réécrivez ces phrases à la forme interrogative, en inversant le sujet.**

Ex. : *Il joue au tennis.* → *Joue-t-il au tennis ?*
Elle prend son parapluie. → *Prend-elle son parapluie ?*

Elle commence son travail à huit heures. • On attache trop d'importance à cet événement. • Ton voisin prétend que je suis naïf. • On arrivera avant la nuit. • Elle exige de venir. • Vous corrigerez cet exercice. • Ils chanteront l'hymne en chœur. • Elle récitera une fable. • Cette vieille balançoire existe encore. • Tu approuves le changement dans l'équipe.

Corrigé p. 241   .../10

607 ›› **Complétez par -t- ou par un tiret.**

Quel cadeau lui a...on promis ? • Que vend...on dans ce magasin ? • S'en souviendra...elle encore dans un mois ? • Jette...la tout de suite. • Peut-être a...il raison, murmura...elle. • Que veut...elle dire ? • Tes déchets, trie...les ! • Ma grosse malle t'encombre... elle ? • Quand lui téléphoneras...tu ?

.../10

608 >> **Complétez par -t-, t' ou par un tiret.**

Aidez...les à comprendre le problème. • Soufflez...leur la réponse. •
Je ne savais pas qu'elle ...attendait. • Je ...en propose plusieurs. •
Y a...il quelqu'un qui puisse intervenir ? • Que ...a...elle demandé ? •
L'avocat est mûr, consommez...le aujourd'hui. • Mes copains ...y
invitent aussi. • Pourquoi l'empêche...on de s'inscrire au judo ? •
Il ne ...écoutera pas. .../10

609 >>> **Transformez ces phrases en remplaçant les groupes de mots en bleu
par les pronoms y et en. N'oubliez pas les tirets.**

Ex. : *Va chez la coiffeuse.* → *Vas-y.*

Apporte *de la farine* pour les gaufres. • Joue *de la guitare*. • Pense
à éteindre avant de partir. • Cherche *des champignons* dans ce pré. •
Pose les bibelots *sur cette étagère*. • Mange encore *du melon*. •
Colle tes timbres *dans cet album neuf*. • Mets les fleurs *dans le vase
bleu*. • Dispose délicatement ces fraises *sur la tarte*. • Applique
un peu *de cette pommade* deux fois par jour. Corrigé p. 241 .../10

610 >>> **Ajoutez ou non la lettre s aux verbes.**

Cueille...-en et donne...-en à ton frère. • Ne les laisse... pas seuls. •
Va...-y, passe... avant moi. • Mange...-en si tu veux. • Parle...-en à
tes parents. • Mange... en silence, voyons. • Entre...-y vite. • Parle...
en regardant ton interlocuteur. Corrigé p. 241 .../10

611 >> À SAVOIR

un arc-**en**-ciel	un porte-monnaie
un abat-jour	un porte-bagages
un par**e**-brise	la main-d'œuvre
un par**e**-chocs	un chef-d'œuvre
le bien-être	le r**ez**-de-chaussée
le sous-sol	un essu**ie**-glace
un vis-à-vis	un essu**ie**-mains
un bas-relief	un rend**ez**-vous
la **mi**-temps	une d**emi**-douzaine
à **mi**-vo**ix**	la d**emi**-finale

1. Relevez les noms indiquant
ce que l'on peut trouver :
dans le ciel, dans une poche,
sur un vélo, sur une lampe,
contre un pare-brise, dans un immeuble.

2. Écrivez les noms composés
qui ont un verbe. Soulignez-le.

3. Trouvez les synonymes de : six,
à voix basse, torchon, rencontre,
bonheur, en face, travailleurs.

EXERCICES SUPPLÉMENTAIRES

Formes verbales

612 **Complétez les verbes au présent de l'indicatif.**　　Règles 65, 68, 84

Je te remerci... de ton aide et te salu... amicalement. • Il s'éten...
et s'endor... aussitôt. • Elle ne répon... pas. • Pourquoi rougi...-tu ? •
On dirait que tu men... . • Elle étudi... les astres. • Quand
par...-tu ? • Je me réjoui... de votre succès.　　.../10

613 **Écrivez les verbes en italique au présent de l'indicatif.**　　Règles 65, 66, 84

Cet arbre *(craindre)* le gel. • *(Apprendre)*-tu bien tes leçons ? •
Que *(vendre)*-on dans ce magasin ? • Est-ce qu'elle nous *(rejoindre)*
à midi ? • Qui se *(dévouer)* pour ouvrir ? • Il *(oublier)* tout. •
Il *(s'étendre)* et *(s'endormir)* aussitôt. • Chaque été, il *(se dorer)*
au soleil. • C'est sa mère qui *(choisir)* ses vêtements.　　.../10

614 **Réécrivez ces phrases avec le verbe à l'imparfait.**　　Règles 67, 68

Elles *concluent* l'affaire. • Cette maladie la *secoue* beaucoup. •
Pourquoi *écrivez*-vous si rarement à votre famille ? • Nous
n'*allons* pas dans ces bois. • Dans ce devoir, les élèves *décrivent*
la campagne au printemps.　　.../10

615 **Utilisez les verbes de gauche pour compléter à l'imparfait.**　　Règles 67, 68

interdire	Le chien ... le sous-bois en aboyant. • Ces
parcourir	piliers ... le mur de l'église. • La police leur ...
soutenir	de pénétrer dans le stade. • Ils ... six nouveaux
admettre	adhérents lors de chaque réunion. • Il ... dans
concourir	la catégorie des poids légers.　　.../10

616 **Écrivez à l'imparfait de l'indicatif les verbes en italique.**　　Règles 68, 80

Je me *(diriger)* vers la ville. • On *(annoncer)* les nouvelles tous
les matins. • Elle *(accepter)* parfois de chanter. • À quoi *(songer)*-
vous ? • Est-ce que tu *(s'exercer)* souvent ? • Qui vous *(interroger)* ? •
En faisant cela, vous *(désavantager)* l'autre équipe. • Ils *(recommencer)*
pour la sixième fois ! • Nous *(se balancer)* tranquillement. • À cette
époque, nous *(déménager)* souvent.　　.../10

617 Classez ces verbes selon leurs terminaisons au passé simple,
puis écrivez-les à la 1re personne du singulier.   Règles 69, 70

accepter, réduire, croire, descendre, espérer, disparaître, contenir,
résoudre, appartenir, répondre.   .../10

618 Écrivez les verbes en italique au futur de l'indicatif.   Règles 72, 73, 83

On ne *(recourir)* à ce procédé qu'en dernière extrémité. • Demain,
elle ne *(se rappeler)* sans doute plus sa promesse. • Dès que je
le *(savoir)*, je vous *(envoyer)* un courriel. • Je *(feuilleter)* ton album
plus tard. • Tu verras, son œil *(étinceler)* de malice. • Le niveau
de vie *(diminuer)* si le plan n'est pas appliqué. • On *(appuyer)* sa
demande. • Les élèves *(épeler)* les mots anglais. • Tout *(geler)* avec
un froid pareil !   .../10

619 Réécrivez ce texte en utilisant le passé antérieur ou le passé simple.
Ajustez-le, si nécessaire.   Règles 70, 76

Dès qu'il *(finir)* son repas, il *(se lever)* de table et *(monter)* aussitôt se
coucher. Après qu'il *(mettre)* son pyjama, il *(se brosser)* soigneusement
les dents. Quand il *(terminer)*, il *(prendre)* un livre et en *(lire)* quelques
pages, mais à peine il *(commencer)* qu'il *(s'endormir)* d'un profond
sommeil.   .../10

620 Complétez les verbes de ces phrases.   Règles 70, 76, 78

Line pri... le tableau. Elle eu... beau l'examiner, elle ne reconnu...
pas la signature. • Il avait déjà réussi... trois fois quand j'arrivai. •
A-t-il suivi... la route que tu lui as indiquée ? • Qu'avait-elle pu...
leur raconter ? • Ma tante vécu... longtemps ici. • Qu'a-t-il voulu...
dire ? • Peut-être ne me cru...-elle pas ? • On ne su... jamais
ce qu'il devint.   .../10

621 Écrivez les participes passés des verbes en italique.   Règle 77

On se serait bien *(asseoir)* s'il y avait eu un siège. • Deux lionnes ont
(surgir) de derrière un buisson. • Elle nous a *(permettre)* d'amener
notre chien dans sa maison. • Savez-vous quand ce concerto pour
violon fut *(écrire)* ? • L'usine n'a pas *(fournir)* les tuyaux commandés
le mois dernier. • Son témoignage nous a *(surprendre)*. • Certaines
personnes ont *(médire)* de moi. • Ils avaient *(commettre)* des
larcins. • On lui a *(soumettre)* les nouveaux plans. • Elle a
(conquérir) l'estime de tous.   .../10

622 Complétez chaque verbe au temps qui convient. **Règle 80**

Emmy l'invita et partag... son repas avec elle. • On s'abritait et on se protég... le visage. • Soyons prudents ! Ne nous avanc... pas trop. • À intervalles réguliers, le soleil perc... les nuages et nous réchauffait. • Maintenant, ils log... dans un studio. .../10

623 Complétez chaque verbe au temps qui convient. **Règle 81**

On navig... depuis sept jours quand on aperçut un objet qui vog... vers nous. • Il eut tant de fièvre qu'il divag... jusqu'à l'arrivée du médecin. • Un coup de fouet claq..., ce qui provoq... un début de panique dans le troupeau. .../10

624 Relisez le tableau de la page 182, puis répondez. **Règle 84**

1. Le verbe *partir* a un **t** dans son radical *part-*. Ce **t** s'entend-il à toutes les personnes du présent de l'indicatif ?
2. Le **t** de *il part* est-il une terminaison de la conjugaison ?
3. *Garantir* et *avertir* sont-ils des verbes du 3e groupe ?
4. *Battre* se conjugue-t-il comme *mettre* au présent de l'indicatif ?
5. Dans la conjugaison des verbes terminés par *-aître*, y a-t-il un accent circonflexe sur le **i** du radical avant **t** ? .../10

625 Complétez au présent de l'indicatif ou de l'impératif. **Règles 66, 86**

Nous nous tromp..., recommenc... ! • Examin... vos résultats. • Qu'est-ce que tu en pens... ? • Arrêt...-toi et revien... ! • Inscri...-toi au cours d'italien. • Ne per... pas ton temps ! • Reli... ce texte et précis... ce que tu voulais dire. .../10

626 Écrivez les verbes en italique au présent du conditionnel. **Règles 89, 90**

S'il venait, je le *(revoir)* avec plaisir. • On *(s'ennuyer)* si tu n'étais pas là. • Si je quittais ma veste, j'*(avoir)* froid. • Ce matériau *(durcir)* s'il faisait moins chaud. • S'il m'écoutait, il *(admettre)* que je n'ai pas tort. • Que *(devenir)*-ils sans notre aide ? • Si je pouvais, je *(payer)* comptant. • *(Avoir)*-vous l'amabilité de répéter ? • S'il ne pleuvait pas, nous *(jouer)* dans la cour. • *(Faire)*-tu cela pour moi ? .../10

627 Écrivez la seconde forme du verbe asseoir, sans changer le temps, ni la personne. Dans quel cas est-ce impossible ? **Règle 88**

Tu t'assiéras, il s'assoyait, il faut que vous vous assoyiez, on l'assit, on s'assoit, je veux qu'il s'asseye, vous vous assiérez, asseyez-vous, vous assoyez le malade, elles s'asseyaient. .../10

628 »

Réécrivez ces phrases en mettant les verbes en bleu à l'imparfait de l'indicatif.

Règle 90

Ex. : *Je crois que tu viendras.* → *Je **croyais** que tu **viendrais**.*

Si tu *travailles* davantage, tu seras en tête de la classe. • Je le referai s'il le *faut*. • Je pourrai m'en occuper si on me le *demande*. • Tu le sauras si tu *lis* le mode d'emploi. • Elle commettra une erreur si elle ne *suit* pas ton conseil.

.../10

629 »

Complétez par être ou avoir au temps qui convient.

Règles 92, 63

Je crains qu'il n'... tout emporté. • Cette maison n'... plus à vendre. • ...-ce moi qui vous ... dit de téléphoner ? • Bien que tu ... raison, ne crie pas. • Ce n'... pas qu'il ... méchant ! • J'ai peur que tu n'... pris froid. • Qu'...-il venu faire ? • Je suis certain que je n'... pas fermé la porte.

.../10

630 »»

Écrivez les verbes en italique au présent de l'indicatif ou au présent du subjonctif.

Règles 92, 93, 66

On craint qu'il en *(mourir)* de rire. • J'aime mon chat, même s'il *(faire)* des sottises. • Il ne faut pas qu'il *(courir)* avec son pied dans le plâtre. • Il faut que vous *(envoyer)* ce colis. • Nous voulons que vous *(remettre)* de l'ordre dans vos affaires. • Nous vous *(envoyer)* la commande. • Pourvu qu'on me *(croire)* ! • Il faut que votre classe *(élire)* deux délégués. • Il n'est pas raisonnable, quand il *(courir)* avec sa cheville foulée. • C'est sûr, elle me *(croire)*.

.../10

631 »»

Complétez par -t-, t' ou par un tiret.

Règle 96

Faudra...il rester longtemps ? • Tu ...ennuieras, emporte une revue. • Pourquoi semble...il si heureux ? • Je ...en donnerai un. • Emprunte...lui son baladeur. • Hourra ! cria...elle, joyeuse. • Que désires...tu ? • Tu ...occuperas du bébé. • Je ...y retrouverai après le concert, attends...moi.

.../10

Révisions

■ Les exercices de révision sont regroupés en
dix fiches indépendantes, présentées dans
un ordre croissant de difficulté. Chaque **texte
à étudier** est **suivi de questions** qui entraînent
les élèves à appliquer ce qu'ils ont appris.
Il peut aussi être donné en dictée.

■ Lire attentivement le texte avant de commencer
à répondre aux questions posées. Les principales
règles révisées sont indiquées. Les élèves peuvent
ainsi revoir une règle avant de faire un exercice, ou
bien la réviser après, en cas d'erreur. Les exercices
sans règle indiquée portent sur les mots À SAVOIR.

■ Chaque fiche peut être notée sur 20. Le barème
est indiqué dans les corrigés.

■ Ces fiches de révision sont suivies de dictées.

TEXTE À ÉTUDIER.

La mule du pape. Après sa vigne de Châteauneuf, ce que le pape aimait le plus au monde, c'était sa mule. [...] Il faut dire aussi que la bête en valait la peine. C'était une belle mule noire, mouchetée de rouge, le pied sûr, le poil luisant, la croupe large et pleine, portant fièrement sa petite tête sèche toute harnachée de pompons, de nœuds, de grelots d'argent ; avec cela, douce comme un ange, l'œil naïf, et deux longues oreilles qui lui donnaient l'air bon enfant.

Alphonse Daudet, « La mule du pape », *Lettres de mon moulin*.

1 ▷ **Grammaire et orthographe.** <kbd>Règles 9, 18, 22, 51</kbd>

❶ Dans ce texte, relevez les adjectifs qualificatifs qui portent la marque du féminin ou du pluriel. Justifiez chaque fois cet accord.
❷ Quels adverbes correspondent à : *fier, large, sec, sûr, doux, plein, naïf* ?
❸ Quel mot de la même famille explique la lettre muette de : *luisant, grelot, enfant, argent* ?
❹ Quels mots du texte retrouvez-vous dans : *accroupir, vignoble, pénible, se pomponner, adoucir, naïveté, allonger* ?
❺ Écrivez les noms communs qui ont un accent circonflexe.

2 ▷ **Conjugaison.** <kbd>Règles 67, 68</kbd>

Tous les verbes du texte sont employés au même temps du passé. Lequel ? Pourquoi Daudet a-t-il utilisé ce temps ?

3 ▷ **Réécriture.** <kbd>Règles 37, 51</kbd>

Lisez le texte en imaginant que le pape a deux mules : « C'étaient ses deux mules... », puis réécrivez les passages que vous avez dû modifier.

4 ▷ **Reconstituez cinq mots avec ces éléments.** <kbd>Règles 10, 11, 12</kbd>

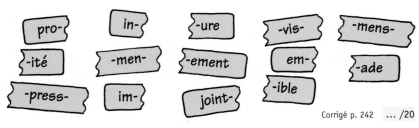

pro-   in-   -ure   -vis-   -mens-
-ité   -men-   -ement   em-   -ade
-press-   im-   joint-   -ible

Corrigé p. 242   ... /20

2 Fiche de révision

TEXTE À ÉTUDIER.

Les bruits de la forêt. À qui vient de la ville, le silence de la forêt paraît d'abord profond. Peu à peu, l'oreille s'y habitue et discerne mille petits bruits qui lui échappaient. La feuille inquiète frissonne et frémit comme une robe de soie. Une eau invisible murmure sous l'herbe ; une branche fatiguée de son attitude se redresse et s'étire en faisant craquer ses jointures. Un caillou perdant l'équilibre roule sur une pente, entraînant avec lui quelques grains de sable. Le pivert, avec un bruit régulier, frappe l'écorce des arbres pour en faire sortir les vers dont il se nourrit.

D'après Théophile Gautier.

5 ▸ **Grammaire et orthographe.** Règles 2, 5, 10, 31, 41

❶ Dans ce texte, il y a quatre verbes pronominaux comme *se promener*. Écrivez-les à l'infinitif.
❷ Quels groupes de mots du texte représentent ces pronoms en gras : **lui** *échappaient* ; **s'y** *habitue* ; **en** *faire sortir* ; **dont** *il se nourrit* ?
❸ Trouvez trois verbes du texte où le son /s/ s'écrit chaque fois d'une façon différente.
❹ Cherchez les mots du texte qui sont de la famille de : *soyeux*, *herbeux*, *craquement*, *joindre*, *traîner*, *graine*.

6 ▸ **Conjugaison.** Règles 66, 68

Les verbes conjugués dans le texte sont au même temps de l'indicatif, sauf un. Quels sont ces deux temps ?

7 ▸ **Réécriture.** Règles 37, 50, 53

Remplacez *branche* et *caillou* par leur pluriel, puis réécrivez les deux phrases du texte où figurent ces mots.

8 ▸ **Trouvez les cinq verbes dessinés.**

... /20

Fiche de révision

TEXTE À ÉTUDIER.

Frayeur. Tout à coup, j'entendis une sorte de remue-ménage parmi les joncs. Un canard sauvage s'envola en poussant un cri, un autre suivit, et bientôt, sur tout le marais, une nuée d'oiseaux criards se déploya en cercles dans l'air. J'en conclus que certains de mes compagnons devaient approcher. Je ne me trompais pas, car je perçus bientôt des voix assez distantes, mais qui devinrent progressivement de plus en plus fortes.

Cela me fit grand-peur. Je rampai sous le couvert du chêne vert le plus proche et m'y blottis, l'oreille tendue, sans faire plus de bruit qu'une souris.

Robert Louis Stevenson, *L'Île au trésor*.

9 ▸ **Grammaire et orthographe.** Règles 22, 23, 26, 41, 51

❶ Écrivez les mots qui se terminent par les lettres muettes **c** et **d**.
❷ Quels noms expliquent l'accord des adjectifs : *criards, distantes, fortes* ? Pourquoi écrire le nom *cercles* avec un **s** ?
❸ Quels homonymes de *vers, voie, fer, chaîne* sont dans le texte ?
❹ Dans *je m'y blottis*, quel groupe de mots remplace le pronom **y** ? Quel passage du texte remplace le pronom **en** dans *j'en conclus* ?
❺ Quels mots sont de la famille de : *crier, nuage, tôt, couverture* ?
❻ Quels noms du texte s'écrivent au singulier comme au pluriel ?

10 ▸ **Conjugaison.** Règles 62, 68, 70

❶ Quels verbes du texte sont du 3ᵉ groupe ? Écrivez leur infinitif.
❷ Écrivez les verbes en deux groupes selon qu'ils sont conjugués à l'imparfait de l'indicatif ou au passé simple.

11 ▸ **Réécriture.** Règles 54, 70

Réécrivez la deuxième phrase en mettant les verbes au pluriel. Ajustez les sujets en conséquence.

12 ▸ **Rétablissez l'orthographe correcte de ces phrases.**

Jean voit le rat-porc
par le courrier de Saint Cœur.
L'effet d'hiver occupe l'étroit car
du journal au mois doux.

Corrigé p. 242   ... /20

4 Fiche de révision

Le départ des chevaliers. Sur ce, les deux chevaliers demandèrent leurs armes, et ils revêtirent leur armure. Alors la demoiselle fit montre de courtoisie, noblesse et largesse car, après avoir beaucoup raillé et rabroué le chevalier de la charrette, elle lui donna un cheval et une lance en marque d'affection et de bon accord. Les chevaliers prirent congé de la demoiselle en hommes courtois et bien élevés, et après l'avoir saluée ils partirent dans la direction qu'ils avaient vu prendre par le cortège. Mais ils sortirent si vite du château que personne ne put leur adresser la parole.

Chrétien de Troyes, *Lancelot ou le Chevalier de la charrette.*

13 **Grammaire et orthographe.** Règles 2, 22, 23, 59

❶ Écrivez les trois noms qui correspondent aux qualités de la demoiselle. De quels adjectifs viennent-ils ?

❷ Trouvez dans le texte les synonymes de : *faire ses adieux, se moquer, traiter avec rudesse.*

❸ *Après l'avoir saluée, ils partirent.* Que représentent les pronoms « *l'* » et « *ils* » ? Pourquoi le participe passé se termine-t-il par un **e** ?

❹ Quels mots du texte sont de la famille de : *affectueux, accorder, armée, diriger* ?

14 **Conjugaison.** Règles 62, 70

❶ La plupart des verbes du texte sont au même temps simple. Lequel ? Relevez ces verbes et leur sujet, puis écrivez leur infinitif.

❷ Dans quel ordre se déroulent ces actions : *saluer, demander, revêtir, partir, donner, railler* ?

15 **Réécriture.** Règles 37, 70

Remplacez *les deux chevaliers* par *le chevalier*, puis réécrivez la première et la dernière phrase du texte.

16 **Reconstituez cinq noms avec ces éléments.** Règles 10, 11, 12

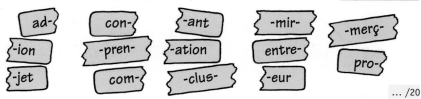

ad- con- -ant -mir- -merç-
-ion -pren- -ation entre- pro-
-jet com- -clus- -eur

... /20

TEXTE À ÉTUDIER.

Sindbad le marin. Dans le cours de notre navigation, nous abordâmes à plusieurs îles et nous y vendîmes ou échangeâmes nos marchandises. Un jour que nous étions à la voile, le calme nous prit vis-à-vis d'une petite île presque à fleur d'eau, qui ressemblait à une prairie par sa verdure.

Le capitaine fit plier les voiles, et permit de prendre terre aux personnes de l'équipage qui voulurent y descendre. Je fus du nombre de ceux qui y débarquèrent. Mais, dans le temps que nous nous divertissions à boire et à manger, et à nous délasser de la fatigue de la mer, l'île trembla tout à coup, et nous donna une rude secousse...

« Sindbad le marin », *Les Mille et Une Nuits*.

17 **Grammaire et orthographe.** Règles 5, 6, 7, 10, 22

❶ Quels noms du texte correspondent aux verbes : *secouer, atterrir, naviguer, marchander, calmer, équiper* ?

❷ Trouvez dans le texte les mots ou expressions synonymes de : *à ras, autoriser, se détendre, pendant* (deux expressions), *toucher terre*.

❸ Observez la prononciation des mots et relevez ceux : où le son /s/ s'écrit avec **ss** ; où le son /k/ s'écrit **qu** ; où le son /ʒ/ s'écrit **ge**.

❹ Quels verbes du texte ont le même radical que : *bord, lassitude, barque, pli, change* ?

18 **Conjugaison.** Règles 62, 68, 70

❶ Quels sont les verbes du 3ᵉ groupe ? Quel est celui du 2ᵉ groupe ?

❷ Écrivez à la 1ʳᵉ personne du singulier les verbes qui sont conjugués dans le texte.

19 **Réécriture.** Règles 65, 66

Réécrivez le second paragraphe en imaginant que l'histoire est racontée au présent.

20 **Trouvez les cinq noms dessinés.**

6 Fiche de révision

TEXTE À ÉTUDIER.

Renart et la mésange. « Écoutez, dame, puisque vous avez peur de moi, je garderai les yeux fermés pour vous embrasser.
– Dans ces conditions, j'accepte. Fermez les yeux. »
Il obéit, mais la mésange qui ne veut pas se risquer à l'embrasser se saisit d'une pleine poignée de mousse et de feuilles dont elle se met à lui chatouiller le museau. Et Renart, croyant la saisir, n'attrape que la feuille restée accrochée à sa moustache.
« Eh bien ! Renart, s'écrie-t-elle, de quel accord parliez-vous ? Vous auriez eu vite fait de rompre la trêve si je ne m'étais écartée à temps. »

Le Roman de Renart.

21 **Grammaire et orthographe.** Règles 13, 26, 44, 56, 66

❶ Écrivez les mots qui commencent par **ac-** et **at-** ? Qu'observez-vous ?
❷ Quels mots du texte sont de la famille de *bras* et de *poing* ?
❸ Dites pourquoi chacun des mots *restée, accrochée, s'écrie* et *écartée* se termine par un *e*.
❹ Comment expliquez-vous le singulier de *mousse* et le pluriel de *feuilles* dans la même phrase ?
❺ Dans la dernière réplique, comment écririez-vous *quel* si le nom *accord* était remplacé par *trêve* ?
❻ Quels homonymes de *mai*, de *plaine* et de *taon* sont dans le texte ?

22 **Conjugaison.** Règles 66, 76, 86

Dites à quel temps et à quel mode sont employés les verbes :
écouter, garder, fermer, obéir, parler, écarter.

23 **Réécriture.** Règles 86, 96

Imaginez que Renart et la mésange se tutoient, puis réécrivez les répliques du texte.

24 **Rétablissez l'orthographe correcte de ces phrases.**

Pour apprendre les cris, les colliers travaillent l'âne à Lise.
Les toiles du soir, l'étang du sel-Est sont un spectacle trou blanc pour l'air mite.

Corrigé p. 243 ... /20

TEXTE À ÉTUDIER.

Une guenon en blouse blanche. Je l'observai avec attention tandis qu'elle s'approchait. Elle était vêtue, elle aussi, d'une blouse blanche, de coupe plus élégante que celle des gorilles, serrée à la taille par une ceinture, et dont les manches courtes révélaient deux longs bras agiles. Ce qui me frappa surtout en elle, ce fut son regard, remarquablement vif et intelligent. J'en augurai du bien pour nos futures relations. Elle me parut très jeune, malgré les rides de sa condition simienne qui encadraient son museau blanc. Elle tenait à la main une serviette de cuir.
Elle s'arrêta devant ma cage et commença à m'examiner [...].

Pierre Boule, *La Planète des singes.*

25 **Grammaire et orthographe.** Règles 10, 18, 22, 51, 54

❶ Écrivez les mots du texte qui sont de la famille de : *proche, servir, remarquer, inauguration, cadre, ceindre.*
Lequel est un adverbe ? Lesquels sont des noms ?
❷ Comment expliquez-vous le **e** à la fin de *vêtue* et de *serrée* ?
Et les lettres **es** à la fin de *courtes*, de *futures* et d'*agiles* ?
❸ Quels sont les sujets des deux verbes au pluriel ?
❹ Associez chaque adjectif au nom qui lui correspond le mieux :
jeune, élégant, singe, ridé, adolescent, simien, vieillard, mannequin.

26 **Conjugaison.** Règles 70, 89, 90

❶ Quels verbes du texte sont au passé simple ?
❷ Réécrivez au conditionnel présent ces verbes au passé simple.

27 **Réécriture.** Règles 37, 54, 70

Réécrivez la fin du texte (à partir de « *Elle me parut...* »), comme si c'étaient deux gorilles qui s'étaient approchés de la cage.

28 **Reconstituez cinq mots avec ces éléments.** Règles 10, 11, 12

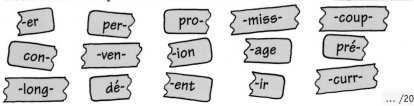

... /20

8 — Fiche de révision

TEXTE À ÉTUDIER.

Alice et le lapin. Lorsque le lapin tira bel et bien une montre de la poche de son gilet, regarda l'heure, et se mit à courir de plus belle, Alice se dressa d'un bond, car, tout à coup, l'idée lui était venue qu'elle n'avait jamais vu de lapin pourvu d'une poche de gilet, ni d'une montre à tirer de cette poche. Dévorée de curiosité, elle traversa le champ en courant à sa poursuite, et eut la chance d'arriver juste à temps pour le voir s'enfoncer comme une flèche dans un énorme terrier placé sous la haie.

Un instant plus tard, elle y pénétrait à son tour, sans se demander comment diable elle pourrait bien en sortir.

Lewis Carroll, *Alice au pays des merveilles*.

29 ▶ Grammaire et orthographe.   Règles 26, 31, 41, 57, 58

❶ Trouvez dans le texte les noms homonymes de : *bon*, *chant*, *leur*, *est*.
❷ Il y a quatre verbes pronominaux. Lesquels ? Écrivez l'infinitif de ceux qui sont conjugués.
❸ Justifiez le **e** de *venue*, de *dévorée* ; l'absence de **e** de *vu*, de *placé*.
❹ Relevez les groupes nominaux contenant un déterminant possessif ou démonstratif.
❺ Dans la dernière phrase, que représentent les pronoms **y** et **en** ?

30 ▶ Conjugaison.   Règles 76, 78, 89

Écrivez séparément les verbes conjugués à un temps simple et ceux conjugués à un temps composé. Précisez le temps et le mode de chacun.

31 ▶ Réécriture.   Règles 37, 51, 54

Réécrivez le texte jusqu'à « *poursuite* » en remplaçant *le lapin* par *les lapins* et *Alice* par *les filles*.

32 ▶ Trouvez les cinq mots dessinés.

TEXTE À ÉTUDIER.

Le chien d'Ulysse. Avec les jeunes gens, Argos avait vécu, courant le cerf, le lièvre et les chèvres sauvages. Négligé maintenant, en l'absence de son maître, il gisait, étendu au-devant du portail, sur le tas de fumier des mulets et des bœufs où les servants d'Ulysse venaient prendre de quoi fumer le grand domaine ; c'est là qu'Argos était couché, couvert de poux. Il reconnut Ulysse en l'homme qui venait et, remuant la queue, coucha les deux oreilles : la force lui manqua pour s'approcher de son maître. Ulysse l'avait vu : il détourna la tête en essuyant un pleur...

Homère, l'*Odyssée*, extrait du chant XVII.

33 **Grammaire et orthographe.**   Règles 9, 10, 49, 50

❶ Écrivez les mots qui ont un accent grave. Dans quels mots cet accent sert-il à marquer une différence de sens ?
❷ Quels mots ou groupes de mots du texte pourraient remplacer : *fertiliser, une larme, chasser, être couché sans pouvoir bouger* ?
❸ Quels animaux sont cités ? Écrivez leur nom au singulier, puis au pluriel. Lequel change de prononciation au pluriel ?
❹ Écrivez les mots du texte qui sont de la même famille que : *domanial, entasser, proche, service, s'efforcer, connaître.*
❺ Trouvez les contraires de : *présence, s'éloigner, domestique, soigné.*

34 **Conjugaison.**   Règles 69, 76, 81, 84

❶ À quel temps composé est conjugué *avait vécu* ? Écrivez ce verbe au temps simple correspondant.
❷ À quel temps sont conjugués *reconnut* et *manqua* ? Sans changer la personne, écrivez-les aux autres temps simples de l'indicatif.

35 **Réécriture.**   Règles 51, 54, 56, 59

Réécrivez les passages du texte qui seraient modifiés si vous remplaciez *Argos* par *les chiens*.

36 **Rétablissez l'orthographe correcte de ces phrases.**

Elle mange du pou laid
au petit des jeux nés.
Il apprit son nez lent et il accourut
le sans maître.

... /20

Fiche de révision

10

TEXTE À ÉTUDIER.

L'épée magique. Artus était un bel et grand adolescent de seize ans, fort aimable et serviable : il piqua des deux vers leur logis, mais il ne put trouver l'épée de son frère ni aucune autre, car la dame de la maison les avait toutes rangées dans une chambre, et elle était allée voir la mêlée. Il s'en revenait, lorsqu'en passant devant l'église il pensa qu'il n'avait pas encore fait l'essai : aussitôt il s'approche du perron et, sans même descendre de cheval, il prend le glaive merveilleux par la poignée, le tire sans la moindre peine, et l'apporte sous un pan de manteau à son frère, à qui il dit : « Je n'ai pu trouver ton épée, mais je t'apporte celle de l'enclume. »

« Merlin l'enchanteur », *Romans de la Table Ronde*.

37 **Grammaire et orthographe.** Règles 22, 23, 56, 59, 64

❶ Quels mots du texte désignent : *la partie surélevée devant l'entrée d'un bâtiment, une épée de combat, une masse de fer, un combat* ?

❷ Quelle expression du texte signifie : *éperonner un cheval* ?

❸ Quels noms correspondent aux verbes : *essayer, loger, mêler, peiner* ?

❹ Quels adjectifs sont de la famille de : *aimer, merveille, servir, grandir* ?

❺ Expliquez l'accord des participes passés *rangées* et *allée*.

❻ Il fait l'*essai*, il *essaie* ; le *tir*, il *tire*. Pourquoi l'orthographe de ces couples de mots homophones est-elle différente ?

38 **Conjugaison.** Règles 66, 70

Relevez les verbes qui sont au présent de l'indicatif, puis écrivez-les au temps du passé qui pourrait convenir dans ce texte.

39 **Réécriture.** Règles 51, 54

Réécrivez les passages qui seraient modifiés si vous remplaciez *Artus* par *les deux amis*, du début du texte jusqu'à « l'essai ».

40 **Reconstituez cinq noms avec ces éléments.** Règles 10, 11, 12

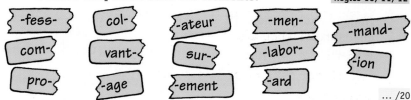

-fess-   col-   -ateur   -men-   -mand-
com-   vant-   sur-   -labor-   -ion
pro-   -age   -ement   -ard

... /20

DICTÉES

Différents types de dictée sont possibles : *la dictée dirigée* où le professeur guide au fur et à mesure la réflexion de ses élèves sur les points où ils risqueraient de se tromper ; *la dictée-copie* où les élèves écrivent, au rythme où on le leur dicte, un texte qu'ils ont sous les yeux ; *l'autodictée* où ils écrivent un texte qu'ils ont appris ; mais aussi *la dictée dialoguée* et la traditionnelle *dictée de contrôle*.

1 Le chat

Dans ma cervelle se promène,
Ainsi qu'en son appartement,
Un beau chat, fort, doux et charmant.
Quand il miaule, on l'entend à peine,
Tant son timbre est tendre et discret ;
Mais que sa voix s'apaise ou gronde,
Elle est toujours riche et profonde.
C'est là son charme et son secret.

Charles Baudelaire,
« Le chat », *Les Fleurs du Mal.*

2 Sauvé de la tempête

Durant deux jours, deux nuits, Ulysse dériva sur la vague gonflée : que de fois, en son cœur, il vit venir la mort ! Quand, du troisième jour, l'Aurore aux belles boucles annonçait la venue, soudain le vent tomba ; le calme s'établit : pas un souffle ; il put voir la terre toute proche ; son regard la fouillait, du sommet d'un grand flot qui l'avait soulevé...

Homère, l'*Odyssée*, extrait du chant V.

3 Babouchka

Assise au coin du feu, le dos rond, les mains sur les genoux, Babouchka écoute le vent d'hiver qui hurle dans la plaine. Il accourt de loin, s'écrase contre la porte, jette des étoiles de neige à la vitre noire, s'engouffre dans la cheminée et secoue furieusement la flamme du foyer, qui se cabre et qui ronfle. Malgré ce tumulte, Babouchka n'a pas peur. Il fait si bon dans l'isba, quand, dehors, tout n'est que froid, ténèbres et violence !

Henri Troyat, « Babouchka », *La Rose de Noël.*

4 Gargantua

Il se mettait à table et, pour se mettre en appétit, il commençait son repas par quelques douzaines de jambons, de langues de bœuf fumé, d'œufs de poisson, d'andouilles et par d'autres mets salés qui aiguisent la soif. Pendant ce temps, quatre de ses gens lui jetaient dans la bouche l'un après l'autre, et continuellement, de pleines pelletées de moutarde. Puis il buvait un énorme trait de vin blanc. Après, selon la saison, il mangeait des plats divers, ne cessant de manger que lorsque le ventre lui tirait.

François Rabelais, *Gargantua.*

5 ▶ Les chats

On raconte qu'Alexandre Dumas paria un jour avec un ami qu'il rencontrerait sur sa route plus de chats que l'ami n'en trouverait sur la sienne. Pari tenu. Chacun va son chemin, mais, alors que l'ami traverse, sans s'en soucier, toute une série de zones d'ombre, Dumas prend bien soin de ne choisir que des rues, que des trottoirs baignés par le soleil – et où les chats, naturellement, se chauffent, béats, le dos rond, les yeux mi-clos, enfoncés dans la vie, étrangers à tout le reste.

Jean d'Ormesson, Presque rien sur presque tout.

6 ▶ L'hiver

Jusqu'à présent, il était dur et vert et bien acide, et puis, d'un coup, le voilà tendre. L'air est presque tiède. Il n'y a pas encore de vent. Ça fait trois jours qu'à la barrière de l'horizon, au sud, un grand nuage est à l'ancre, dansant sur place.

Et puis, aujourd'hui, il y a eu la pluie. Elle est venue comme un oiseau, elle s'est posée, elle est partie ; on a vu l'ombre de ses ailes passer sur les collines de Névières, elle est revenue faire le tour d'Aubignane, puis elle a pris le vol vers les plaines.

Jean Giono, Regain.

7 ▶ Moralité

On voit ici que de jeunes enfants,
Surtout de jeunes filles,
Belles, bien faites, et gentilles,
Font très mal d'écouter toute sorte de gens,
Et que ce n'est pas chose étrange,
S'il en est tant que le loup mange.
Je dis le loup, car tous les loups
Ne sont pas de la même sorte ;
Il en est d'une humeur accorte
Sans bruit, sans fiel et sans courroux,
Qui privés, complaisants et doux,
Suivent les jeunes demoiselles
Jusque dans les maisons, jusque dans les ruelles,
Mais hélas ! qui ne sait que ces loups doucereux,
De tous les loups sont les plus dangereux.

Charles Perrault, Le Petit Chaperon rouge.

8 ▶ La vengeance de la mule

La mule était au bas de l'escalier, [...] prête à partir pour la vigne... Quand il passa près d'elle, Tistet Védène eut un bon sourire et s'arrêta pour lui donner deux ou trois petites tapes amicales sur le dos, en regardant du coin de l'œil si le Pape le voyait. La position était bonne... La mule prit son élan :

« Tiens ! attrape, bandit ! Voilà sept ans que je te le garde ! » Et elle lui détacha un coup de sabot si terrible, si terrible, que de Pampérigouste même on en vit la fumée, un tourbillon de fumée blonde où voltigeait une plume d'ibis ; tout ce qui restait de l'infortuné Tistet Védène !...

D'après Alphonse Daudet, « La mule du pape »,
Lettres de mon moulin.

9 ▸ Le petit canard

Le chat disait : « Sais-tu faire le gros dos, ronronner et lancer des étincelles ?
– Non.
– Bon, alors, tu n'as pas à avoir d'opinion quand les gens sensés parlent ! »
Et le petit canard restait dans le coin, et il était de mauvaise humeur. Alors, il se mit à penser à l'air frais et à l'éclat du soleil. Il eut une extraordinaire envie de flotter sur l'eau, pour finir, il ne put se retenir, il fallait qu'il le dise à la poule.
« Qu'est-ce qui t'arrive ? demanda-t-elle. Tu n'as rien à faire, c'est pour cela qu'il te vient des lubies ! Ponds un œuf ou ronronne, et ça te passera. »

Hans Christian Andersen, « Le vilain petit canard », *Contes.*

10 ▸ Alice

« Mon Dieu ! Mon Dieu ! Comme tout est bizarre aujourd'hui ! Pourtant, hier, les choses se passaient normalement. Je me demande si on m'a changée pendant la nuit ? Voyons, réfléchissons : est-ce que j'étais bien la même quand je me suis levée ce matin ? Je crois me rappeler que je me suis sentie un peu différente. Mais, si je ne suis pas la même, la question qui se pose est la suivante : Qui diable puis-je bien être ? Ah ! voilà le grand problème ! » Sur quoi, elle se mit à passer en revue dans sa tête toutes les filles de son âge qu'elle connaissait, pour voir si elle avait pu être changée en l'une d'elles.

Lewis Carroll, *Alice au pays des merveilles.*

11 ▸ Cosette

Cosette saisit l'anse à deux mains. Elle eut de la peine à soulever le seau. Elle fit ainsi une dizaine de pas, mais le seau était plein. Il était lourd, elle fut forcée de le reposer à terre. Elle respira un instant, puis elle releva l'anse de nouveau et se remit à marcher, cette fois un peu plus longtemps. Elle marchait penchée en avant, la tête baissée comme une vieille ; le poids du seau raidissait ses bras maigres, l'anse de fer achevait d'engourdir et de geler ses petites mains mouillées. De temps en temps, elle était forcée de s'arrêter, et, chaque fois qu'elle s'arrêtait, l'eau froide qui débordait du seau tombait sur ses jambes nues.

Victor Hugo, *Les Misérables.*

12 ▸ Un honnête homme

CLÉONTE. – Je trouve que toute imposture est indigne d'un honnête homme, et qu'il y a de la lâcheté à déguiser ce que le Ciel nous a fait naître, à se parer aux yeux du monde d'un titre dérobé, à se vouloir donner pour ce qu'on n'est pas. Je suis né de parents, sans doute, qui ont tenu des charges honorables. Je me suis acquis dans les armes l'honneur de six ans de services, et je me trouve assez de bien pour tenir dans le monde un rang assez passable. Mais, avec tout cela, je ne veux point me donner un nom où d'autres en ma place croiraient pouvoir prétendre, et je vous dirai franchement que je ne suis point gentilhomme.

Molière, *Le Bourgeois gentilhomme* (acte III, scène 12).

13 ▸ La cognée de bois

Mercure jette aux pieds du bûcheron trois cognées et lui dit :
– Tu as assez pleuré et crié. Te voilà exaucé par Jupiter. Regarde laquelle de ces trois cognées est celle que tu as perdue et prends-la.
Le bûcheron soulève la cognée d'or, la regarde et la trouve trop lourde :
– Celle-ci n'est pas à moi, je n'en veux point.
Il fait de même avec la cognée d'argent :
– Celle-ci non plus, je vous la laisse.
Puis il prend la cognée de bois, regarde au bout du manche, y reconnaît sa marque :
– Voici la mienne ! Si vous voulez bien me la laisser, je vous offrirai un grand bol de fraises tout couvert de crème au prochain printemps !
– Bûcheron, dit Mercure, tu es un sage : ton outil de travail représente plus que dix kilos d'or et d'argent. Pour avoir compris cela, Jupiter t'offre les deux autres.

D'après une fable d'Ésope, *Mercure et les trois cognées*.

14 ▸ Le renard et le petit prince

– On ne connaît que les choses que l'on apprivoise, dit le renard. Les hommes n'ont plus le temps de rien connaître. Ils achètent des choses toutes faites chez les marchands. Mais comme il n'existe point de marchands d'amis, les hommes n'ont plus d'amis. Si tu veux un ami, apprivoise-moi !
– Que faut-il faire ? dit le petit prince.
– Il faut être très patient, répondit le renard. Tu t'assoiras d'abord un peu loin de moi, comme ça, dans l'herbe. Je te regarderai du coin de l'œil et tu ne diras rien. Le langage est source de malentendus. Mais, chaque jour, tu pourras t'asseoir un peu plus près...

Antoine de Saint-Exupéry, *Le Petit Prince*.

Règles d'orthographe : exercices corrigés

1. *Il fallait dessiner une cuillère sous les groupes nominaux suivants (avec le creux sous le mot en gras)* : **l'**enfant, **le** chaton, **son** manteau, **le** jeune homme, **la** renarde, **ses** petits, **leurs** jeux, **les** choses, **le** grand chêne, **une** longue table.

3. La maison, le flanc, la montagne, un chemin, les crêtes, une vieille grange, un ravissant petit chalet, le côté, une niche vide, l'été.

5. la barque, une île sauvage, une grotte, une épaisse végétation, l'entrée, quelques grosses pierres, un vieux coffre, leurs sacs, leur trésor, un mot.

6. ses copains l'attendaient ; dans la cour ; le récit ; de ses exploits ; le journal publierait ; un article sur le sujet ; le correspondant local ; quelques photos ; passer à la télévision ; un public admiratif.

9. *Libre choix des déterminants. Par exemple :* mon **père** ; conduit la **voiture** ; faire réparer le **toit** ; changer la **tuile** ; chaque année, la **rivière** ; inonde les **prés** ; la **chatte** ; nettoie ses **chatons** ; ma **sœur** ; se brosse les **dents**.

10. *Il fallait entourer ces dix pronoms :* **on** (ne les croyait) ; **les** (croyait) pas assez grands et forts pour ; (quand) **on** (lui a dit) ; **lui** (a dit) ; **ils** (étaient partis) ; **elle** (n'a pas voulu) ; **me** (croire) ; (quand) **elle** (les a vus) ; (elle) **les** (a vus revenir) ; **ils** (avaient réussi).

13. *Il fallait entourer ces douze pronoms :* as-**tu** vu ; **moi**, **je**, **l'**(ai vu) ; **l'**(ont éteint) ; **on** aperçut ; **tous** (se retrouvaient) ; **j'**, **y** (vivais) ; **vous** aviez ; **on** dirait ; **elle** part. ■ *Il fallait dessiner une cuillère sous ces huit groupes nominaux (avec le creux sous le mot en gras) :* **l'**incendie ; **une** grande ferme ; **leur** travail ; **la** cour ; **ma** ville ; **votre** chien ; **cette** fumée ; **la** colline.

16. *manger* mal, beaucoup, peu ; *dormir* longtemps, debout ; *chanter* juste, faux, bien ; *marcher* vite, lentement.

18. *Il fallait souligner les mots en gras :* *très* **exigeant** ; **travaille** *beaucoup* ; **se lève** *tard* ; *peu* **enviable** ; **raconte** *toujours* ; **passe** *généralement* ; *assez* **grand** ; il **habite** *encore* ; *vraiment* **surprenante** ; **aboutir** *rapidement*.

19. *Il fallait souligner les mots en gras :* **bavardaient** *ensemble* ; *assez* **confortable** ; *tellement* **rare** ; *très* **clairement** ; **roulent** *vite* ; *trop* **vite** ; *presque* **contents** ; *tout à fait* **capable** ; **a cherché** [...] *partout* ; **marchait** *tranquillement*.

23. *Il fallait encercler les mots en gras :* **n'**avait **pas** fait ; **n'**as **rien** dit ; **ne** prendrai **qu'**un seul gâteau ; **n'**en parlera **plus** ; **n'**y va **que** le dimanche ; **ne** te rends **pas** compte ; **n'**a **que** deux ans ; **n'**en mangerons **plus** ; **n'**avait-elle **pas** bien ; **n'**a **rien** vu.

24. ne ... pas (perdu) ; n' ... pas (mes yeux) ; ne ... plus ; ne ... pas (dit) ; n' ... pas (peur) ; ne ... rien ; ne ... qu'(en train) ; ne ... pas (à votre version) ; ne ... jamais (de sucre) ; ne ... que (du piano).

26. Pourquoi est-elle venue ? L'avez-vous aperçu ? L'empêcherez-vous d'entrer ? Pourquoi caresses-tu ce chien ? Le désavantagez-vous ? Hésite-t-il (parfois) ? Pourquoi s'en aller ? Peut-on le visser avec ce tournevis ? En parlez-vous (parfois) ? La remboursera-t-on bientôt ?

29. bonsoir, s'assoupir, l'existence, le hasard, des ciseaux, du raisin, essuyer, impossible, une danse, assembler, une blouse, discuter, une blessure, occasionner, dépasser. une transformation, nécessaire, brusquement, une pâtisserie, une profession.

31. obéir : obéissant, l'obéissance ; faible : la faiblesse ; un tas : tasser, entasser ; souple : la souplesse ; discuter : une discussion ; l'appétit : appétissant ;

imprimer : une impre**ss**ion; gros : gro**ss**e, une gro**ss**eur, gro**ss**ir; le souffle : e**ss**oufflé, s'e**ss**ouffler; jaune : la jauni**ss**e.

32. pa**ss**oire, parde**ss**us, pare**ss**e, rui**ss**eau, hau**ss**e, bai**ss**er, profe**ss**eur, la**ss**itude, permi**ss**ion, e**ss**ayer.

36. prodi**gu**er, an**g**oisse, **gu**ider, **g**arantir, or**gu**e, lan**g**age, lon**gu**eur, **g**aufre, vul**g**aire, **gu**érison, bri**g**and, **gu**ichet, **g**oût, or**gu**eil, vi**gu**eur, **gu**êpe, han**g**ar, distin**gu**er, se fi**g**urer, **g**ambader.

37. indi**c**ation, fré**qu**ent, co**qu**ille, exé**c**ution, **c**as, compli**qu**er, perro**qu**et, dis**c**uter, fabri**qu**er, invo**qu**er, **qu**inzième, fabri**c**ation, é**qu**ipage, provo**qu**er, **c**ueillir, du**qu**el, in**qu**iéter, en**qu**ête, vain**c**u, ban**qu**ier.

39. ri**g**oureux, intri**gu**é (*ou* intri**qu**é), in**qu**iétude, **g**ourmand, ex**qu**is, a**g**acer, **gu**etter, **c**ueillette, consé**qu**ences, lon**gu**ement, mélan**c**olie, con**qu**érir, vain**qu**eur, appli**qu**er, communi**c**ation, or**gu**eilleux, en**g**ager, ta**qu**iner, élé**g**ant, mu**gu**et.

43. fran**ç**ais, é**c**lair**c**ir, soup**ç**ons, ressour**c**e, fian**c**és, ma**ç**on, noir**c**ir, mena**ç**ant, ran**ç**on, re**ç**ois, dépla**ç**ais, aper**ç**u, spé**c**ial, rin**ç**age, dé**ç**u, gla**ç**on, commen**c**er, commen**ç**ant, fa**ç**onner, fa**ç**ade.

44. prodi**g**ieux, na**g**eoires, éta**g**ère, rou**g**eole, exi**g**er, na**g**eur, fla**g**eolets, bour**g**eois, obli**g**eance, na**g**ea, intelli**g**ent, **g**iratoire, **g**éant, ven**g**eance, man**g**eable, voya**g**ea, vé**g**étation, pi**g**eon, nei**g**er, oran**g**eade.

46. hy**g**iène, pin**c**eau, fra**g**ile, diri**g**eable, fa**ç**on, balan**ç**oire, soula**g**ea, arran**g**er, dé**c**eption, hame**ç**on, déman**g**eaisons, commer**ç**ant, ju**g**ea, fian**ç**ailles, **c**itoyen, **ç**à et là, plon**g**eoir, tron**ç**on, proven**ç**al, négli**g**eable.

50. -niè-, -mè-, -riè-, -rè-, -flè-, -thè-, -piè-, -nè-, -guè-, -crè-.

51. *Il manque un accent à :* **é**chelle, d**é**sert, app**é**tit, **é**tag**è**re, d**é**m**é**nager, g**é**n**é**rosité, espi**è**gle, hygi**è**ne, l**é**g**è**rement, int**é**ressant, d**é**clarer, s**é**v**è**re.
N'ont pas besoin d'accent : respecter, s'efforcer, expression, enterrement, dessert, cercle, destiner, interrompre.

53. *Il manque un accent à :* **é**ternuer, a**é**rer, sph**è**re, **é**gal, libert**é**, s**é**cher, esp**è**ce, ing**é**nieur, pr**é**c**é**dent, th**é**i**è**re, conqu**é**rir, d**é**crire, d**é**filé. ■ *N'ont pas besoin d'accent :* vertige, question, s'essouffler, escalier, certificat, assiette, profession.

57. il exag**è**re, secr**è**tement, r**é**gner, on r**é**p**è**te, coll**è**ge, s**é**v**é**rité, di**é**t**é**tique, il op**è**re, r**é**glage, coll**é**gien, s**é**v**è**re, syst**é**matique, secr**é**taire, r**è**glement, il r**è**gne, syst**è**me, exag**é**ration, di**è**te, r**é**p**é**tition, op**é**ration.

58. lâche et lâcheté; abîmer et abîme; flâner et flâneur; fraîche et rafraîchir; pâle et pâlir; paraître et disparaître; entraîneur et entraîner; démêler et pêle-mêle; coûteux et coût; brûler et brûlant. *(Cf. p. 247)*

59. *Il manque un tréma à :* (voix) aigu**ë** (*ou* aig**ü**e); na**ï**f; astéro**ï**de; égo**ï**ste; pa**ï**en; laïcité; (réponse) ambigu**ë** (*ou* ambig**ü**e); ma**ï**s (grillé); héro**ï**ne; mosa**ï**ques; ha**ï**ssable; fa**ï**ence; a**ï**eul. ■ *Pas besoin de tréma dans ces expressions :* têtu mais serviable; angoissé; une figue mûre; un roi; une laiterie; de l'air; un essai.

63. -chant-, -fum-, -fleur-, -serr-, -calcul-, -port-, -traîn-, -faibl-, -gliss-, -batt-.

64. -batt- : a**batt**oir, a**batt**re; -aim- : **aim**able, **aim**er; -faibl- : af**faibl**ir, **faibl**e; -cycl- : bi**cycl**ette, **cycl**iste; -glac- : **glac**er, **glac**ial; -rect- : cor**rect**ion, di**rect**ion; -flatt- : **flatt**erie, **flatt**er; -carr- : **carr**é, **carr**eau; -fess- : pro**fess**eur, con**fess**eur, pro**fess**ion; -jet- : pro**jet**er, re**jet**er, pro**jet**.

66. **barr**e, barrage, barreau : *radical* -barr- ■ **personn**e, personnifier, personnel, personnage : *radical* -personn- ■ **chauff**er, chauffage, chaufferie, échauffer : *radical* -chauff- ■ mi**di**, lundi, mercredi, dimanche : *radical* -di- (= jour) ■ **pierr**e, pierreries, pierreux, empierrer : *radical* -pierr-.

67. pla**fond**, profond, approfondir, fonder : *radical* -fond- ■ **bouill**ir, bouilloire, bouillon, bouillotte, bouillonner : *radical* -bouill- ■ **pass**ager, passerelle, passoire : *radical* -pass- ■ dé**roul**er, enrouleur, roulette, roulement : *radical* -roul- ■ **terr**itoire, Médi**terr**anée, terrine, terrier : *radical* -terr-.

71. courir, mener, paraître, position, nouveau, terrain, portion, rire, espérer, ranger.

72. apaiser : non ; attirer : tirer ; apporter : porter ; apprendre : prendre ; attraper : non ; approuver : prouver ; approcher : non ; atteindre : teindre ; applaudir : non ; appliquer : non.

74. prolonger, allonger ; conducteur, producteur ; protester, contester ; transporter, comporter ; apporter, importer, supporter ; travers, envers ; exception, déception, perception ; professeur, confesseur ; attarder, retarder ; promener, surmener, amener, emmener ; réclamer, proclamer, acclamer. ■ *20 préfixes trouvés :* pro-, al-, con-, trans-, com-, tra-, en-, ex-, dé-, per-, at-, re-, sur-, a-, em-, ré-, ac-, ap-, im-, sup-.

77. *N'ont pas de préfixe :* amiral, animal, comtesse, examiner, sucrier.
    Ont un préfixe : a-normal, im-mobile, pro-céder, ex-ception, re-partir.

79. **-ard** (campagnard, montagnard) ; **-able** (comptable, coupable) ; **-eau** (traîneau, drapeau) ; **-ité** (fragilité, sensibilité, tranquillité) ; **-ée** (matinée, destinée) ; **-ement** (remerciement, dévouement) ; **-iment** (bâtiment, sentiment) ; **-on** (bouchon, jambon, guidon) ; **-ure** (parure, serrure, fourrure) ; **-âtre** (bleuâtre, verdâtre).

80. brumeux, savoureux, honteux, fiévreux, huileux, rigoureux, nombreux, courageux, joyeux, ennuyeux.

83. étincel**ant**, condamn**able**, verd**âtre**, exige**ant**, pâl**e**, bouill**ant**, caress**ant**, effray**ant**, embarrass**ant**, épouvant**able**.

84. *Familles avec un nom ayant le suffixe* **-oir** *:* mirer, mir**oir** ; tirer, tir**oir** ; sauter, saut**oir** ; moucher, mouch**oir** ; trotter, trott**oir** ; raser, ras**oir**. ■ *Familles avec un nom ayant un suffixe en* **-toire** *:* observer, observ**atoire** ; interroger, interrog**a-toire** ; terre, ter**ritoire** ; labeur, labor**atoire**.

87. é + tendre ; é + prouver ; épauler : non ; é + tonner ; établir : non ; étudier : non ; é + mettre ; é + mouvoir ; é + lever ; éclater : non.

89. une attestation : attester ; un accroc : accrocher ; un attelage : atteler ; un atterrissage : atterrir ; le rattrapage : rattraper ; l'arrivage : arriver ; un attentat : attenter ; un accueil : accueillir ; l'arrosage : arroser ; un rattachement : rattacher ; des acclamations : acclamer ; une affiche : afficher ; un apprenti : apprendre ; un affront : affronter ; un appel : appeler ; un accordeur : accorder ; un arrangement : arranger ; une approche : approcher ; une affirmation : affirmer ; un appui : appuyer.

90. ■ *Mots commençant par* /ɛks/ *:* excellent, excepter, expérience, excursion, exprès.
    ■ *Mots commençant par* /ɛgz/ *:* exil, exercice, examiner, exagérer, exiger.

92. **ex**ception, **ex**plosion, **ex**porter, **ex**terne, **ex**clamation, **ex**plication, **ex**position, **ex**primer, **ex**traction, **ex**cursion, **ex**cès, **ex**port, **ex**cepter, **ex**portation, **ex**pirer, (s')**ex**clamer, **ex**clusion, **ex**pression, **ex**pulser, **ex**pressif.

94. diction, marron, million, chiffon, citron, frisson, impression, passion, bouton, occasion.

96. bouillo**nn**er, abando**nn**er, bouto**nn**er, rayo**nn**er, fonctio**nn**er, télépho**n**er *(s'écrit avec un seul **n**)*, enviro**nn**er, ronro**nn**er, bourgeo**nn**er, perfectio**nn**er.

98. Avec **-al** : régional, cantonal. ■ Avec **-er** : espionner, stationner, pardonner, donner, collectionner, questionner, raisonner, soupçonner, cantonner ■ Avec **-aire** : stationnaire, questionnaire. ■ Avec **-able** : pardonnable, raisonnable, soupçonnable. ■ Avec **-eur** : donneur, collectionneur, questionneur, raisonneur.

100. polissonne, lionne, baronne, espionne, gloutonne, friponne, patronne, bretonne, championne, poltronne.

103. rapide, rare, cruel, libre, actif, faux, ferme, réel, stupide, lâche, solide, gai, pauvre, humain, curieux, difficile, obscur, généreux, tranquille, honnête.

105. une assiett**ée**, une habit**ation**, la propr**eté**, la décor**ation**, la matern**ité**, la timid**ité**, une mont**ée**, la sûr**eté**, une plat**ée**, une dict**ée**.

106. dire, écrire, couvrir, mentir, suffire, dormir, cuire, rire, partir, se repentir.

108. surprendre, éteindre, craindre, prétendre, atteindre, fendre, plaindre, répandre, feindre, dépeindre.

110. cruel, sincère, difficile, fréquent, puissant, innocent, récent, hardi, suffisant, spontané.

111. vraiment, docilement, aisément, fièrement, attentivement, sévèrement, gentiment, passionnément, promptement, honnêtement.

113. il sentait **confusément** ; elle dort [...] **profondément** ; on s'engage **prudemment** ; le chien accompagnait **fidèlement** ; ne jouez pas [...] si **bruyamment** ; son partenaire lâcha prise **immédiatement** ; le lion rugit **sauvagement** ; elle jeta **négligemment** ; elle s'assit **tranquillement** ; (elle) se servit **abondamment**.

114. ■ *Noms :* vêtement, entêtement, sentiment, compartiment, dévouement, ciment, paiement, bégaiement, tutoiement, nettoiement.

■ *Adverbes :* facilement, nullement, certainement, tranquillement, profondément, hardiment, gaiement, franchement, gentiment, dignement.

117. changé, nettoyé, bégayé, grincé, empressé, assorti, agrandi, commencé, amusé, enroué.

119. son emplacement, un vêtement, le grossissement, le tutoiement, un jugement, un paiement, un remaniement, quel déploiement, un ralliement, le dévouement.

120. un fromage corse ; des olives de **P**rovence ; un kilt écossais ; une orange d'**E**spagne ; une choucroute alsacienne ; une ville de **C**hine ; une danse irlandaise ; l'équipe d'**A**ngleterre ; les forêts du **B**résil ; l'île d'**O**léron.

122. *La seconde partie de chaque réponse est libre. Par exemple :* les Parisiens, la vie parisienne ; les Niçois, la salade niçoise ; les Lyonnais, la gastronomie lyonnaise ; les Marseillais, l'accent marseillais ; les Bordelais, la région bordelaise ; les Romains, l'empire romain ; les Canadiens, les forêts canadiennes ; les Italiens, l'opéra italien ; les Allemands, les voitures allemandes ; les Grecs, les temples grecs.

123. Madame, Monsieur, Messieurs, Mademoiselle, pages, numéro, Maître, Docteur, avant Jésus-Christ, Compagnie.

124. 1. Après le point, le point d'interrogation, le point d'exclamation et les points de suspension. 2. etc. 3. Pour annoncer une explication ou un dialogue. 4. Par des guillemets *(mais tous les écrivains ne le font pas)*. 5. Par un tiret *(après être allé à la ligne)*.

125. Il descendit de l'avion, épuisé. [...] sur le tapis roulant, [...] et renifla son sac.
– Voulez-vous ouvrir votre bagage ? lui demanda une femme.
Il obéit. La dame [...] se pencha, [...] et lui dit :
– Il est interdit [...].

128. Un jour, [...] à un célèbre dompteur, [...] de la cage aux fauves :
– Comment pouvez-vous entrer dans cette cage ?
Le dompteur, amusé par la question, répondit :
– Le problème n'est pas d'y entrer, mais d'en sortir !

130. cro**c** : cro**c**het ; pou**ls** : pu**ls**ation ; déba**t** : déba**tt**re ; instin**ct** : instin**ct**if ; flan**c** : efflan**qu**é ; traver**s** : traver**s**er ; suspe**ct** : suspe**ct**er ; doi**gt** : di**git**ale ; pie**d** : pé**d**estre ; escro**c** : escro**qu**erie.

131. le galop : galoper ; un saut : sauter ; un progrès : progresser ; un outil : outiller ; le respect : respecter ; un nom : nommer ; le second : seconder ; un pli : plier ; un accroc : accrocher ; un parfum : parfumer ; un bavard : bavarder ; un emprunt : emprunter ; un accord : accorder ; un rang : ranger ; un regard : regarder ; un arrêt : arrêter ; le goût : goûter ; le début : débuter ; un drap : draper ; le coût : coûter.

133. avec **promptitude** ; mes **salutations** distinguées ; la **profondeur** du fjord ; la table est **bancale** ; sa plus belle **écriture** ; sans **sourciller** ; se **reposer** un peu ; un kilo de **champignons** ; une **rangée** d'arbustes ; un signe **distinctif**.

136. morceau : morceler ; fr**ein** : effr**é**né ; s**ain** : s**an**itaire ; hum**ain** : hum**an**ité ; p**ain** : p**an**é ; tr**ait** : tra<u>c</u>er ; v**ain** : v**an**ité ; r**ein** : r**é**na<u>l</u> ; ch**air** : ch**ar**nel ; ser**ein** : sér**é**nité.

137. l**ai**t : lacté ; **ai**mer : amour ; b**ai**sser : basse ; niv**eau** : niveler ; scol**ai**re : scolarité ; cl**air** : clarté ; m**ai**son : masure ; dom**ai**ne : domanial ; n**aî**tre : natif ; vulg**ai**re : vulgarité.

138. gain *et* gagner ; peine *et* pénible ; grain *et* granulé ; pin *et* pinède ; main *et* manuel ; ciseaux *et* ciseler ; faim *et* affamé ; contraire *et* contrarier ; distraire *et* distraction ; cerveau *et* cervelle.

142. **1.** Non (soixante et un) **2.** Oui (quatre-vingt**s**) **3.** Oui (deux cent**s**) **4.** Aucun (neuf cent quatre-vingt-cinq) **5.** Non.
Il est maintenant accepté de relier tous les numéraux d'un nombre complexe par un trait d'union.

143. **1.** $47 = 40 + 7 \rightarrow$ quarante-sept ■ $231 = (2 \times 100) + 30 + 1 \rightarrow$ deux cent trente et un ■ $82 = (4 \times 20) + 2 \rightarrow$ quatre-vingt-deux ■ $146 = 100 + 40 + 6 \rightarrow$ cent quarante-six ■ $658 = (6 \times 100) + 50 + 8 \rightarrow$ six cent cinquante-huit.
2. $963 = (9 \times 100) + 60 + 3 \rightarrow$ neuf cent soixante-trois ■ $2\,320 = (2 \times 1\,000) + (3 \times 100) + 20 \rightarrow$ deux mille trois cent vingt ■ $1\,729 = 1\,000 + (7 \times 100) + 20 + 9 \rightarrow$ mille sept cent vingt-neuf ■ $4080 = (4 \times 1\,000) + (4 \times 20) \rightarrow$ quatre mille quatre-vingts ■ $992 = (9 \times 100) + (4 \times 20) + 12 \rightarrow$ neuf cent quatre-vingt-douze.
Il est maintenant accepté de relier tous les numéraux d'un nombre complexe par un trait d'union.

147. **1.** XXVII $\rightarrow$ X + X + V + II = $10 + 10 + 5 + 2 = 27$
■ LXVIII $\rightarrow$ L + X + V + III = $50 + 10 + 5 + 3 = 68$
■ XLII $\rightarrow$ $(- \text{X} + \text{L}) + \text{II} = (- 10 + 50) + 2 = 42$
■ XXXIX $\rightarrow$ XXX + $(- \text{I} + \text{X}) = 30 + (- 1 + 10) = 39$
■ CLIV $\rightarrow$ C + L + $(- \text{I} + \text{V}) = 100 + 50 + (- 1 + 5) = 154$

2. XIXe siècle $\rightarrow$ X + $(- \text{I} + \text{X}) = 10 + 9 = 19^{\text{e}}$ siècle
■ XXIe siècle $\rightarrow$ X + X + I = $10 + 10 + 1 = 21^{\text{e}}$ siècle
■ l'an MDXV $\rightarrow$ M + D + X + V = $1\,000 + 500 + 10 + 5 = 1\,515$
■ MCMLXXXIX $\rightarrow$ M + $(- \text{C} + \text{M})$ + L + XXX + $(- \text{I} + \text{X}) = 1\,000 + 900 + 50 + 30 + 9 = 1\,989$
■ MMDCIL $\rightarrow$ M + M + D + C + $(- \text{I} + \text{L}) = 1\,000 + 1\,000 + 500 + 100 + 49 = 2\,649$.

149. sanglier : *singularis (porcus)* = (porc) solitaire ; orbite : *orbis* (rond, cercle) ; colonne : *columna* ; cime : *cyma* ; colline : *collina,* de collis ; ôter : *obstare* (faire obstacle) ; nourrir : *nutrire* ; temps : *tempus* ; colonie : *colonia* ; mystère : *mysterium.*

150. bibliothèque, pachyderme, rhododendron, cacophonie, téléphone.

153. hydravion : *hudor* (eau) ; dynamite : *dunamis* (force) ; polycopie : *polus* (nombreux) ; homonyme : *onuma* (le nom) ; physique : *phusis* (la nature).

156. le v**in** : v**in**aigre ; en v**ain** : v**ai**nement *ou* v**an**ité ; un chan**t** : chan**t**er ; un cham**p** : cham**p**être ; un por**t** : por**t**uaire ; un por**c** : por**c**in *ou* por**c**elet ; le lai**t** : lai**t**age *ou* lai**t**erie ; lai**t**ier ; lai**d** : lai**d**e *ou* lai**d**eur ; la fi**n** : fi**n**al *ou* fi**n**ir ; la fa**im** : fa**m**ine *ou* aff**a**mé.

157. **1.** mal au **cœur** ; le **coût** de la vie ; un **chêne** centenaire ; la **voie** est libre ; un **verre** de jus de fruit.
2. un **flan** à la pistache ; son long discours m'a **lassé** ; pas assez **ventée** pour [...] des éoliennes ; elle donne [...] son **sang** ; des **vis** à bois.

159. un **cours** d'anglais ; un **seau** d'eau ; une **amende** sévère ; nourrir au **sein** ; un **signe** de la main ; un **vice** caché ; ouvrir la **voie** ; écrire des **vers** ; **se vanter** devant des amis ; un cheval couché sur le **flanc**.

162. un cahot : cahoteux ; cru : crudité ; habile : habileté ; un contrat : contracter ; nu : dénudé ; une mutation : muter ; fuir : s'enfuir ; le venin : venimeux ; la mue : muer ; la matière : un matériau.

164. cacher dans la terre : enfouir ; durée de dix jours : décade ; paraît deux fois par mois : bimensuel ; légume [...] sans le faire cuire : crudité ; dire du mal de quelqu'un : médire.

166. **1.** l'**habileté** du jongleur ; **dénué** de scrupules ; **intègre** en affaires ; **infesté** de fourmis ; la **vigie** annonça la terre.
2. a **aplani** le terrain ; **valoir** cher ; **décerner** son diplôme ; il va **falloir** ; **emménager** dans un appartement.

190. un fer **à** repasser ; une tablette **de** chocolat ; la marche **à** pied ; un bijou **en** or ; des cartes **à** jouer ; une brosse **à** cheveux ; un vêtement **de** sport ; un appartement **à** louer ; une fourchette **à** poisson ; un parquet **en** chêne.

191. il [...] **a** emprunté ; elle **a** du mal ; **à** y arriver ; il n'**a** plus ; le cycliste **a** mis ; un pied **à** terre ; il y **a** du poulet ; **à** dîner ; qu'**a**-t-on fait ; nous avons **à** manger.

193. **où** veux-tu aller ; à droite **ou** à gauche ; le livre **où** je l'avais mise ; **où** menez-vous ; de lui **ou** de toi ; le jour **où** j'ai compris ; **où** il est ; tôt **ou** tard ; vendu **ou** non ; au moment **où**.

194. **à** perdre haleine ; **où** l'avez-vous rangé ; cinq **ou** six ; **à** mon tour ; n'**a**-t-elle pas ; d'**où** lui vient ; le village **où** je suis né ; on en **a** déjà pris ; de là **où** tu es ; un chêne **ou** un platane.

197. 1. Oui. 2. Oui. 3. Non. C'est un verbe. 4. Oui. 5. Oui.

198. du piano **et** du violon ; la porte **est** [...] ouverte ; on **est** venu ; vingt **et** un ans ; ce livre n'**est** pas ; il **est** bien ; Juliette n'**est** jamais allée ; **est**-il parti ; tu peux **et** tu dois ; que t'**est**-il arrivé.

200. le lièvre **est** ; **et** voilà ; tout **est** prêt ; ne **sont**-ils pas ; **son** harmonica ; de la salade **et** des tomates ; quel **est** le numéro ; ne **sont**-elles pas là ; **son** ami ; qui **sont** ces hommes.

201. ce bleu **est** trop pâle ; ce ne **sont** pas ses amis ; **son** perchoir ; deux **et** deux ; **son** fils ; **est**-il volontaire ; **sont**-elles les dernières ; ce ne **sont** que des enfants ; **son** visage ; **et** il a éclaté de rire.

204. **cette** plaisanterie ; **ce** livre ; **ces** histoires ; **cette** chemise rouge ; **cet** enfant ; **cette** imitation ; **cet** arbre ; **cette** image ; **ces** ciseaux ; **cet** album.

206. **ses** pièces ; **ses** voiles ; **ces** arbres ; **ses** lunettes ; **ses** clés ; **ces** derniers jours ; **ces** nuages ; **ces** fruits ; **ses** frères ; **ses** intentions.

207. **cet** *incendie* a causé ; **cette** *ampoule* électrique ; **cet** *abricot* est bon ; éviter **cette** *erreur* ; **cet** *événement* était prévisible ; **son** *avis* nous sera utile ; **cet** *évier* est en inox ; **son** *câble* d'ordinateur est neuf ; **cet** *animal* ; à qui est **cet** *outil*.

210. **se** régaler ; **ce** choix ; **ce** déjeuner ; **se** sentir ; **ce** vieux cerisier ; **se** servir ; **ce** village ; **se** perdre ; **se** réveiller ; **ce** pari.

211. ce tissu coloré ; ce pinceau neuf ; ce tout petit chaton ; ce violent orage ; ce meuble ancien ; ce gros chien ; ce travail urgent ; ce nouveau renfort ; ce contrôle systématique ; ce vêtement trop grand.

213. **se** mettre ; **ce** soir ; **ce** camion ; **ce** monsieur ; elle **se** laissa tomber ; **ce** long voyage ; il ne **se** décide jamais ; **se** lève-t-on ; il **se** mêle ; **ce** qui.

215. on s'est levé tôt ; on se lève tôt ; où s'est-elle cachée ; où se cache-t-elle ; il s'est cru meilleur ; il se croit meilleur ; s'est-elle éloignée ; s'éloigne-t-elle ; il s'est encore fâché ; il se fâche encore.

217. 1. Faux. « C'est » n'est jamais dans un groupe nominal, contrairement à *le* ou *une*. 2. Vrai. 3. Vrai. 4. Faux. Il correspond aussi à la 2e personne (tu sais). 5. Vrai.

218. **c'est** un homme ; son fils **s'est** mis ; qu'est-ce que **c'est** ; **s'est**-il réveillé ; **c'est** dommage ; il **s'est** enfermé ; **c'est** très important ; (il) ne **s'est** pas arrêté ; **c'est** le chemin ; il **s'est** dit.

220. il ne **s'est** pas attardé ; je le **sais** ; **c'est** urgent ; il **s'est** montré ; ce qu'il **sait** ; **c'est** sans doute lui ; **s'est**-il rendu compte ; il **s'est** couché ; **c'est** exact ; le chien **s'est** bien sauvé.

224. **on** se dépêche ; elles **ont** déjà déjeuné ; elles lui **ont** demandé ; **on** a pris de quoi ; ils **ont** menacé ; les lapins **ont** eu peur ; **on** te cherche ; mes voisins ne m'**ont** rien dit ; **ont**-ils apporté ; si **on** allait.

226. ils n'**ont** encore rien décidé ; **on** ira demain ; pourquoi n'**ont**-elles pas ; vous que l'**on** cherche ; **ont**-ils terminé ; elles m'**ont** semblé ; puisqu'**on** ne sait pas ; **on** va leur écrire ; n'**ont**-elles pas été amies ; que vous **ont**-elles raconté.

228. **on** entoura le jardin ; **on n'**y habitera pas ; il faut qu'**on** aille ; **on n'**en trouve plus ; **on n'**est plus au xxᵉ siècle ; **on** en veut encore ; **on** a très faim ; **on n'**engagera que des spécialistes ; **on n'**attendait plus que toi ; **on** ira demain.

231. il ne **peut** pas ; **peux**-tu venir ; un **peu** ; sa voiture ne **peut** pas démarrer ; un **peu** sot ; elle relève un **peu** la tête ; **peux**-tu monter ; il se **peut** ; que **peu** de viande ; une situation **peu** confortable.

233. il n'en **peut** plus ; la voisine **peut** garder ; à **peu** près huit heures ; ça se **peut** ; on ne **peut** manquer ; un **peu** ; un **peu** plus ; ça ne se **peut** pas ; que **peux**-tu ; où **peut** bien être.

234. **près** du four ; il était déjà **prêt** ; **près** de midi ; tout était **prêt** ; **près** de la frontière.

236. à peu **près** ; ce **prêt** ; Marie, tiens-toi **prête** ; **prêt** à temps ; **près** de la barrière ; **près** de moi ; **prêt** le premier ; de **près** ; tout est **prêt** ; **près** de la caméra.

237. douée en maths, **mais** [...] ; il **met** son vélo ; **mes** jumelles ; tu as raison, **mais** [...] ; **mes** idées ; nous le ferons, **mais** [...] ; elle **met** sa cape et ses bottes ; la serrure a été changée, **mais** [...] ; **mes** anciennes clés ; on **met** le tapis.

238. ce détail **m'est** connu ; elle **met** une pincée de sel ; tu **mets** ton anorak ; il **m'est** agréable ; ma grand-mère **met** le poulet ; il ne **m'est** rien arrivé ; le billet **m'est** remboursé ; cela **m'est** égal ; on les **met** dans le placard ; on **met** le couvert.

240. le **mets**-tu ; l'idée ne **m'est** pas venue ; jeune, **mais** [...] courageux ; **mes** feutres ; il **m'est** impossible ; **mais** demandez ; on **met** la lampe ; que **m'est**-il arrivé ; ces **mets** régionaux ; **mais** attention.

244. leur**s** sac**s** ; je **leur** donne la main ; leur**s** taxe**s** de séjour ; leur**s** vélo**s** ; ne **leur** coupez pas la route ; se**s** chat**s** ? elle **leur** a donné ; ce que vous **leur** conseillerez ; leur**s** jardin**s** étai**ent** en fleurs ; vous **leur** enverrez ; leur**s** essai**s**.

245. je **leur** indique ; je **lui** donne la main ; la chèvre **leur** a mangé ; il **lui** a succédé ; on **lui** a rappelé ; je **leur** ai téléphoné ; ce garçon **lui** ressemble ; il **leur** recommande ; elle **leur** chante un air d'opéra ; on **leur** a rendu hommage.

247. **leurs** enfants ; une grande masse [...] **leur** barrait ; **leur** chien ; tu **leur** parles ; **leurs** moteurs ; ils vont **leur** lancer ; il **leur** fallait ; il **leur** prit ; **leurs** cousins ; **leurs** vêtements.

250. **tous** les samedis soirs ; **toutes** mes bandes dessinées ; **toute** ma profonde amitié ; **toutes** nos sincères salutations ; **toutes** ses aventures ; **toute** la journée ; **tout** le monde ; **tous** ces temps-ci ; **tout** leur courage ; **tous** vos souhaits.

251. 1. Oui. *Par exemple :* Ils sont **tous** dans le placard (**tous** = les verres). ■ 2. Non. Il s'accorde si le mot qui le suit est féminin et commence par une consonne ou un h aspiré. *Par exemple :* Elles sont **toutes** neuves. ■ 3. Oui. *Par exemple :* On a chanté **toute** la soirée. ■ 4. Oui. *Par exemple :* Elles sont **toutes** venues (**toutes** = les filles). ■ 5. Le nom qui suit est masculin pluriel. *Par exemple :* Il viendra **tous** les soirs.

252. **toute** la nuit ; **tout** le secret ; à **toute** vitesse ; **tous** les trois ; **tout** en marchant ; ils sont **tous** partis ; **tout** à fait ; **tout** savoir ; **tous** les kilomètres ; sa viande **toute** crue.

256. il **la** perdait ; elle **l'**a perdu ; veux-tu **la** trouver ; comment **l'**as-tu retrouvé ; on **l'**a tous vu ; on va **la** voir ; il **la** laissa s'approcher ; il **l'**a laissé passer ; le chauffeur **l'**a garé ; mon père va **la** garer.

258. elle ne **l'**a pas [...] reconnue ; Personne ne **la** vit ; elle n'était pas **là** ; pose-**la** ici ; comme **l'**a proposé ta sœur ; les amateurs étaient **là** ; dans **la** pièce ; me **la** donneras-tu ; c'est à moi qu'il **l'**a donnée ; tu **l'**as très bien piloté.

259. ■ *Exemple, suivi du passé composé :* la = une affiche : on **l'a** coll**ée** ■ la = la réparation : il **l'a** commenc**ée** ■ *sa pomme :* mon oncle **l'a** pel**ée** ■ *la maison :* on **l'a** bât**ie** ■ *sa voiture :* le conducteur **l'a** pouss**ée** ■ *la cabane :* un promeneur **l'a** remarqu**ée** ■ *ma mère :* on **l'a** nomm**ée** ■ *la façade :* l'architecte **l'a** dessin**ée** ■ *la terrasse :* mon père **l'a** balay**ée** ■ *la porte :* le menuisier **l'a** condamn**ée**.

262. elle ne t'**a** pas **entendu** ; ce que tu m'**as dit** ; ne m'**a** pas **étonné** ; mes amis ne m'**ont** pas **répondu** ; le technicien ne t'**a** pas **dit** ; mes amis t'**ont envoyé** ; tes voisins t'**ont**-ils **prévenu** ; tes sœurs m'**ont avoué** ; tu m'**as caché** la vérité ; ne m'**ont**-ils pas **appelé**.

264. **ma** première grande course ; son chat **m'a** sauté ; **mon** canif ; **m'ont** présenté ; **m'ont**-ils appris ; **ma** règle ; **m'a**-t-il invité ; **mon** père ; ils ne **m'ont** pas attendu ; la monitrice **m'a** sauvé.

266. on **m'a** parlé de la course ; (ils) **m'ont** invité ; **mon** portable ; il **m'a** connecté au site ; et **m'a** dit ; tu **m'as** demandé ; ils **t'ont** fait venir ; on **t'a** préparé ; **ton** nom ; Dany et Kevin **t'ont** choisi.

268. j'**en** viens ; juste d'**en** sortir. ; il n'**y** est jamais allé ; t'**en** passer ; vous **y** penserez ; bien que j'**en** aie trois ; j'**y** suis presque arrivé ; méfiez-vous-**en** ; elle **y** pense vraiment ; que dirais-tu d'**y** venir.

270. il **y** a beaucoup de monde ; ça **y** est ; il s'**en** allait ; je m'**y** connais ; ils **en** sont venus aux mains ; j'**y** suis ; j'**y** reste ; les choses **en** grand ; elle n'**en** voit plus ; on n'**y** comprend plus rien.

271. **1.** on voit [...] **d'en** haut ; tombée **dans** l'égout ; sa première **dent** ; on l'entend [...] **d'en** bas ; **dans** sa classe.
2. je **n'y** manquerai pas ; ne **nie** pas l'intérêt ; pas dit oui, **ni** non ; vous **n'y** pouvez rien ; un [...] **nid** d'aigle.

274. C'est une maison **sans** confort. Il faut **s'en** débarrasser. On **s'en** souviendra longtemps. Elle sort **sans** parapluie. Elle **s'en** moque. C'est une voiture **sans** GPS. Son chat rêve d'un monde **sans** chien. On **s'en** prépare une tous les vendredis soirs. Il est parti **sans** dire au revoir. On **s'en** charge.

276. se faire du mauvais sang, être très inquiet ; être sens dessus dessous, être en désordre ; ne pas s'en faire, être insouciant ; être sans-gêne, être envahissant ; sans cesse, sans arrêt ; un sans-grade, un simple soldat ; faire les cent pas, marcher de long en large ; avoir le sang chaud, se mettre facilement en colère ; un jour sans, quand tout va mal ; un pur-sang, un cheval de race.

280. mon chat **s'y** cache ; **si** heureuse ; on **s'y** plaît ; **si** vous avez terminé ; les indications **s'y** trouvent ; on **s'y** entraîne ; **si** nous lisons ; **si** la pluie cesse ; on **s'y** rendra à pied ; pas **si** sportif qu'il le prétend.

282. *Exprime une condition :* **si** la pluie cesse ; **si** c'est ouvert ; **si** je gagnais au loto ; **si** tu me proposes le double ; **si** elle vient par le train.
Exprime une question indirecte : j'ignore **si** ; on se demande **si** ; demande-leur **si** ; on ne sait pas **si** ; dites-moi **si**.

283. comment **s'y** retrouve-t-il ; il **s'y** perd ; **si** tu ne l'attends pas ; celles-**ci** ; j'aimerais savoir **si** ; cette fois-**ci** ; veuillez trouver **ci**-joint ; **si** bon qu'on l'aime ; il **s'y** montra ; sentent **si** bon.

286. **Quels** bruits violents ! **Quel** fouillis ! **Quelles** vieilles lunettes ! **Quelle** boisson parfumée ! **Quel** ciel étoilé ! **Quels** visages sérieux ! **Quel** grand dévouement ! **Quels** progrès immenses ! **Quelles** aventures étonnantes ! **Quels** cours passionnants !

288. **qu'elle** était jolie ; il faut **qu'elles** viennent ; penses-tu **qu'elles** seront ; dans **quelle** entreprise ; **quelle** journée splendide ; je voudrais **qu'elle** mange ; **quelles** villes ; **qu'elles** n'y croient pas ; **quelle** matière ; **qu'elle** ait été élue.

290. **quel** est votre point de vue ; **quelle** belle route ; **qu'elle** est large ; **qu'elles** aient ; mieux **qu'elle** ; il paraît **qu'elle** a perdu ; **quelle** est cette nouvelle chanson ; **quelle** tristesse ; **qu'elle** serait absente ; **quels** superbes cavaliers.

292. **quand** tu pourras commencer ; on ne peut **qu'en** rire ; **quand** nous partirons ; **qu'en** attends-tu ; **quand** il sonna ; elle ne fait **qu'en** manger ; **qu'en** reste-t-il ; **quand** tu arriveras ; **qu'en** dites-vous ; **quand** le maire.

294. **quand** viendrez-vous ; **qu'en** fait-il ; **qu'en** réparer deux ; **quant** à ses projets ; **qu'en** dis-tu ; (ils) ont changé de **camp** ; **quand** parleras-tu ; **quant** à lui ; je ne sais **quand** passer ; **qu'en** rire.

296. ce **qu'en** écrivent les journalistes ; dans quel **camp** ; **quant** aux demandes ; **qu'en** dit l'ambassadeur ; **quant** à moi ; **quand** je pense ; **quand** nous habitions ; je ne sais **qu'en** penser ; **quand** je lui donne raison ; **quant** à ses projets.

298. elle **t'en** prête ; on l'a **tant** aimée ; ne **t'en** fais pas ; il dormit **tant** ; on **t'en** préparera ; elle souffre **tant** ; elle **t'en** a parlé ; pas **tant** d'histoires ; nous **t'en** offrirons ; j'aimerais **tant**.

299. à **temps** ; on souhaiterait **tant** ; tu **t'en** souviens ; tu lui ressembles **tant** ; il était **temps** ; je **t'en** prie ; **tant** qu'il y a de la vie ; on **t'en** a parlé ; **tant** bien que mal ; on **t'en** a déjà donné.

301. ne **t'en** fais [...] pas ; plein **temps** ; (elle) lui **tend** le courrier ; **tant** qu'il fait beau ; tu **t'en** souviens ; le **temps** perdu ; combien **t'en** manque-t-il ; en **tant** que responsable ; je **t'en** supplie ; **tant** va la cruche.

304. Nathan, voulez-vous écrire **vous-même** ? Ces affiches, ils les ont collées **eux-mêmes**. Elles ont brodé leur nom **elles-mêmes**. Nous avons repeint la cuisine **nous-mêmes**. J'ai imprimé mes photos **moi-même**.

307. elle s'efforça **même** ; **même** ses parents ; les **mêmes** plats ; **même** pas besoin ; les **mêmes** chaussures ; tout de **même** ; acheter les **mêmes** ; nous-**mêmes** ; à **même** la bouteille ; les **mêmes** paroles.

310. **1.** te rendre visite **bientôt** ; tu es arrivé **bien tôt** ce matin ; au revoir, à **bientôt** ; c'est **bien tôt** pour partir ; tu pourras **bientôt** m'aider.
2. en savoir **davantage** ; que **d'avantages** à gagner ; **davantage** de fruits ; pas **d'avantage** (*possible :* **d'avantages**) ; en veux-tu **davantage**.

312. **1.** **bientôt** faire nuit ; beaucoup **d'avantages** ; c'est **bien tôt** pour lui annoncer ; il aura **bientôt** terminé ; **davantage** de temps.
2. un homme **d'affaires** ; pris l'**affaire** en main ; il pense **quelquefois** à ; dans ses **affaires** ; son nid **à faire**.

333. **1. Faux**. Il y a aussi la lettre **x** pour certains noms : *des marteaux.* **2. Faux**. *Une assiette de porcelaine.* **3. Vrai**. *Un repas, des repas.* **4. Faux**. *Un repas, une souris, etc.* **5. Vrai**. *(Bien sûr, il faut aussi savoir si c'est un nom qui prend un s ou un x au pluriel.)*

334. les choix ; des ennemis ; des essais ; des vernis ; des voies ; des civils ; des anneaux ; des canots ; des souris ; des écrans.

336. une brosse à dents ; une brosse à ongles ; une brosse en nylon ; une brosse à cheveux ; une brosse à habits ; un tapis-brosse ; une brosse en plastique ; une brosse sans manche ; une brosse à chaussures ; une brosse à vêtements.

338. une paire de gants ; une veste de sport ; un cageot de fruits ; des tranches de pain ; un jeu de cartes ; un sac de ciment ; une touffe de poils ; un défilé de sportifs ; un permis de chasse ; un envol de canards.

341. **1. Faux**. *Des marteaux, jeux, cailloux, etc.* **2. Vrai**. *Des rideaux, manteaux, etc.* **3. Faux**. *Des bals, des carnavals, etc.* **4. Faux**. *C'est l'inverse : sept noms terminés par ou s'écrivent avec un x au pluriel.* **5. Vrai**.

343. des morceaux de pain ; des chevaux de course ; des choux de Bruxelles ; des coraux magnifiques ; les voies ferrées ; des petits pois ; des pneus lisses ; des procès-verbaux ; des eaux pures ; des rideaux épais.

344. une coupe de cheveux ; une paire de ciseaux ; un fruit à noyau ; un fruit à pépins ; ces jets d'eau ; une série de panneaux ; un épouvantail à moineaux ; la saison des festivals ; des détails ; des aveux complets.

347. une réponse sensée ; des idées précises ; des candidats anxieux ; une démarche aisée ; des dépenses coûteuses ; des histoires mystérieuses ; une forêt touffue ; des fruits amers ; une phrase incorrecte ; des pièces obscures.

349. intelligents, mais étourdis ; Zoé est ravie, de beaux paysages ; ces timbres [...] rares ; la voix artificielle ; les vitres [...] sales ; ces infirmières [...] patientes, dévouées ; tous honnêtes.

351. des yeux couleur **de la** noisette ; les murs couleur **de l'**ivoire ; ma chienne couleur **de l'**abricot ; des chemises couleur **de la** prune ; les yeux couleur **du** marron.

353. les crayons rouge**s**, la feuille bleu**e** ; un sac et une jupe beig**e** ; des plumes [...] jaune**s**, d'autres vert**es** ; des polos kak**i** ; les billets marro**n** ; des tuniques rouge sang ; leurs visages briqu**e** ; des chaussettes jaune canar**i**.

354. les arbustes : **lesquels** ; ces pantoufles : **lesquelles** ; un formulaire : **lequel** ; une vaccination : **laquelle** ; un adversaire : **lequel** ; des vêtements : **lesquels** ; ces taxis : **lesquels** ; une route : **laquelle** ; un carrefour : **lequel** ; les histoires : **lesquelles**.

355. *Réponses libres. Par exemple :* **Quelle broche** choisissez-vous [...] ; **Quels fauteuils** a-t-elle achetés [...] ; [...] **à quelles personnes** je dois m'adresser ; **De quels sites** tenez-vous cette information ? ; **Quels gants** protègent [...] ?

357. la table sur **laquelle** ; mille euros, **desquels** ont été retirés ; les plantes **auxquelles** vous pensiez ; deux témoins, **lesquels** ont déclaré ; **desquelles** [...], des plates ou des rondes.

361. les fillettes jouai**ent** ; (les fillettes) lançai**ent** ; (les fillettes) rattrapai**ent** ; les colis contenai**ent** ; les trois garçons cheminai**ent** ; ma sœur [...] emmèn**e** ; la faim (les) pouss**e** ; il croisai**t** ; les gens répondai**ent** ; les agents [...] termin**ent**.

363. **Les amis** de mon frère me le donn**ent**. **L'ami** de mes cousins nous les donn**e**. **L'ami** de mes cousins me le confi**e**. **Le copain** de mes sœurs te les prêt**e**. **Le copain** de mes sœurs nous les donn**e**. **Le copain** de mes sœurs me le confi**e**. **Les cousines** de mon copain me le confi**ent**. **Les cousines** de mon copain me le donn**ent**. **Mes collègues** de bureau me le confi**ent**. **Mes collègues** de bureau me le donn**ent**.

364. il [...] refus**e** ; toi qui **as** gagné ; il [...] gratifi**e** ; (il) mont**e** ; les élèves [...] éclat**ent** ; Capucine [...] regardai**t** ; un homme [...] marchai**t** ; on [...] connaissai**t** ; toi qui donn**es** ; le camion [...] bloqu**e**.

367. Camille et Olivia se repos**ent**. Tout le monde se repos**e**. Le chien et le chat se repos**ent**. Quelques-uns se repos**ent**. Chacun se repos**e**. Le chien des voisins se repos**e**. La plupart des gens se repos**ent**. Certains d'entre eux se repos**ent**. Chaque individu se repos**e**. Paloma et sa mère se repos**ent**.

368. la foule acclam**e** ; tout le monde riai**t** ; beaucoup de ses clients avai**ent** ; aucun [...] n'étai**t** revenu ; les autres l'aimai**ent**.

370. tout le monde sembl**e** ; nul être humain ne p**eut** ; M. et Mme Dubois demand**ent** ; certains d'entre nous croi**ent** ; l'autre me surveill**e** ; tous ceux qui veul**ent** ; (tous ceux) lèv**ent** la main ; aucun [...] n'espèr**e** ; beaucoup [...] paraiss**ent** ; tout ce qui arriv**e**.

374. les randonneurs se sont égaré**s** ; la porte n'est pas fermé**e** ; nous étions fatigué**s** (*ou* fatigué**es**) ; nous sommes sorti**s** (*ou* sorti**es**) ; le flanc (de la colline) n'était plus entouré.

376. la voiture et le vélo sont réparé**s** ; la machine à laver est réparé**e** ; mes patins à glace sont réparé**s** ; les portes du placard sont réparé**es** ; les ordinateurs sont réparé**s**.

377. ces journaux sont imprimé**s** ; cette coquille est percé**e** ; quand ils furent tous parti**s** ; ils ont été piqué**s** ; quelques-uns étaient parvenu**s**.

379. ils ne sont pas passé**s** ; les jouets [...] ne sont pas rangé**s** ; des TGV sont prévu**s** ; les serrures ont-elles été réparé**es** ; les autres conducteurs furent [...] obligé**s** ; les hommes étaient vaincu**s** ; elles sont [...] couché**es** ; les sacs furent [...] ouvert**s** ; les portes étaient surmonté**es** ; ces aventures n'étaient pas fait**es**.

381. elle, épuisé**e** ; (elle) ravie ; Maria, étourdie ; (Maria) encouragé**e** ; ils, réuni**s** ; mes souvenirs, décousu**s** ; grimpée, elle ; le jeune homme, cramponné ; la maisonnette, inhabité**e** ; elle, ému**e**.

383. affol**ées** [...], les chèvres ; la couverture tir**ée** sur lui ; les enfants, rassur**és** ; les records établi**s** hier ; la séance de travail prév**ue**.

387. la nouvelle a été annoncé**e** ; la radio a annoncé ; elle avait habitué ; elle était habitué**e** ; ces places sont réservé**es** ; ils ont réservé ; les jardiniers ont arrosé ; les massifs (de fleurs) ont été arrosé**s** ; ils ont pressé ; ils sont pressé**s**.

389. elle <u>est</u> monté**e** ; ils <u>sont</u> parti**s** ; personne n'<u>avait</u> entendu ; une (de tes sœurs) <u>a été</u> récompensé**e** ; les deux fillettes <u>avaient</u> emmené ; des boissons gazeuses <u>furent</u> servi**es** ; les véhicules [...] <u>ont</u> emprunté ; il faut qu'ils <u>aient</u> terminé ; le hérisson <u>fut</u> ébloui ; quand ils <u>eurent</u> fini.

391. Thomas avait devin**é** ; les chiens ont détrui**t** ; n'auraient-ils pas retrouv**é** ; Rachida est all**ée** ; la convocation a été affich**ée** ; nous avons décid**é** ; ils ont appri**s** ; qu'elle était [...] part**ie** ; des arbres ont été abattu**s** ; Tania [...] fut [...] inscr**ite**.

393. les chansons que tu as chant**ées** ; tu as chant**é** ; la belette que nous avons aper-çu**e** ; nous avons aperçu ; il les (= les branches cassées) a ramassé**es** ; il a ramass**é** ; ils nous ont donn**é** ; l'adresse qu'ils nous ont donn**ée** ; les chevaux [...] que mon frère a soign**és** ; mon frère a soign**é**.

395. très entouré**s**, les garçons ; la barque qu'il avait abandonné**e** ; les travaux ont provoqu**é** ; la sonnerie [...] avait retent**i** ; je les ai vu**s** (*ou* vu**es**).

396. ce sont les piles qu'il m'a donné**es** ; elle les (= tous les deux) a embrassé**s** ; ces histoires, elle les lui avait racont**ées** ; ils avaient fabriqu**é** une niche ; les (= ses photos) as-tu déjà vu**es** ; ils ont enfin démont**é** ; je les avais conduit**s** (*ou* condui-t**es**) ; ma balle, il l'a ramassé**e** ; et me l'a relancé**e** ; c'est la caméra que mon père m'a donn**ée**.

399. ils ont **beau** chercher ; les idées **claires** ; elle descendit plus **bas** ; ils ne voyaient pas **clair** ; une truffe **grosse** comme le poing.

402. des paroles rassur**antes** ; se disput**ant** une souris ; en chant**ant** ; des bruits gên**ants** ; les gens prévoy**ants** ; grinç**ant** dans la nuit ; en voyage**ant** ; respect**ant** le code ; des résultats encourage**ants** ; désir**ant** une attestation.

403. les biscuits cra**quants** ; cra**quant** sous la dent ; fabri**quant** les moteurs ; des propos provo**cants** ; en le provo**quant**.

422. **tu**, 2ᵉ personne du singulier, verbe *conseiller* ; **elle**, 3ᵉ personne du singulier, verbe *secouer* ; **on**, 3ᵉ personne du singulier, verbe *activer* ; **il**, 3ᵉ personne du singulier, verbe *être* ; **tu**, 2ᵉ personne du singulier, verbe *croire* ; **tes parents**, 3ᵉ personne du pluriel, verbe *accueillir;* **nous**, 1ʳᵉ personne du pluriel, verbe *savoir* ; **ils**, 3ᵉ personne du pluriel, verbe *faire* ; **vous**, 2ᵉ personne du pluriel, verbe *craindre* ; **elle**, 3ᵉ personne du singulier, verbe *savoir*.

424. *Verbes du 1ᵉʳ groupe :* résider, s'essouffler, rincer.
Verbes du 2ᵉ groupe : noircir, durcir, rajeunir.
Verbes du 3ᵉ groupe : prédire, entrouvrir, admettre, conclure.

425. il dor**t** dans son berceau ; tu ser**res** [...] le boulon ; elle li**t** un roman ; on ser**t** le café ; le soleil me dor**e** ; cr**ois**-tu à ses promesses ; il par**t** pour Rome ; le bruit cr**oît** ; elle le par**e** de toutes les qualités ; on li**e** les fleurs.

429. être là ; être poli ; avoir le temps ; être jeune ; avoir de l'esprit ; être rond(e) ; avoir envie (de dormir) ; avoir un bon métier ; être satisfait ; être au garage.

432. tu n'**as** pas manqué ; **es**-tu pour les verts ; tu n'**as** [...] pas reçu ; **as**-tu l'intention ; tu n'y **es** pas ; tu n'**as** pas fait ; où **es**-tu ; tu n'**es** pas essoufflé ; tu le lui **as** caché ; tu n'**es** pas le premier.

434. c'est moi qui **ai** pris ; (c'est moi) qui l'**ai** réparé ; lui qui **est** déjà venu ; toi qui **es** si gentil ; elle qui **est** ma nièce ; moi qui **ai** emprunté ; moi qui en **ai** la responsabilité ; moi qui lui **ai** envoyé ; toi qui t'**es** baigné ; qui **est** entré.

436. un cri, il crie ; un réveil, se réveiller ; un travail, je travaille ; plier, on plie ; un balai, balayer.

438. il sommeille, elles sommeillent ; il accueille, elles accueillent ; il parie, elles parient ; il essaie (*ou* essaye), elles essaient (*ou* essayent) ; il appareille, elles appareillent ; il recueille, elles recueillent ; il s'ennuie, elles s'ennuient ; il détaille, elles détaillent ; il s'éveille, elles s'éveillent ; il envoie, elles envoient.

439. un sommeil, des sommeils ; un accueil, des accueils ; un pari, des paris ; un essai, des essais ; un appareil, des appareils ; un recueil, des recueils ; un ennui, des ennuis ; un détail, des détails ; un éveil, des éveils ; un envoi, des envois.

441. le professeur désir**e** ; du dégel ; en pleur**s** ; quel flai**r** ; il flair**e** ; un grand sapin décor**e** ; on ne s'en souci**e** pas ; son calcul ; une vaccination de rappel ; le voilier appareil**le**.

445. **1.** **s** ou **x**. **2.** non, seulement à la 3ᵉ personne du pluriel. **3.** **nt** (*possible :* **ent** et **ont** pour *être* et *avoir*). **4.** en **y**. **5.** oui : -**tes**.

446. je me satisfais, nous nous satisfaisons ; je pardonne, nous pardonnons ; j'entrevois, nous entrevoyons ; je comprends, nous comprenons ; je suis, nous sommes ; je veux, nous voulons ; j'admets, nous admettons ; je reviens, nous revenons ; j'y vais, nous y allons ; je sais, nous savons.

449. j'éternu**e** ; je vérifi**e** ; j'enten**ds** ; tu croi**s** ; tu répon**ds** ; tu veu**x** ; tu oubli**es** ; il aboi**e** ; elle condui**t** ; on pein**t**.

450. il distribu**e** ; que signifi**e** cette histoire ; on fini**t** ; cri**ent**-ils ; il se mari**e** ; la chatte nourri**t** ; la musique adouci**t** ; ce chien n'obéi**t** pas ; tu l'atten**ds** ; on se réfugi**e**.

453. le [...] joueur se défen**d** ; je repein**s** ; je t'expédi**e** ; tu ne crain**s** rien ; elle me rejoin**t** ; la rivière attein**t** ; elle correspon**d** ; de quoi te plain**s**-tu ; on se méfi**e** ; on descen**d**.

456. prévoir : voir ; appartenir : tenir ; satisfaire : faire ; concourir : courir ; prédire : dire ; survenir : venir ; parcourir : courir ; contrefaire : faire ; entreprendre : prendre ; contenir : tenir ; secourir : courir ; entrevoir : voir ; prévenir : venir ; surprendre : prendre ; revoir : voir ; accourir : courir ; détenir : tenir ; intervenir : venir ; comprendre : prendre ; convenir : venir.

457. **1.** Oui. **2.** Non. Il s'écrit « **fai** » et se prononce /fə/. **3.** Non. **4.** Oui : -**cour**-. **5.** Non. Les terminaisons -**ions** et -**iez** s'ajoutent après **y**.

458. je dev**ais** ; tu me donn**ais** ; elles voul**aient** ; nous défais**ions** ; il voy**ait** ; ils compren**aient** ; tu concour**ais** ; vous le ten**iez** ; nous av**ions** ; on ét**ait**.

461. il effa**ç**ait, nous effacions, elles effa**ç**aient ; je remerciais, il remerciait, vous remerc**ii**ez ; tu voya**ge**ais, elle voya**ge**ait, ils voya**ge**aient ; tu vieillissais, il vieillissait, vous vieillissiez ; on oubliait, nous oubl**ii**ons, vous oubl**ii**ez ; j'écrivais, nous écrivions, elles écrivaient ; tu te réveillais, on se réveillait.

462. on ne le dérang**eait** pas ; si vous partag**iez** ; je stationn**ais** ; l'architecte se dépla**ç**ait ; nous avanc**ions** ; nous envisag**ions** ; vous paraiss**iez** ; des ouvriers répar**aient** ; je ne buv**ais** pas ; que mang**eais**-tu.

464. vous lanc**iez** ; on chang**eait** ; Capucine nag**eait** ; l'orage mena**ç**ait ; vous travaill**iez** ; les policiers exig**eaient** ; vous étud**iiez** ; nous nous ennuy**ions** ; on le rempla**ç**ait ; vous ne cr**iiez** pas.

467. **1.** Elles portent un accent circonflexe. **2.** Le verbe *aller* qui ne se termine pas par **s**. **3.** Non. C'est le verbe *être*. **4.** Non. C'est le verbe *devoir*. **5.** Le verbe *avoir* où **eu** se prononce comme un **u**.

469. ils vinrent ; ma sœur ne tint pas ; les gens ne le virent pas ; nous fûmes ; mon frère dut ; personne ne refit ; le voyageur s'en alla ; l'un des enfants prit ; tous se mirent ; parvins-tu.

472. je portai, il porta ; j'inscrivis, il inscrivit ; j'arrivai, il arriva ; je connus, il connut ; je décidai, il décida ; je tins, il tint ; je craignis, il craignit ; je courus, il courut ; je ressentis, il ressentit ; je me souvins, il se souvint.

474. le choc produis**it** ; le gardien qui descend**it** ; on command**a** ; le loup dispar**ut** ; Hélène aper**çut** ; (Hélène) le sais**it** ; (Hélène) le gliss**a** ; il arriv**a** ; (il) frapp**a** ; (il) repart**it**.

476. il ne se rend**it** pas compte ; nous perd**îmes** ; les juniors batt**irent** ; nous tressaill**îmes** ; il se vêt**it** ; (il) chauss**a** ; nous combatt**îmes** ; l'affaire se concl**ut** ; vous lui reproch**âtes** ; ce qu'il adv**int**.

478. Paul arriv**ait** toujours ; ce jour-là, il arriv**a** ; tout à coup, la porte s'ouvr**it** ; le directeur entr**a** ; chaque fois que le directeur entr**ait** ; il ouvr**ait** la porte ; ce matin-là, le funiculaire démarr**a** ; puis s'arrêt**a** soudain ; le funiculaire démarr**ait** toujours ; puis s'arrêt**ait** parfois.

480. le gardien enfil**a** ; (le gardien) m**it** ses bottes ; (le gardien) sort**it** du phare ; le vent demeur**ait** violent ; il ne pleuv**ait** pas ; le sentier qui long**eait** ; (le sentier) le condui**sit** ; une passerelle [...] qui se balan**çait** ; il n'hésit**a** pas ; les vagues qui déferl**aient**.

482. on l'appel**ait** ; le chien [...] essay**ait** ; un jour, le corbeau se perch**a** ; le chien qui aboy**ait** ; il s'envol**a** ; (il) se pos**a** ; (il) rev**int** ; il se plaç**a** ; (il) ouvr**it** ; (il) laiss**a** tomber.

484. tu sauras ; tu deviendras ; tu admettras ; tu referas ; tu cueilleras ; tu pourras ; tu reverras ; tu comprendras ; tu seras ; tu iras.

485. 1. Non, il y a aussi *pouvoir* et *voir*. 2. Non, c'est le verbe *être*. 3. Oui, **fai** se change en **fe**. 4. Non. 5. Non.

486. nous émettr**ons** ; ils n'aur**ont** plus ; vous ne vous méprend**rez** pas ; il recou**rra** ; je ne pour**rai** que ; ils ne se déf**eront** pas ; ma sœur recueill**era** ; tu te compromettr**as** ; la vie redeviend**ra** ; vous ne sau**rez** pas.

489. je t'appell**erai** ; corrig**eras**-tu ; ces fleurs plai**ront** ; tu pai**eras** ; cet oiseau blessé mou**rra** ; celui qui viv**ra** ; (il) ve**rra** ; on tri**era** ; on emploi**era** ; tu balai**eras**.

491. je le rev**errai** ; on constitu**era** ; vous parcou**rrez** ; nous étudi**erons** ; tu pli**eras** ; je me batt**rai** ; ils se dévou**eront** ; elle reviend**ra** ; le président ser**rera** ; il parti**ra**.

492. s'écrier ; décrire ; lire (ce roman) ; cirer ; relier (ce livre) ; savoir ; lier ; écrire ; être (là) ; scier.

493. vous vérifi**erez** ; je m'associ**erai** ; nous cré**erons** ; ces mesures contribu**eront** ; je vous avou**erai**.

497. 1. Oui. 2. Au présent de l'indicatif. 3. Non. C'est parfois l'auxiliaire *être*. 4. Non, il peut s'accorder. 5. Oui. C'est le *vous* de politesse (singulier).

499. ils ont été ; il a pu ; elles sont allées ; j'ai su ; nous avons pris ; elle a eu ; on lui a fait ; nous avons dit ; il a vu ; ils sont venus.

502. son avion a atterri ; sa sœur est née ; j'ai toujours aimé ; le guide a regroupé ; le temps s'est adouci ; as-tu déjeuné ; l'avez-vous aperçu ; les fruits ont mûri ; il a ôté ; (il) l'a posé.

503. la pluie a occasionné ; l'eau a jailli ; l'entraîneur a rassemblé ; on a cherché ; le public a applaudi ; nous avons reçu ; ils ont dressé ; vous (M. Dubois) vous êtes établi ; nous nous sommes efforcé(e)s ; les syndicats ont débattu.

505. nous avons fait ; ce que nous avons pu ; nous sommes allé(e)s ; avez-vous vacciné ; nous avons couru ; nous avons cueilli ; comment avez-vous démêlé ; pourquoi avez-vous pâli ; nous avons acclamé ; qu'en avez-vous pensé.

508. 1. Oui. 2. Le passé composé. 3. Au plus-que-parfait. 4. Au futur antérieur. 5. Aux temps composés, c'est l'auxiliaire qui prend les marques de la conjugaison.

509. elle avait été : être, plus-que-parfait ; ils sont partis : partir, passé composé ; on sera arrivé : arriver, futur antérieur ; on l'a surpris : surprendre, passé composé ; dès qu'il eut fini : finir, passé antérieur ; vous aurez fait : faire, futur antérieur ; vous aviez compris : comprendre, plus-que-parfait ; nous l'eûmes réchauffé : réchauffer, passé antérieur ; elles ont [...] défait : défaire, passé composé ; vous serez [...] venus : venir, futur antérieur.

512. une personne assi**se** ; une bête mi**se** ; une chose pri**se** ; une chose di**te** ; une phrase écri**te** ; une maison construi**te** ; une voiture condui**te** ; une émission transmi**se** ; une chose interdi**te** ; une personne inscri**te**.

513. elle a établ**i** ; la loi a interd**it** ; ils ont rempl**i** ; il a comm**is** ; il a encore condu**it**.

515. *Participes passés terminés par* i : trahir, fleurir, jaunir, resplendir, sourire, choisir, poursuivre, réussir. ■ *Participes passés terminés par* is : comprendre, permettre, entreprendre, conquérir, surprendre, acquérir. ■ *Participes passés terminés par*

it : introduire, produire, s'instruire, déduire, prescrire. ■ *Intrus* : apercevoir (participe passé en -**u**).

519. *soumis* : participe passé, il fut soumis ; *remit* : temps simple, on remit ; *permis* : participe passé, être permis ; *compris* : participe passé, on a compris ; *surprit* : temps simple, on surprit ; *inscrit* : participe passé, ils ont inscrit ; *produit* : participe passé, cette usine a produit ; *réunit* : temps simple, il réunit ; *permis* : temps simple, je permis ; *dit* : participe passé, elle a dit.

521. il parcouru**t** ; (il) repri**t** ; (il) aperç**ut** ; les choses ont d**û** ; ce sera fin**i** ; Pierre couru**t** ; la vue [...] le rempli**t** ; je suis part**i(e)** ; je te remerc**ie** ; cela m'a perm**is**.

522. *Réponses libres. Par exemple :* J'ai réuss**i** une photo de nuit. Je réuss**is** une photo de nuit. Nous avons aperç**u** une étoile filante. Nous aperç**ûmes** une étoile filante. Elle a prom**is** de rentrer tôt. Elle prom**it** de rentrer tôt. Tu as ag**i** avec sagesse. Tu ag**is** avec sagesse. Ils ont reconn**u** leurs torts. Ils reconn**urent** leurs torts.

525. J'aime jouer au tennis. Je suis resté au stade. Il pense jouer au tennis. J'étais resté au stade. Je vais jouer au tennis. J'espère jouer au tennis. Elle a aussi joué au tennis. Nous avions joué au tennis. On vient de jouer au tennis. Il est en train de jouer au tennis.

526. en train de se repos**er** ; il s'est bien repos**é** ; elle va entr**er** ; il est entr**é** ; il commence à neig**er** ; il a neig**é** ; avez-vous pay**é** ; peux-tu la pay**er** ; Antoine va [...] se tromp**er** ; Antoine ne s'est pas tromp**é**.

529. l'avez-vous autoris**é** (*ou* **ée** si l' est une fille) ; à si bien vis**er** ; nous n'avons pas prolong**é** ; la rivière était poll**uée** ; il s'est fait piqu**er** ; son doigt a [...] enfl**é** ; elle s'est [...] conf**iée** ; avez-vous pu ignor**er** ; il aurait voulu racont**er** ; (voulu) avou**er**.

532. il était deux heures [...] la radio annon**ça** ; j'exer**çais** déjà ce métier l'an dernier ; il l'appela et l'interro**gea** ; prenez [...] et trac**ez** ; ce soir-là, [...] nous voya**geâmes**.

534. je travaillais [...] et m'appli**quais** ; ce qu'il vit l'intri**guait** (*ou* l'intri**gua**) ; qu'il se ris**qua** ; tu nous fati**guais** [...] ; elle m'expli**qua** [...] mais je ne compris pas.

536. il balaie, ils balaient *ou* il balaye, ils balayent ; il nettoie, ils nettoient ; il essaie, ils essaient *ou* il essaye, ils essayent ; il essuie, ils essuient ; il renvoie, ils renvoient.

537. je pai**erai** *ou* pay**erai** bientôt ; son chien ab**oiera** ; elle s'enn**uie** souvent ; il empl**oie** dix ouvriers ; on essa**iera** *ou* essa**yera** [...] demain ; ess**uie**-t-on *ou* ess**uiera**-t-on la vaisselle ; les mouettes tourn**oient** ; on bala**iera** *ou* bala**yera** [...] tout à l'heure ; il m'effra**ie** *ou* m'effra**ye** ; j'env**oie** la lettre tout de suite.

538. on cong**èlera** ; elles app**elleront** ; elle la je**ttera** ; vous achè**terez** ; tu pè**leras**.

540. il nous ment**irait** ; on la garant**ira** trois ans ; nous les batt**rons** en finale ; ils t'avertiraient s'ils pouvaient ; elle apparaît**ra** (*ou* apparait**ra**).

542. dis, disons, dites la vérité ; promets-lui, promettons-lui, promettez-lui un jeu ; sois, soyons, soyez raisonnables ; aie, ayons, ayez du courage ; va, allons, allez à la bibliothèque.

544. montr**e** ; ne remu**e** pas ; endor**s**-toi ; nettoi**e** ; ne boi**s** pas ; mang**e** ; tien**s**-toi ; ne cri**e** pas ; répon**ds** ; écri**s**-nous.

546. Levez-vous tôt. Laissons-les faire. Dérange-les. Remerciez-les. Retiens-moi. Placez-les ici. Dirigez-vous vers le sud. Échangeons-les. Prête-lui ta console de jeux. Livrez-les aujourd'hui.

548. tu mang**es** ; sui**s** ; soi**s** gentil ; donn**e**-moi ; achèt**e**-moi ; tu leur montr**es** ; jett**e** ; tu ne t'arrêt**es** pas ; si tu quitt**es** ; étein**s**.

551. **1.** Faux. Ex. : il jou**ait**, il veut jou**er**, il a jou**é**. **2.** Vrai. Ex. : il veut *(quoi faire ?)* jou**er**. **3.** Faux. C'est toujours un participe passé. **4.** Vrai. Ex. : vous jou**ez**. **5.** Vrai. Il s'agit des verbes du 1er groupe. Ex. : il a jou**é**.

552. la piscine doit mesur**er** ; les gens lui ont adress**é** ; vous cir**ez** vos bottes ; elle a exécut**é** tout le travail ; il ne fallait pas procéd**er** ; la tempête a provoqu**é** ; vous sembl**ez** jeune ; ils ont visit**é** le Canada ; la réparation va coût**er** ; deux et deux ont toujours égal**é**.

554. Jamel et Tom march**aient**; (Jamel et Tom) précéd**és** de; te rend**ais**-tu compte; le câble all**ait**; (allait) cass**er**; les choses s'étaient arrang**ées**; n'attend**ez** pas; que j'aie termin**é**; n'ont-ils pas pens**é**; à me téléphon**er**.

555. Ils vont s'amus**er** à la fête. On a jou**é** aux échecs. Si cela ne te déran**geait** pas, [...]. Il s'est cogn**é**. Son fils va étudi**er** la médecine. Ces couleurs s'harmonis**aient** ensemble. Pass**ez** donc [...]. Elles vont march**er** vingt kilomètres [...]. Les gens ont form**é** un cercle [...]. Un pauvre homme fouill**ait** [...].

556. la ronde [...] s'était arrêt**ée**; les choses redeven**aient**; rien n'était chang**é**; il faillit se trouv**er**; Matéo qui reven**ait**; all**ez**; lui parl**er**; n'hésit**ez** pas; sa toilette achev**ée**; il déjeun**ait**.

559. l'accusé sembl**ait**; avoir [...] oubli**é**; les menaces qu'il avait profér**ées**; les adolescents, très peu rassur**és**; allèrent cherch**er**; Jean et sa fille [...] encourag**és**; la porte était-elle bien ferm**ée**; n'avez-vous pas oubli**é**; d'emport**er**; les photographies que Line a imprim**ées**.

562. nous voulons nous **asseoir** (*ou* **assoir**); ils sont déjà **assis**; Clara [...] s'**assied** *ou* s'**assoit**; est-ce que tu t'**assieds** *ou* t'**assois**; autrefois, il s'**asseyait** *ou* s'**assoyait**; il s'**assit** [...] et commença; elle s'**assiéra** *ou* s'**assoira** [...] et conduira; j'aime m'**asseoir** (*ou* **assoir**); nous nous **assîmes** et fîmes; on voudrait que tu t'**asseyes** *ou* t'**assoies**.

563. je prendrais, nous prendrions le bateau; je déferais, nous déferions ce nœud; je reviendrais, nous reviendrions tout de suite; j'irais, nous irions au zoo; je cueillerais, nous cueillerions du muguet.

565. s'il n'y avait pas [...], on **verrait**; ils cou**rraient** plus vite; pou**rrais**-tu; si j'apercevais [...], je **serais** heureux; on lui soumett**rait** l'idée, s'il était là.

566. On pens**ait** que ce candidat recueille**rait** moins de voix. Elles **iraient** au stade si la pluie s'arrêt**ait**. Je comprend**rais** si tu me fais**ais** un croquis. On suppos**ais** que tu lui permett**rais** de monter sur scène. Il accou**rrait** s'il appren**ait** la nouvelle.

569. j'aime**rais**; il s'engage**rait**; nous applique**rions**; il semble**rait**; il crie**rait**; les journalistes en parle**raient**; Julia reste**rait**; j'y renonce**rais**; le récompense**rais**-tu; je transmett**rais**.

571. Si vous ven**iez**, on vous ouvri**rait**. Si je pouv**ais**, je t'en achète**rais** un. S'il me fais**ait** mal, je remue**rais**. S'ils se soign**aient**, ils guéri**raient**. Si tu le voy**ais**, tu le salue**rais**. S'il ét**ait** libre, il se joind**rait** à nous. Si elle en man**geait**, elle en mou**rrait**. Si on les cir**ait**, elles brille**raient**. Si elle dis**ait** oui, ils se marie**raient**. S'il le fall**ait**, nous déménage**rions**.

572. il m'écri**rait**; vous essui**eriez**; je souhaite**rais**; je loue**rais**; on s'établi**rait**.

575. J'espère que tu me permett**ras** de t'aider. J'espérais que tu me permett**rais** [...]. Nous trouve**rons** la sortie si tu m'aides. Nous trouve**rions** la sortie si tu m'aidais. On appelle**ra** si on entend un bruit suspect. On appelle**rait** si on entendait [...]. Si je vais [...], j'entend**rai** [...]. Si j'allais [...], j' entend**rais** [...]. Si ce film m'intéresse, je le regarde**rai** [...]. Si ce film m'intéressait, je le regarde**rais** [...].

577. si tu couchais là, tu au**rais**; si j'osais, je négocie**rais**; j'**irai** moi-même, si vous voulez; je le ve**rrai** si je prends; je ne pou**rrais** pas [...] si je voulais; j'aime**rais** que vous me fassiez; j'ai compris, je sau**rai**; je se**rais** heureux si vous me donniez; si ce pétrolier s'échouait, il pollue**rait**; si je n'étudie pas, j'échoue**rai**.

578. si tu étais soigneux, tu nettoie**rais**; si j'avais la facture, il me rembourse**rait**; s'il ne respecte pas [...] il dev**ra**; je n'**irai** pas, même s'il fait beau; si nous étions quatre, nous pou**rrions**; si vous me le donniez, je ne l'utilise**rais** pas; nous ne réussi**rons** que si elle nous aide; réponds et je te laisse**rai**; je refuse**rais**, même si vous insistiez; vous hésite**riez** si (je) vous le demandais.

581. Pourvu que nous **sachions** répondre! Il est temps que tu y **ailles**! Il vaut mieux que vous **preniez** cette vis. Il ne croit pas que tu **veuilles** chanter. J'éclaire pour qu'il n'**ait** pas peur.

583. Il faut que je vous dis**e** [...]. Qu'elle le veuill**e** ou non, tu seras élu. Il a pu sortir sans que je le sach**e**. Elle exige que tu pre**nnes** le train. Je regrette qu'il ne la voi**e** pas. Permettez qu'il vienn**e** vous offrir [...]. C'est dommage que je ne puiss**e** pas jouer. J'attends que tu mett**es** tes lunettes. Il se peut que je soi**s** déjà [...]. Avertissez-le avant qu'il n'**ait** [...].

586. il faut qu'il ou elle approuv**e** ; qu'il surpre**nne** ; qu'il lis**e** ; qu'il recueill**e** ; qu'il salu**e** ; qu'il choisi**sse** ; qu'il ess**aie** *ou* ess**aye** ; qu'il souri**e** ; qu'il attend**e** ; qu'il pei**gne**.

588. que vous corri**giez** ; qu'elle les vend**e** ; que tu dorm**es** ; que nous nous chauf-f**ions** ; que tu conduis**es** ; que vous buv**iez** peu ; que tu l'averti**sses** ; que je le tienn**e** ; qu'on le démoli**sse** ; que vous précis**iez**.

589. qu'elle étei**gne** ; que vous attend**iez** ; qu'elle cous**e** ; (qu'elle) raccourci**sse** ; que nous l'invit**ions** ; que tu continu**es** ; que vous hésit**iez** ; qu'il ne t'interdis**e** ; qu'on la prévienn**e** ; que je t'inscriv**e**.

590. que je le connai**sse** ; que vous vérif**iiez** ; pour qu'on le rejoi**gne** ; que je rés**olve** ce problème ; que je ri**e** ; que nous étud**iions** ; que je le croi**e** ; qu'on le secour**e** ; que vous appréc**iiez** ; que vous retend**iez**.

593. Il condui**t** avec prudence. Nous souhaitons qu'il condui**se** [...]. Elle ri**t** toujours. Je voudrais qu'elle ri**e** [...]. On conclu**t** ce marché. Il est nécessaire que l'on conclu**e** [...]. Est-ce que tu parcour**s** [...] ? J'ai peur que tu ne parcour**es** [...]. Nous croy**ons** à cette histoire. Il ne faudrait pas que nous croy**ions** [...].

595. je doute que l'on **ait** fini ; son frère [...] **est** parti ; ne t'**ai**-je pas [...] répondu ; il faut que j'**aie** obtenu ; j'en **ai** assez ; le jardin **est** envahi ; avant qu'ils n'**aient** pris froid ; l'**ai**-je bien mis ; que l'ordinateur **soit** connecté ; le plus beau tableau que j'**aie** jamais vu.

596. que nous l'employ**ions** ; que vous vous habill**iez** ; nous veill**ons** sur lui ; que je le croi**e** ; qu'on le renvoi**e** ; vous vous ennuy**ez** ; que vous le réveill**iez** ; nous nous occup**ons** ; que vous essay**iez** ; que nous pay**ions**.

599. *Choix libre du complément. Par exemple :* Je crains que tu **aies** abîmé, que vous **ayez** abîmé le tapis du salon ; que tu **aies** éteint, que vous **ayez** éteint le chauffage ; que tu **aies** annulé, que vous **ayez** annulé le voyage ; que tu **aies** hésité, que vous **ayez** hésité à répondre ; que tu **aies** dormi, que vous **ayez** dormi pendant le cours de maths.

601. Il faut qu'il te demand**e** l'autorisation. Je crains qu'il n'**ait** pas demandé ton accord. ■ Il faut que nous répond**ions**. Demain, il faudra que nous lui **ayons** répondu. ■ On aimerait qu'elle choisi**sse** tout de suite. On doute qu'elle **ait** choisi avant ce soir. ■ Je comprends, bien que je lis**e** vite. J'ai compris, bien que j'**aie** l**u** très vite. ■ Je voudrais que vous descend**iez** au sous-sol. Il aimerait que vous **soyez** déjà descendu(e, s).

602. que son chien **ait** p**u** ; que tu l'**aies** trouvé(e) ; que tu **sois** all**é**(e) ; qu'elle **ait** cr**u** ; quoi qu'ils **aient** prév**u**.

604. qu'ils **aient** d**it** ; qu'on **ait** loué ; que tu nous **aies** v**us** *ou* v**ues** ; que je les **aie** cr**us** *ou* cr**ues** ; qu'on le lui **ait** repris ; bien qu'il **ait** e**u** peur ; que vous n'**ayez** pas voul**u** ; pourvu qu'il **ait** pensé ; en attendant que tu **aies** fini ; qu'ils **soient** ven**us**.

606. Commence-t-elle son travail à huit heures ? Attache-t-on trop d'importance à cet événement ? Ton voisin prétend-il que je suis naïf ? Arrivera-t-on avant la nuit ? Exige-t-elle de venir ? Corrigerez-vous cet exercice ? Chanteront-ils l'hymne en chœur ? Récitera-t-elle une fable ? Cette vieille balançoire existe-t-elle encore ? Approuves-tu le changement dans l'équipe ?

609. Apporte**s-en** pour les gaufres. ■ Joue**s-en**. ■ Pense**s-y** avant de partir. ■ Cherche**s-en** dans ce pré. ■ Pose**s-y** les bibelots. ■ Mange**s-en** encore. ■ Colle**s-y** tes timbres. ■ Met**s-y** les fleurs. ■ Dispose**s-y** délicatement ces fraises. ■ Applique**s-en** un peu deux fois par jour.

610. Cueille**s-en** ; et donne**s-en** à ton frère. Ne les laiss**e** pas seuls. Va**s-y**, pass**e** avant moi. Mange**s-en** si tu veux. Parle**s-en** à tes parents. Mang**e** en silence, voyons. Entre**s-y** vite. Parl**e** en regardant [...].

Barème. Toute réponse entre deux crochets rouges vaut un point si elle est entiè-rement juste. Total : 20 pts par fiche.
Fiches non corrigées dans le livre : le barème est indiqué pour chaque question.

Fiche 1, page 212

1. ❶ [b**elle**, noir**e**, mouchet**ée** : accord avec le nom féminin *mule*] ▪ [plein**e** : accord avec le nom féminin *croupe*] ▪ [petit**e**, sèch**e**, harnach**ée** : accord avec le nom féminin *tête*] ▪ [dou**ce** : accord avec le nom féminin *mule*] ▪ [long**ues** : accord avec le nom féminin pluriel *oreilles*]. ❷ [fièrement, largement, sèchement, sûrement *ou* surement] ▪ [doucement, pleinement, naïvement]. ❸ [luisante, grelotter, enfantin (*ou* enfantillage, enfanter), argenterie (*ou* argentier)]. ❹ [croupe, vigne, peine, pompons, douce, naïf, longues]. ❺ [bête, sûr, tête].

2. [imparfait de l'indicatif] ▪ [C'est le temps du passé pour la description.]

3. [les bête**s** en valai**ent** la peine] ▪ [C'étai**ent** de (*ou* **deux**) belle**s** mule**s** noire**s**, mouchetée**s** de rouge,] ▪ [**leur** petite tête sèche] ▪ [avec cela, douce**s** comme **des** ange**s**] ▪ [qui **leur** donnaient l'air bon enfant].

4. [promenade, empressement] ▪ [jointure, invisible] ▪ [immensité].

Fiche 2, page 213

5. ❶ 2 pts. ▪ ❷ 4 pts. ▪ ❸ 1 pt. ▪ ❹ 3 pts. ▪ **6.** 2 pts. ▪ **7.** 5 pts. ▪ **8.** 3 pts.

Fiche 3, page 214

9. ❶ [jonc, criar**d**, gran**d**]. ❷ [criard**s** : (les) oiseaux ; distante**s** : des voix ; forte**s** : des voix] ▪ [cercle**s** : les oiseaux se déploient en formant **des** cercle**s**]. ❸ [vers : vert ; voie : voix ; fer : faire ; chaîne : chêne]. ❹ [**y** : sous le couvert du chêne vert (le plus proche)] ▪ [**en** : le remue-ménage et l'envol des oiseaux décrits dans les deux premières phrases]. ❺ [crier : criard ; nuage : nuée] ▪ [tôt : bientôt ; couverture : couvert]. ❻ [marais, voix, souris].

10. ❶ [entendre, suivre, conclure, devoir, percevoir, devenir, faire]. ❷ *imparfait de l'indicatif* : [devaient, trompais]. ▪ *passé simple* : [entendis, s'envola, suivit, se déploya,] ▪ [conclus, perçus, devinrent, fit, rampai, blottis].

11. [**Des** canar**ds** sauvage**s** s'envol**èrent** [...],] ▪ [d'autre**s** suiv**irent**, et bientôt, [...],] ▪ [**des** nuée**s** [...] se déploy**èrent** [...]].

12. [J'envoie le rapport] ▪ [par le courrier de cinq heures.] ▪ [Les faits divers occupent les trois-quarts] [du journal au mois d'août].

Fiche 4, page 215

13. ❶ 1 pt. ▪ ❷ 2 pts. ▪ ❸ 3 pts. ▪ ❹ 2 pts. ▪ **14.** ❶ 3 pts. ▪ ❷ 2 pts. ▪ **15.** 4 pts. ▪ **16.** 3 pts.

Fiche 5, page 216

17. ❶ [secouer : secousse ; atterrir : terre ; naviguer : navigation] ▪ [marchander : marchandise(s) ; calmer : calme ; équiper : équipage]. ❷ [à ras : à fleur d'eau ;

autoriser : permit (*ou* permettre); se détendre : divertissions (*ou* divertir)] ■ [pendant : dans le cours (de), dans le temps (que); toucher terre : débarquèrent (*ou* débarquer). ❸ [**ss** : re**ss**emblait, diverti**ss**ions, déla**ss**er, secou**ss**e] ■ [**qu** : pres**qu**e, é**qu**ipage, débar**qu**èrent] (**qu**i, **qu**e). ■ [**ge** : échan**ge**âmes, man**ge**r]. ❹ [bord : abordâmes (*ou* aborder); lassitude : délasser] ■ [barque : débarquèrent (*ou* débarquer); pli : plier; change : échangeâmes (*ou* échanger)].

18. ❶ *3ᵉ groupe* : [vendre, être, prendre, faire, permettre, vouloir, descendre, boire] ■ *2ᵉ groupe* : [divertir]. ❷ [j'abordai, je vendis, j'échangeai, j'étais, je pris, je ressemblais, je fis] ■ [je permis, je voulus, je débarquai, je me divertissais, je tremblai, je donnai].

19. [Le capitaine **fait** plier les voiles, et perm**et**] [...] [qui veul**ent** y descendre. Je **suis** [...]] ■ [de ceux qui y débarqu**ent**. Mais, [...] nous nous divertiss**ons** [...]] ■ [l'île trembl**e** [...], et nous donn**e** [...]].

20. [capacité, ennemi] ■ [liqueur, ananas] ■ [courroie].

Fiche 6, page 217

21. ❶ [accepte, accrochée, accord, attrape. Ils s'écrivent avec deux **c** ou deux **t**.] ❷ [bras : embrasser; poing : poignée]. ❸ [*restée* et *accrochée* : s'accordent avec le nom féminin *feuille*] ■ [*écartée* : participe passé employé avec *être,* s'accorde avec le sujet *je* (= la mésange)] ■ [*s'écrie* : terminaison du présent de l'indicatif du verbe *s'écrier*, à la 3ᵉ personne du singulier]. ❹ [*une pleine poignée* avec **de la** mousse (singulier)] ■ [et **des** feuille**s** (pluriel)]. ❺ [quelle trêve]. ❻ [mai : mais, met; plaine : pleine; taon : temps].

22. [écouter : présent de l'impératif (écoutez); garder : futur de l'indicatif (je garderai)] ■ [fermer : présent de l'impératif (fermez); obéir : présent de l'indicatif (il obéit); parler : imparfait de l'indicatif (parliez-vous)] ■ [s'écarter : plus-que-parfait de l'indicatif (je m'étais écartée)].

23. – [Écout**e**, dame, puisque **tu as** peur de moi, je garderai [...] pour **t'**embrasser.]
– [Dans ces conditions, j'accepte. Ferm**e** les yeux.]
– [Eh bien! Renart, s'écrie-t-elle, de quel accord parl**ais-tu**?] [**Tu aurais** eu vite fait [...]].

24. [Pour apprendre l'écrit,] ■ [l'écolier travaille l'analyse.] ■ [L'étoile du soir, l'étendue céleste sont] [un spectacle troublant pour l'ermite].

Fiche 7, page 218

25. ❶ 3 pts. ■ ❷ 4 pts. ■ ❸ 2 pts. ■ ❹ 2 pts. ■ **26.** ❶ 1 pt. ■ ❷ 2 pts. ■ **27.** 3 pts. ■ **28.** 3 pts.

Fiche 8, page 219

29. ❶ [bon : bond; chant : champ; leur : l'heure; est : haie] ❷ [se mit : se mettre; se dressa : se dresser; s'enfoncer; se demander] ❸ [venue : participe passé employé avec *être*, s'accorde avec le sujet *l'idée*, féminin singulier] ■ [dévorée : participe passé employé sans auxiliaire, s'accorde avec *elle* (= Alice), féminin singulier] ■ [vu : participe passé employé avec *avoir*, ne s'accorde pas] ■ [placé : participe passé employé sans auxiliaire, s'accorde avec *terrier*, masculin singulier]. ❹ [son gilet, cette poche, sa poursuite, son tour]. ❺ [**y** et **en** représentent tous les deux *un énorme terrier*].

30. *Temps simples* : [passé simple de l'indicatif : tira, regarda, se mit, se dressa, traversa, eut] ■ [imparfait de l'indicatif : pénétrait] ■ [présent du conditionnel : pourrait] ■ *Temps composé* : [plus-que-parfait de l'indicatif : était venue, avait vu].

31. [Lorsque **les** lapins tir**èrent** bel et bien une montre de la poche de **leur** gilet,] ■ [regard**èrent** l'heure, et se mi**rent** à courir de plus belle,] ■ [**les** fille**s** se dress**èrent** d'un bond, [...] l'idée **leur** était venue] ■ [qu'elle**s** n'avai**ent** jamais vu de lapin**s** pourvu**s** d'une poche [...].] ■ [Dévoré**es** de curiosité, elle**s** travers**èrent** le champ en courant à **leur** poursuite.]

32. [saucisse, nécessaire] ■ [récent, vainqueur] ■ [paupière].

Fiche 9, page 220

33. ❶ 2 pts. ■ ❷ 2 pts. ■ ❸ 2 pts. ■ ❹ 2 pts. ■ ❺ 2 pts. ■ **34.** ❶ 1 pt. ■ ❷ 2 pts. ■ **35.** 4 pts. ■ **36.** 3 pts.

Fiche 10, page 221

37. ❶ 2 pts. ■ ❷ 1 pt. ■ ❸ 1 pt. ■ ❹ 2 pts. ■ ❺ 2 pts. ■ ❻ 2 pts. ■ **38.** 3 pts. ■ **39.** 4 pts. ■ **40.** 3 pts.

Références des extraits.

Page 212 : Alphonse Daudet, « La mule du pape », *Lettres de mon moulin*. **Page 213 :** Théophile Gautier. **Page 214 :** Robert Louis Stevenson, *L'Île au trésor*, traduction A. Bay, © Librairie Générale Française. **Page 215 :** Chrétien de Troyes, *Lancelot ou le Chevalier de la charrette*, traduction D. Poirion, © Éditions Gallimard. **Page 216 :** « Sindbad le marin », *Les Mille et Une Nuits*, traduction A. Galland. **Page 217 :** *Le Roman de Renart*, traduction M. Combarieu de Grès, © Éditions J. Subrenat. **Page 218 :** Pierre Boule, *La Planète des singes*, © Éditions Julliard. **Page 219 :** Lewis Carroll, *Alice au pays des merveilles*, traduction J. Papy, © Éditions J.-J. Pauvert. **Page 220 :** Homère, l'*Odyssée*, extrait du chant XVII. **Page 221 :** « Merlin l'enchanteur », *Romans de la Table Ronde*, adaptation J. Boulenger, © Éditions Terre de Brume, Rennes.

Dictées pages 222 à 225.

1. Charles Baudelaire, « Le chat », *Les Fleurs du Mal*. **2.** Homère, l'*Odyssée*, extrait du chant V. **3.** Henri Troyat, « Babouchka », *La Rose de Noël*, 2005 Père Castor, © Éditions Flammarion. **4.** François Rabelais, *Gargantua*, adaptation de M.-H. Bru. **5.** Jean d'Ormesson, *Presque rien sur presque tout*, © Éditions Gallimard. **6.** Jean Giono, *Regain*, © Éditions Grasset. **7.** Charles Perrault, *Le Petit Chaperon rouge*. **8.** Alphonse Daudet, « La mule du pape », *Lettres de mon moulin*. **9.** Hans Christian Andersen, « Le vilain petit canard », *Contes*, traduction R. Boyer, © Éditions Gallimard. **10.** Lewis Carroll, *Alice au pays des merveilles*, traduction J. Papy, © Éditions J.-J. Pauvert. **11.** Victor Hugo, *Les Misérables*. **12.** Molière, *Le Bourgeois gentilhomme*, acte III, scène 12. **13.** Ésope, *Mercure et les trois cognées*. **14.** Antoine de Saint-Exupéry, *Le Petit Prince*, © Éditions Gallimard.

ÉVOLUTION DE L'ORTHOGRAPHE

Des modifications orthographiques ont été proposées par le Conseil supérieur de la langue française en 1990. Ces propositions de rectifications sont modérées. Elles ne concernent pas les règles fondamentales de l'orthographe française. Le résumé qui suit montre qu'elles portent sur le trait d'union, les mots composés, les accents, l'accord d'un participe passé et diverses anomalies. L'évolution de l'orthographe est lente et certaines propositions peuvent heurter le sens de la langue, tel, par exemple, le **s** ajouté au mot *neige* dans *des perce-neiges*. Elles ne sont pas encore passées dans les habitudes d'écriture. Seul l'usage peut témoigner d'une évolution.

1. Le trait d'union

● Il disparaît de certains mots composés qui sont alors soudés (cf. § 8).

● On lie par des traits d'union les numéraux formant un nombre complexe, qu'il soit inférieur ou supérieur à cent.
Ex. : *deux cent soixante et onze* → *deux-cent-soixante-et-onze.*

2. Le pluriel des noms composés

● Les noms composés d'un verbe et d'un nom ou d'une préposition et d'un nom suivent la règle des mots simples et prennent la marque du pluriel seulement quand ils sont au pluriel, cette marque étant portée sur le second élément.

Ex. : *un pèse-lettre* → *des pèse-lettres* | *un perce-neige* → *des perce-neiges*
un abat-jour → *des abat-jours* | *un après-midi* → *des après-midis*
un sans-abri → *des sans-abris*
un garde-meuble → *des garde-meubles (qu'il s'agisse d'homme ou de lieu).*

● Quand l'élément nominal prend une majuscule ou quand il est précédé d'un article singulier, il ne prend pas de marque du pluriel.
Ex. : *un prie-Dieu* → *des prie-Dieu ; un trompe-l'œil* → *des trompe-l'œil.*

3. L'accent grave

● On accentue sur le modèle de *semer (je sèmerai)* les verbes du type *céder* au futur et au conditionnel.
Ex. : *je céderai, je céderais* → *je cèderai, je cèderais.*

● Dans les inversions interrogatives, la première personne du singulier en **e** suivie du pronom sujet *je* porte un accent grave.
Ex. : *puissé-je* → *puissè-je ; aimé-je* → *aimè-je.*

4. L'accent circonflexe

Il n'est plus obligatoire sur les lettres **i** et **u**.
Ex. : *voûte* → *voute ; abîme* → *abime ; piqûre* → *piqure ;*
assidûment → *assidument ; il plaît* → *il plait.*
– sauf dans les terminaisons verbales (les 1re et 2e personnes du pluriel du passé simple ; la 3e personne du singulier de l'imparfait et du plus-que-parfait du subjonctif) ;
– sauf dans quelques mots où il apporte une distinction de sens utile (*dû, jeûne, mûr, sûr,* verbe *croître,* mais les dérivés et composés de ces mots perdent l'accent circonflexe) ;
– sauf dans les noms propres, où il demeure.

5. Les verbes en -eler et -eter

On double la consonne seulement pour *appeler (rappeler)* et *jeter* (ainsi que les verbes de la famille de *jeter*).
Les autres verbes se conjuguent sur le modèle de *peler* et d'*acheter*.
Ex. : *elle ruisselle* → *elle ruissèle; j'étiquetterai* → *j'étiquèterai;*
on amoncelle → *on amoncèle.*
Les noms en *-ement* dérivés de ces verbes suivent la même orthographe.
Ex. : *ruissellement* → *ruissèlement, dénivellement* → *dénivèlement,*
amoncellement → *amoncèlement.*

6. Le participe passé

Le participe passé de *laisser* suivi d'un infinitif est rendu invariable (comme celui de *faire* suivi d'un infinitif). Ex. : *Elle s'est laissé mourir. Je les ai laissé partir.*

7. Les mots empruntés

● Pour l'accentuation et le pluriel, ils suivent les règles des mots français.
Ex. : *un imprésario* → *des imprésarios; un ravioli* → *des raviolis;*
un scénario → *des scénarios; un média* → *des médias.*

● Le pluriel des mots composés étrangers est simplifié par la soudure.
Ex. : *des bluejeans, des weekends, des hotdogs.*

8. Graphies particulières fixées ou modifiées

Il s'agit de mots dont la graphie est irrégulière ou variable; on la rectifie, ou bien on retient la variante qui permet de créer les plus larges régularités.

● **Noms composés.** On écrit soudés certains noms composés sur la base d'un élément verbal généralement suivi d'une forme nominale ou de *tout*, ainsi que certains noms composés d'éléments nominaux et adjectivaux.
Ex. : *portemonnaie, piquenique, croquemonsieur, faitout, porteclé, tirebouchon...*
(34 mots concernés); *autostop, bassecour, chauvesouris, hautparleur,*
millefeuille, millepatte, sagefemme, téléfilm... (33 mots concernés).

● **Onomatopées.** Quinze onomatopées et mots expressifs sont écrits soudés.
Ex. : *pingpong, mélimélo, pêlemêle, tamtam, tsétsé...*

● **Tréma.** Il n'est plus placé sur une voyelle qui ne se prononce pas. Dans ce cas, on le place sur la voyelle qui doit être prononcée. On écrit ainsi *aigüe* (au lieu de *aiguë*), *contigüité* (au lieu de *contiguïté*). Cet usage du tréma s'applique également aux mots où une suite *-gu-* ou *-geu-* conduit à des prononciations défectueuses
Ex. : *il argue* → *il argüe; une gageure* → *une gageüre.*

● **Accents :**
– on ajoute un accent à quinze mots où il avait été omis, ou dont la prononciation a changé.
Ex. : *refréner* → *réfréner, besicles* → *bésicles.*
– l'accent est modifié sur vingt-quatre mots qui se conforment ainsi à la règle générale d'accentuation.
Ex. : *céleri* → *cèleri; événement* → *évènement; crémerie* → *crèmerie;*
sécheresse → *sècheresse; réglementaire* → *règlementaire.*

● **Mots composés empruntés.** Vingt-sept mots d'origine latine ou étrangère sont écrits soudés.
Ex. : *ex libris* → *exlibris; a priori* → *apriori; statu quo* → *statuquo; cow boy* → *cowboy;*
moto cross → *motocross; hara-kiri* → *harakiri.*

● **Accentuation des mots empruntés.** On ajoute des accents à cinquante et un mots empruntés à la langue latine ou à d'autres langues.
Ex. : *referendum → référendum ; memento → mémento ; veto → véto ; diesel → diésel ; pedigree → pédigrée ; revolver → révolver.*

● **Anomalies :**
– rectifications proposées par l'Académie en 1975, reprises et complétées par d'autres du même type (40 mots concernés).
Ex. : *asseoir → assoir ; chariot → charriot ; eczéma → exéma ; oignon → ognon ; relais → relai ; vantail → ventail.*

– on écrit en *-iller* cinq noms où le **i** qui suit la consonne ne s'entend pas.
Ex. : *serpillière → serpillère ; joaillier → joailler.*

– on écrit avec un seul **l** treize mots en *–olle.*
Ex. : *corolle → corole ; girolle → girole.*
Folle, molle, colle (et les composés de *colle*) ne changent pas.

– le *e muet* n'est pas suivi d'une consonne double.
Ex. : *interpeller → interpeler ; dentellière → dentelière.*

Règles d'ORTH 6ᵉ-5ᵉ concernées par ces propositions

R9
Le tréma. On peut ne pas placer le tréma sur la seconde voyelle si elle n'est pas prononcée, mais sur la voyelle qui se prononce. Ex. : *une voix aigüe.*
L'accent circonflexe. On peut ne plus le mettre sur **i** et **u**, mais on le garde pour les mots où il apporte une distinction de sens utile. Toutefois, les mots de leur famille le perdent. Ex. : *sûr, sureté, surement.*

R24
Les nombres. Tous les numéraux formant un nombre complexe peuvent être reliés par un trait d'union. Ex. : *trois-cent-trente-quatre.*

R83
Les verbes en -eler, -eter. La consonne est doublée seulement pour *appeler, rappeler* et *jeter* (ainsi que les verbes de sa famille). On peut conjuguer les autres verbes comme *acheter* et *geler.* Ex. : *j'amoncèle, j'épèle, j'étiquète, je feuillète.*

R84
Les verbes en -aître. On peut supprimer l'accent circonflexe sur ces verbes.
Ex. : *paraitre, il parait.*

R88
Le verbe asseoir. On peut écrire l'infinitif de ce verbe sans le **e** : *assoir.*

Mots à savoir
Pour quatorze d'entre eux, l'accent circonflexe sur **i** peut être supprimé et remplacé par un point (pages 77, 79, 129 et 135).

Remarque
L'Académie française a précisé : *L'orthographe actuelle reste d'usage, et les «recommandations» du Conseil supérieur de la langue française ne portent que sur des mots qui pourront être écrits de manière différente sans constituer des incorrections ni être considérés comme des fautes.*

Voyelles

phonèmes (sons)	graphies fréquentes (écritures possibles)	exemples	écriture phonétique
/a/	a à	barbe	/baʀb/
/ɑ/	a	bas	/bɑ/
/e/	é	école	/ekɔl/
/ɛ/	e (+ consonne) è ai ei	avec mère maison neige	/avɛk/ /mɛʀ/ /mɛzɔ̃/ /nɛʒ/
/ə/	e	vendredi	/vɑ̃dʀədi/
/i/	i (+ consonne)	livre	/livʀ/
/j/	i (+ voyelle) ill y	lion fille payer	/ljɔ̃/ /fij/ /peje/
/y/	u	rue	/ʀy/
/ɥ/	u (+ voyelle)	cuisine	/kɥizin/
/u/	ou	rouge	/ʀuʒ/
/w/ →/wɑ/ →/wa/	oi	soir	/swaʀ/
→/wɛ̃/	oin	coin	/kwɛ̃/
/o/	o au eau	rose autour marteau	/ʀoz/ /otuʀ/ /maʀto/
/ɔ/	o	porte	/pɔʀt/
/ø/	eu	deux	/dø/
/œ/	eu	bonheur	/bɔnœʀ/
/ɑ̃/	an en	maman vendredi	/mamɑ̃/ /vɑ̃dʀədi/
/ɔ̃/	on	maison	/mɛzɔ̃/
/ɛ̃/	in (i)en ain ein	jardin chien main plein	/ʒaʀdɛ̃/ /ʃjɛ̃/ /mɛ̃/ /plɛ̃/
/œ̃/	un	lundi	/lœ̃di/

Consonnes

phonèmes (sons)	graphies fréquentes (écritures possibles)	exemples	écriture phonétique
/p/	p	pain	/pɛ̃/
/b/	b	bébé	/bebe/
/t/	t	terre	/tɛʀ/
/d/	d	dimanche	/dimɑ̃ʃ/
/k/	c qu	carte quartier	/kaʀt/ /kaʀtje/
/g/	g gu	gare vague	/gaʀ/ /vag/
/f/	f ph	femme pharmacie	/fam/ /faʀmasi/
/v/	v	ville	/vil/
/s/	s ss c ç t(+ i)	sucre classe place garçon action	/sykʀ/ /klas/ /plas/ /gaʀsɔ̃/ /aksjɔ̃/
/z/	s z	raison bazar	/ʀɛzɔ̃/ /bazaʀ/
/ʃ/	ch	cheval	/ʃəval/
/ʒ/	j ge g	jeu plage girafe	/ʒø/ /plaʒ/ /ʒiʀaf/
/l/	l	libre	/libʀ/
/ʀ/	r	radio	/ʀadjo/
/m/	m	matin	/matɛ̃/
/n/	n	nageur	/naʒœʀ/
/ɲ/	gn	ligne	/liɲ/

INDEX DES RÈGLES

TABLE DES MATIÈRES

Achevé d'imprimer en Italie par Rotolito Lombarda
Dépôt legal: 93344-8/03-Septembre 2010